中 / 国 / 分 / 省 / 系 / 列 / 地 / 图 / 册

辽宁省地图册

LIAONING SHENG DITUCE

星球地图出版社 编制

图书在版编目（CIP）数据

辽宁省地图册 / 星球地图出版社编. －2版. －北京 ：星球地图出版社，2013.6
（中国分省系列地图册）
ISBN 978－7－5471－1479－7

Ⅰ. 辽… Ⅱ. 星… Ⅲ. 行政区地图－辽宁省－地图集 Ⅳ. K992.231

中国版本图书馆CIP数据核字(2011)第189711号

辽宁省地图册

作　　者	星球地图出版社
责任编辑	张佩英
封面设计	弓　洁
出版发行	星球地图出版社
地址邮编	北京北三环中路69号　100088
网　　址	http://www.starmap.com.cn
印　　刷	廊坊一二〇六印刷厂
经　　销	新华书店
开　　本	890毫米×1240毫米　1/32
印　　张	5.25
版次印次	2018年修订 第2版　　2018年1月第17次印刷
定　　价	27.00元
审 图 号	JS(2013)01－125

Readfoto提供部分图片。
书中部分图片作者不详，有关事宜，请与本社联系。
如有残损随时调换（发行部电话：010－82028269）
图内界线不作划界依据

目　录

序　图

地县图

附 录

图　例

序　图

★北京　首都
◎沈阳　省级行政中心
辽阳　地级行政中心
延吉市　地区、盟、自治州行政中心
辽阳县　县级行政中心
桥头　乡级行政中心

地县图

居民地

沈阳　省级行政中心
辽阳　地级市行政中心
延吉市　地区、盟、自治州行政中心
辽阳县　县级行政中心
桥头镇　乡级行政中心
兴安　村庄
巴彦塘　蒙古包

境　界

国界　未定国界
省级界　未定省界
特别行政区界
地级界
县级界
特种地区界

交　通

国家级 G1　省级 S1　高速公路及编号
在建高速公路
高速公路出入口
收费站　服务区
302　国道及编号
202　省道及编号
12 (千米)　县乡公路　里程　起讫点
复线铁路　隧道
建筑中　单线铁路　车站
高速铁路客运专线

烟台至大连89(165)
海里(千米)　航海线及里程
长城
桥梁　隧道　隧道群
机动渡口　人力渡口
机场　港口　口岸

水　系

海岸线
常水河　瀑布
干河　时令河
水库　闸坝
咸水湖　淡水湖
时令湖　干湖
运河
沟渠
坎儿井
泉　井

地形及其他

沙漠　自然保护区界
沼泽　盐沼
盐田　雪山
红石砬子▲1256　山峰及高程(米)
山隘
昭陵　世界遗产
千山　国家级风景名胜区
金石滩　国家旅游度假区
本溪　国家森林、地质公园
海棠山　国家级自然保护区
超山　其他风景名胜区
西平　其他森林公园
大青沟　其他自然保护区
石洞沟　旅游景点

城市图

街区　街道　干线路
公园、绿地
在建　轨道交通　车站　换乘站
隧道
索道
城墙
省级政府
地级政府
县级政府
乡级政府
交警部门
宾馆、饭店
大厦
商场
学校
医院
银行
邮局
体育场馆
图书馆
电影院
电视塔
加油站
修理厂
停车场
庙宇　清真寺
古塔
亭
墓地
长途汽车站
立交桥
旅游景点
其他单位

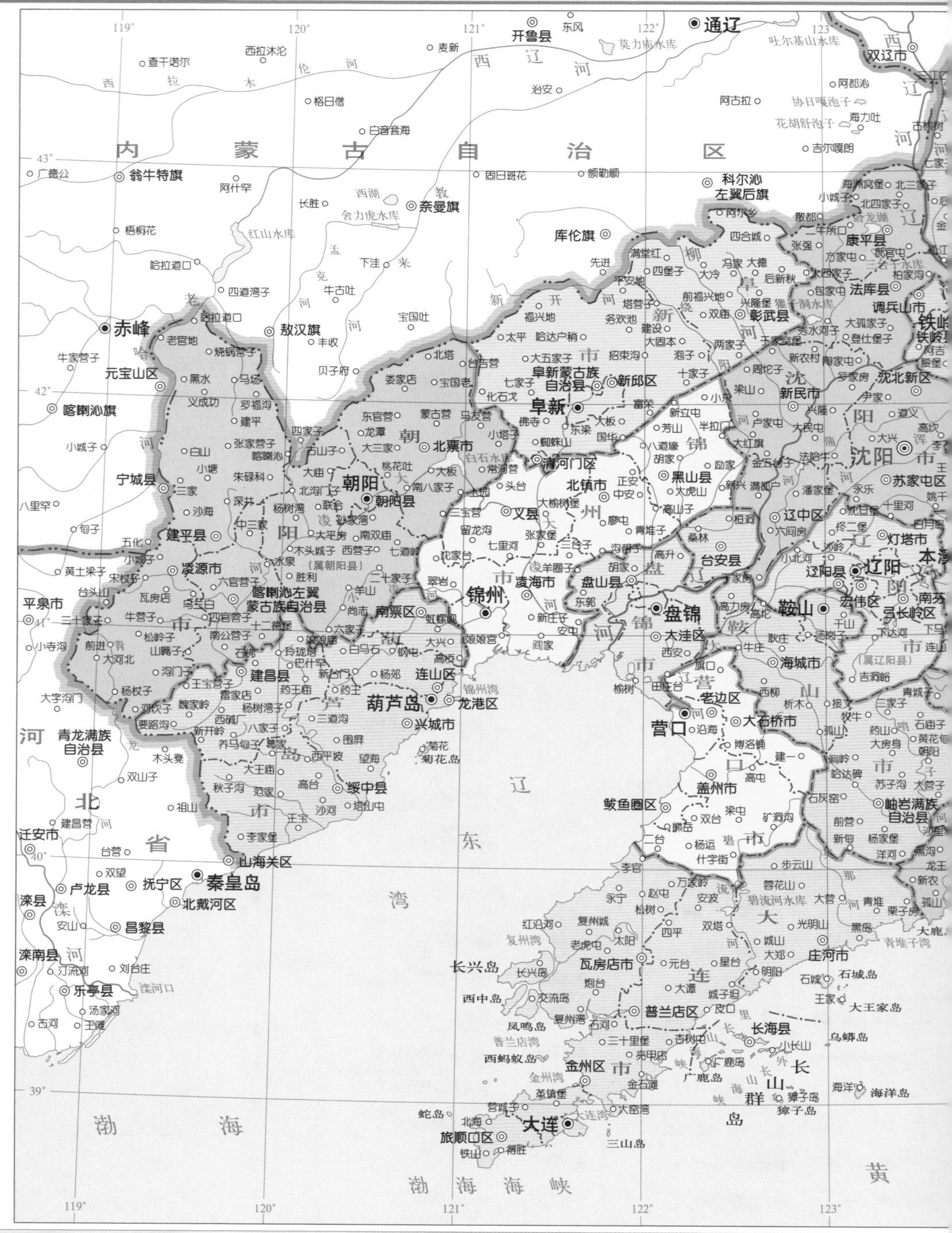

比例尺 1:3 150 000

31.5千米 0 31.5 63.0 94.5千米

辽宁政区

辽宁省位于我国东北地区南部，南临黄海、渤海，西南与河北省接壤，西北与内蒙古自治区为邻，东北与吉林省毗邻，东南与朝鲜隔江相望。省内最大河流为辽河。省名辽宁即取辽河流域安宁之意，简称辽。人口4255万，面积约15万平方千米。省会沈阳市。

辽宁历史文化悠久。营口金牛山、本溪庙后山等古人类遗址表明在旧石器时代早期（距今二三十万年前）这里就曾有人类活动。战国时期属燕国，秦时设辽东、辽西郡。汉、唐、宋、元、明都设有行政管辖机构。辽宁是中国最后一个封建王朝——清王朝的发迹开国之地，尤以清前史迹著称。清初设盛京，清光绪三十三年改奉天省，1929年改现名。

行政区划统计表

地名	人口（万人）	面积（平方千米）
沈阳市	**722**	**12980**
沈河区（皇城街道）	74	53
和平区（八经街道）	65	61
大东区（小津桥街道）	70	105
皇姑区（黄河街道）	81	67
铁西区（笃工街道）	87	277
苏家屯区（解放街道）	43	781
浑南区（泉园街道）	26	728
沈北新区（新城子街道）	32	896
于洪区（迎宾路街道）	40	499
新民市（新柳街道）	70	3315
辽中区（蒲西街道）	54	1647
康平县（胜利街道）	35	2231
法库县（法库镇）	45	2320
朝阳市	**340**	**19736**
双塔区（南塔街道）	40	500
龙城区（新华街道）	21	641
北票市（南山街道）	58	4469
凌源市（北街街道）	64	3264
朝阳县（朝阳市双塔区前进街道）	56	3751
建平县（红山街道）	58	4838
喀喇沁左翼蒙古族自治县（大城子镇）	43	2240
阜新市	**192**	**10445**
细河区（东苑街道）	18	126
海州区（新兴街道）	27	97
新邱区（兴隆街道）	9	128
太平区（红树街道）	17	108
清河门区（清河街道）	7	105
彰武县（彰武镇）	41	3635
阜新蒙古族自治县（城区街道）	73	6246
铁岭市	**306**	**12966**
银州区（工人街道）	35	203
清河区（红旗街道）	10	423
调兵山市（调兵山街道）	24	263
开原市（新城街道）	59	2825
铁岭县（铁岭市银州区工人街道）	39	2231
西丰县（西丰镇）	35	2699
昌图县（昌图镇）	104	4322
抚顺市	**220**	**11271**
顺城区（长春街道）	43	379
新抚区（永安台街道）	31	110
东洲区（搭连街道）	32	610
望花区（建设街道）	38	317
抚顺县（石纹镇）	12	1647
新宾满族自治县（新宾镇）	30	4287
清原满族自治县（清原镇）	34	3921
本溪市	**154**	**8435**
平山区（东明街道）	33	177
溪湖区（河东街道）	21	320
明山区（新明街道）	33	410
南芬区（南芬街道）	8	619
本溪满族自治县（观音阁街道）	29	3362
桓仁满族自治县（八卦城街道）	30	3547
辽阳市	**183**	**4741**
白塔区（星火街道）	21	24
文圣区（文圣街道）	18	38
宏伟区（光华街道）	14	117

地名	人口（万人）	面积（平方千米）
弓长岭区（汤河镇）	9	288
太子河区（新华街道）	13	166
灯塔市（万宝桥街道）	51	1313
辽阳县（首山镇）	57	2795
鞍山市	**353**	**9249**
铁东区（解放街道）	50	228
铁西区（八家子街道）	32	147
立山区（立山街道）	44	145
千山区（东鞍山镇）	27	271
海城市（东四街道）	110	2566
台安县（八角台街道）	38	1393
岫岩满族自治县（阜昌街道）	52	4502
丹东市	**242**	**15030**
振兴区（站前街道）	43	80
元宝区（广济街道）	19	81
振安区（鸭绿江街道）	18	669
凤城市（凤凰城街道）	58	5518
东港市（新兴街道）	61	2496
宽甸满族自治县（宽甸镇）	43	6186
大连市	**588**	**13238**
西岗区（北京街道）	30	26
中山区（桂林街道）	36	43
沙河口区（白山路街道）	66	49
甘井子区（辛寨子街道）	77	491
旅顺口区（水师营街道）	22	506
金州区（马桥子街道）	66	1390
瓦房店市（共济街道）	100	3791
普兰店区（南山街道）	93	2923
庄河市（新华街道）	91	3900
长海县（大长山岛镇）	7	119
营口市	**236**	**4970**
站前区（建设街道）	27	70
西市区（得胜街道）	16	20
鲅鱼圈区（红海街道）	36	268
老边区（老边街道）	13	305
大石桥市（青花街道）	72	1379
盖州市（西城街道）	72	2928
盘锦市	**131**	**4084**
兴隆台区（兴海街道）	44	900
双台子区（建设街道）	21	133
大洼区（大洼镇）	38	1268
盘山县（太平镇）	28	1341
锦州市	**308**	**10046**
太和区（太和街道）	23	617
古塔区（保安街道）	25	28
凌河区（龙江街道）	46	48
凌海市（大凌河街道）	57	2639
北镇市（北镇街道）	52	1782
黑山县（黑山镇）	62	2436
义县（义州镇）	43	2496
葫芦岛市	**281**	**10375**
龙港区（玉皇街道）	22	138
连山区（连山街道）	60	1653
南票区（九龙街道）	17	512
兴城市（温泉街道）	55	2147
绥中县（绥中镇）	64	2764
建昌县（建昌镇）	63	3161

总计：地级市14　市辖区59　县级市16　县17　自治县8　人口4255万人　面积约15万平方千米

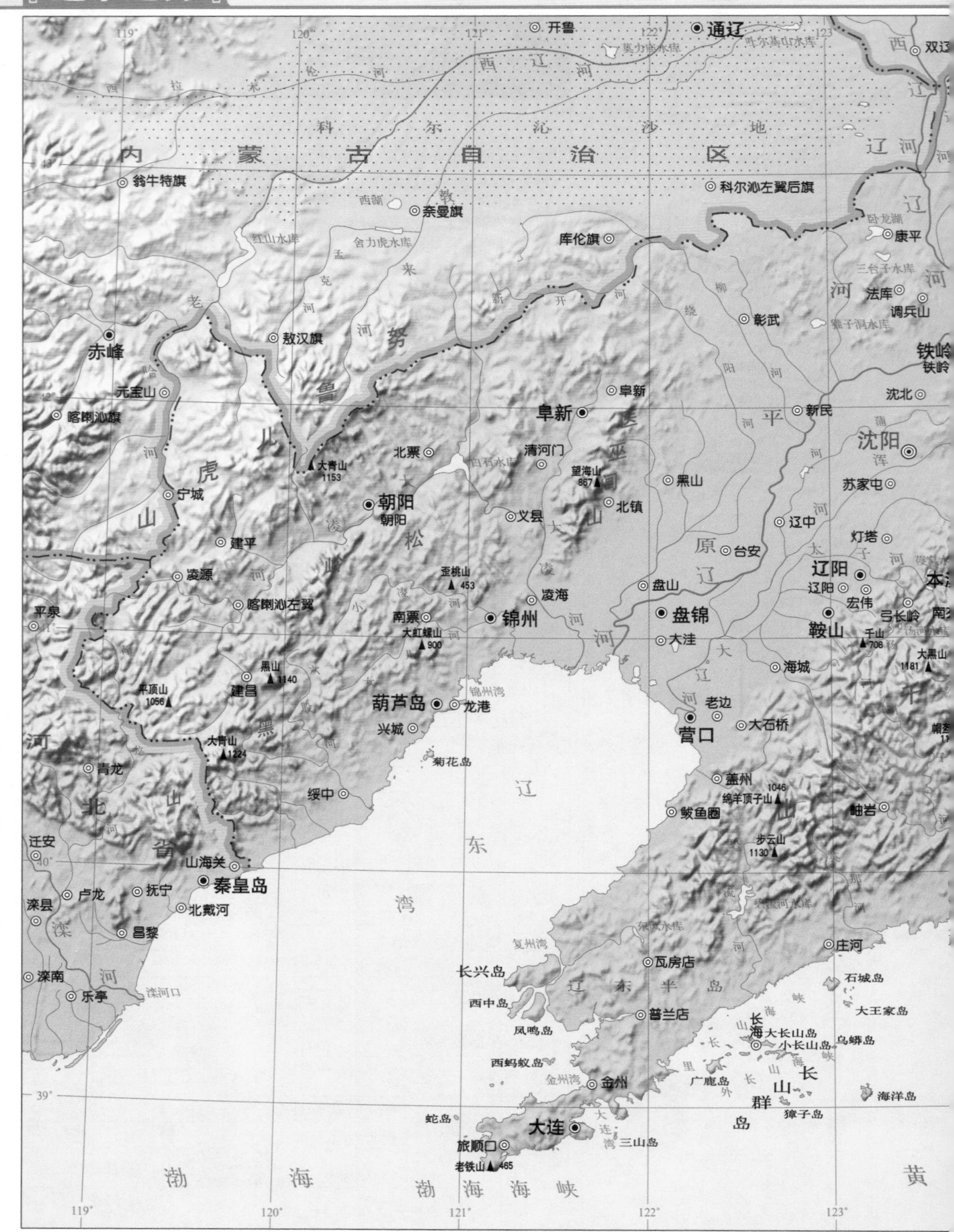

比例尺 1:3 150 000

31.5千米 0 31.5 63.0 94.5千米

辽宁地势

辽宁境内山地、丘陵、平原交错。山地、丘陵占全省总面积60%左右，平地占33%，水域及其他约占7%，自然概貌为“六山、一水、三分田”。

辽宁地势大体上从东南部和西北部向中央倾斜，由陆地向海洋倾斜，东部由东北向西南倾斜，西部自西北向东南倾斜，形成两翼高、中间低，界限较分明的三大地貌区：一是辽东山地丘陵地区；二是辽河平原区；三是辽西低山、丘陵地区。

辽东山地丘陵：位于开原、抚顺、盖州一线以东，由长白山余脉及其支脉千山组成，从东北向西南延伸。其东北部海拔1000米左右，向西南渐降至200米以下。山地中个别山峰达1000米以上，其中花脖山海拔1336米，为辽宁省最高点。山区树木葱郁，为省内主要林区。千山北宽南窄，中间高两端低，东南坡较缓，西北坡稍陡峻。辽河口至鸭绿江口边线以南的辽东半岛被千山贯穿，大部为低山、丘陵，海拔一般不超过500米，但在盖州东南有超过千米的绵羊顶子山和步云山等。

辽河平原：位于东西部山地、丘陵之间，是辽河及支流冲积而成，其西南部与渤海相连，向东北延伸与松嫩平原相接，地面广泛分布沙质黏土和黄土。彰武、康平一线西北有风沙地貌。彰武、铁岭以南有近3万平方千米冲积平原，地势平坦，海拔一般在50米以下。辽河平原是东北平原的一部分，其地势低平，水源丰富，土质肥沃，是辽宁省重要的农业区。南部辽河三角洲包括盖州、营口、盘锦、海城市境内部分地区，面积约3000平方千米，地势低洼平坦，土壤盐碱化严重，曾被称为“南大荒”，现大部已改良为稻田和芦苇场。

辽西低山、丘陵：位于彰武、北镇、小凌河口一线以西，是内蒙古高原向辽河平原的过渡地带。地势由西北向东南倾斜，东部各山一般海拔300～500米；西南向的近似相互平行的医巫闾山、松岭、黑山、努鲁儿虎山等较高。西部努鲁儿虎山，山体浑圆壮阔，主峰海拔1000多米。松岭南部被小凌河、女儿河、六股河等切割，地形破碎，朝阳、北票等断陷盆地内有砂页岩丹霞地貌发育。松岭以南到渤海，是海拔仅50米的狭长带状平原，通称“辽西走廊”。

辽宁省水系发达。南靠渤海、黄海，大陆岸线长达2100多千米，沿岸岛屿众多，较大的岛屿有：长兴岛、西中岛、凤鸣岛、大长山岛、小长山岛、广鹿岛、石城岛等，其中1/3为岩岸。辽宁省共有大小河流360多条，年径流总量335亿立方米。主要河流有：辽河、浑河、太子河、大凌河、小凌河、鸭绿江等。河流特点为：东部河流水清流急，直流入海，具山溪特点；西部河流上游水土流失严重，下游地势低平，泥沙淤积。辽河为省内第一大河，由东、西辽河在昌图县古榆树附近汇合而成。辽河河道曲折漫流，含沙量高，流量变化大，流向由北至南入海。鸭绿江源出吉林省东南中朝边境长白山，至浑江与鸭绿江交汇口入辽宁，至丹东所辖东港市入黄海，为省内第二大河、中朝两国界河，具有山区河流特点，水流急、水量大。拉古哨沿江多高山峡谷，江道弯曲，坡降大。拉古哨以下进入丘陵区，入海口附近海拔达50多米。辽宁省水库众多，要有大伙房水库、观音阁水库、浑江水库、碧流河水库、清河水库、汤河水库、白石水库、葠窝水库、阎王鼻子水库等。最著名的湖泊是位于康平县境内的卧龙湖。

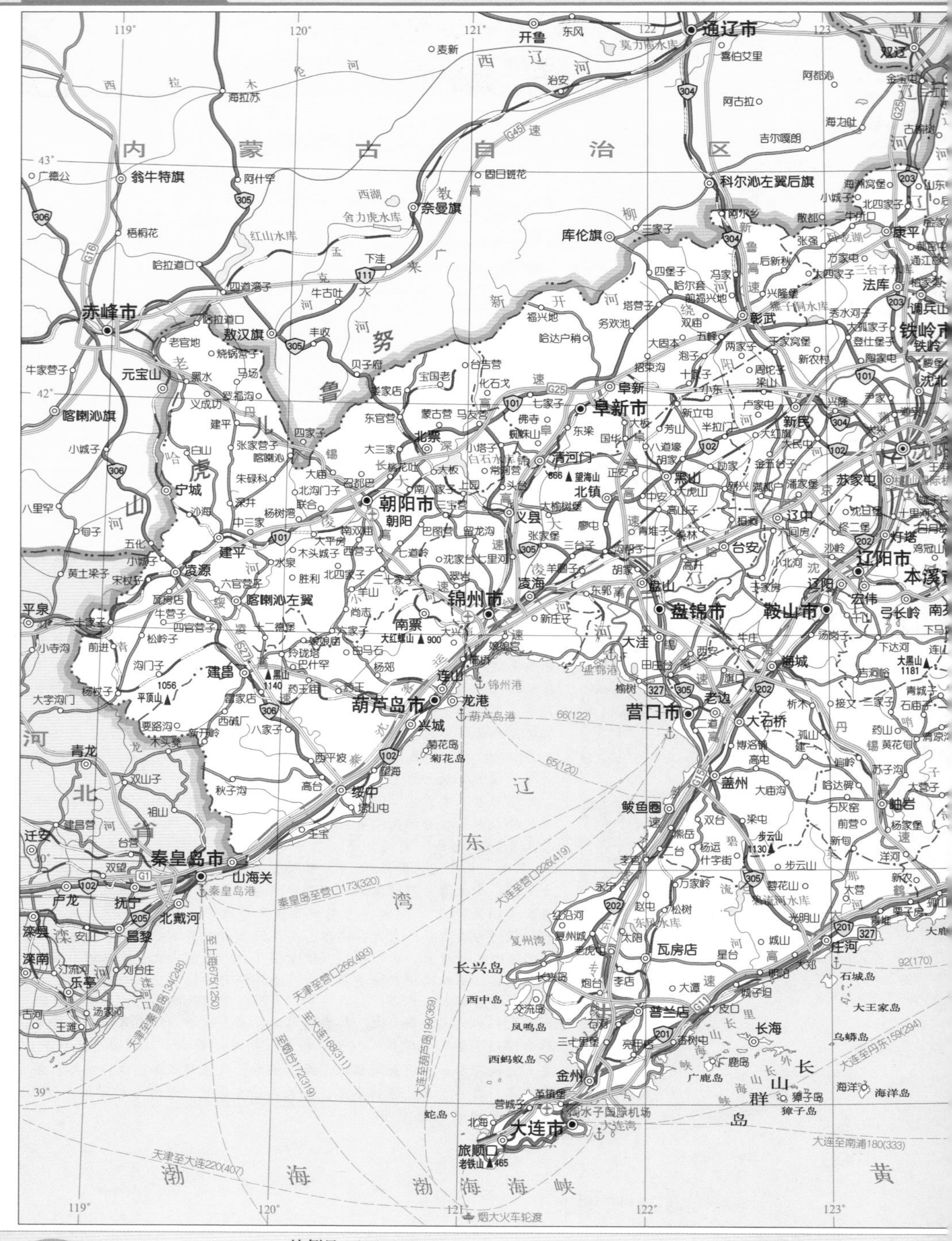

比例尺 1:3 150 000

31.5千米 0 31.5 63.0 94.5千米

辽宁交通

辽宁省地处我国东北边境，南临渤海、黄海，无论陆上和海上、国内和国际，运输地位都十分重要。依托建设较完善的基础设施，经过数十年的努力，辽宁已经形成了铁路为骨干、公路为动脉、港口为门户、民用航空和内河航运相配套的立体交通网。

铁路：辽宁省是我国最早有干线铁路的第二个省份，也是我国铁路网络最稠密的省区之一，现营运里程5104千米，是全国平均铁路网密度的3～4倍。沈阳是全国铁路最大枢纽站之一，是沟通东北三省和内蒙古以及关内的纽带和桥梁。干线有哈大、秦沈客运专线，京哈、沈大、沈吉、沈丹、丹大等线，组成了辽宁省重要的铁路交通线。京哈线、沈大线、沈吉线以沈阳为交点组成了东西南北方向的铁路运输干线，加之沈丹线是重要的国际交通线路，为辽宁的观光旅游提供了重要的交通保证。其中京沈线全长850多千米，有一半在辽宁省境内；京哈、沈大线有580千米在辽宁省境内；沈吉线在辽宁省境内也有200千米。辽宁省共有总长度283.6千米的6条地方铁路建成运营，不仅成为旅游观光的交通选择，而且为辽宁东部山区脱贫致富、经济发展和沿海地区疏港运输发挥了重要作用。

公路：辽宁省公路建设历史较长。新中国建立初期，辽宁省的经济建设以公路建设为重点，到1957年全省公路总里程由建国初期7900千米达到19338千米。改革开放给辽宁带来了重大的发展机遇，全省的公路建设实现了量的突破和质的飞跃，技术结构显著改善，整体功能大幅度提高。目前公路总里程已达到110973千米。1990年作为全国第一条高速公路的沈大高速公路通车后，辽宁省的高速公路已形成以沈阳为中心的公路交通主干网。全省14个地级市全部通高速公路，高速公路总长4023千米。省内有8条国道，20多条省级公路，还有着中国最长的沿海公路——全长1443千米的滨海大道。全省90%的乡镇有等级路面的公路连接。形成了以高速公路为骨架，各级公路相连接，四通八达、功能齐全的公路网络。

水运：沿海主要港口有丹东、大连、营口、锦州、盘锦、葫芦岛港等。现有商港、油港、渔港等大小港口60多个。丹东港是我国大陆海岸线最北端的国际贸易商港。已开通丹东至大连、青岛等国内沿海港口的货运航线，丹东至日本江津、韩国釜山、仁川等国际班轮航线。大连港是中国的重要外贸港口，东北的海上门户，与世界60多个港口通航，同150多个国家和地区有贸易关系，是中国第三大综合大港。从大连港有班轮到上海、广州、青岛、天津、威海、烟台、龙口、仁川等城市。营口港是东北地区最早开放的港口，也是我国最早的对外商港之一，包括营口、鲅鱼圈两个港区，是东北第二大港口，不仅有通往大连、上海等地的班轮，而且货轮可经由此沿辽河至田庄台港。内河航道里程413千米。重要区段在辽河、鸭绿江下游，其中丹东、浪头二港沿鸭绿江上可至长甸河口，下与辽宁沿海及国内港口相通。

航空：辽宁省航空事业十分发达。沈阳有东北地区最大的航空站，一级国际机场——桃仙国际机场，不仅有飞往北京、上海、广州、南京、杭州、武汉、香港等大中城市数十条航线，而且还有飞往美国、法国、俄罗斯、澳大利亚、日本、韩国、朝鲜等国家的航班。大连周水子机场为国际航空港，有飞往全国各地的数十条航线，还有航班飞往日本、德国、俄罗斯和韩国。省内有锦州机场、丹东浪头机场、朝阳机场等，也可飞往北京、上海、沈阳、大连等大中城市。

航空线路

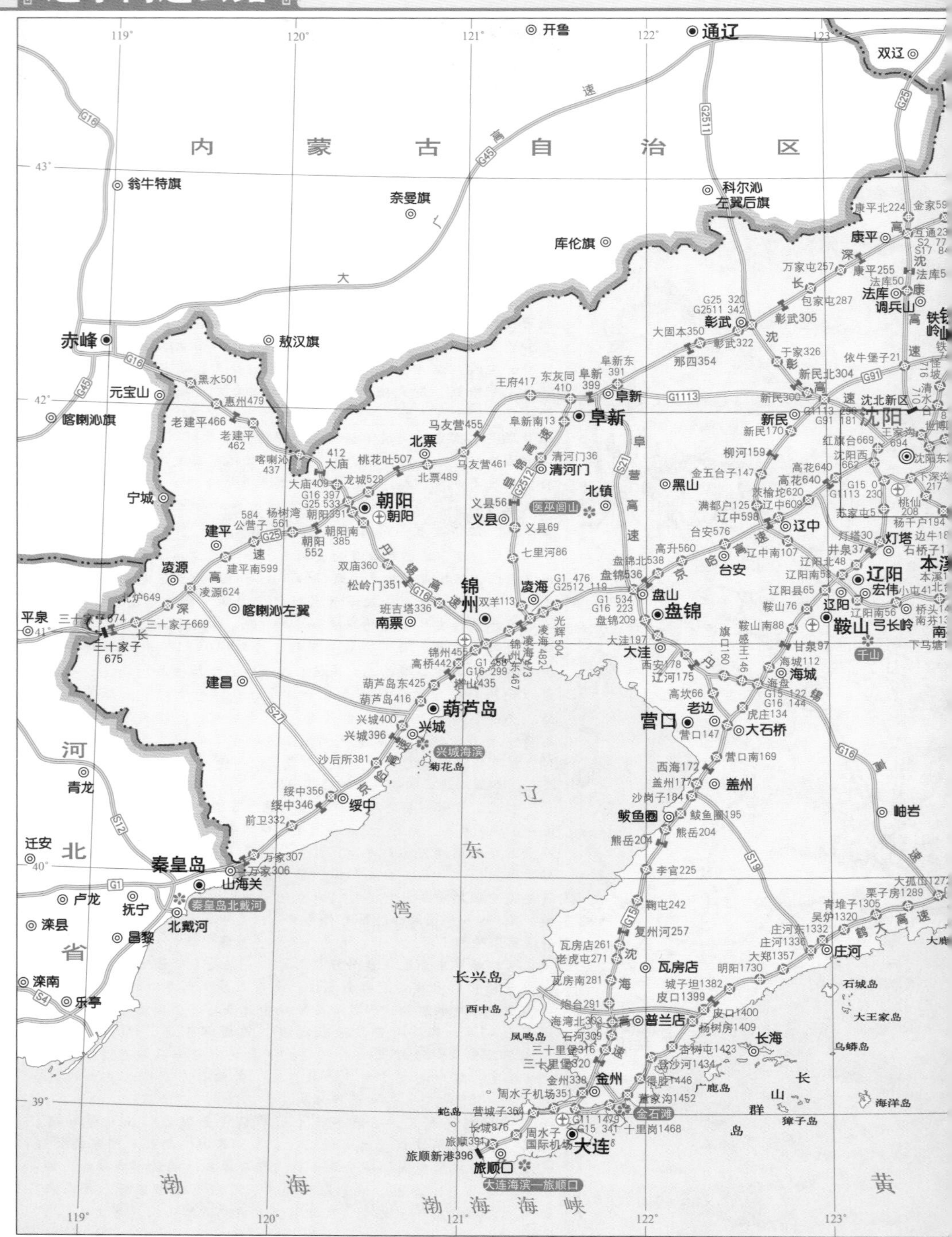

比例尺 1:3 150 000

高速公路里程示意图 单位：千米

京哈高速 G1 549

(辽冀界)
- 山海关 302
- 万家 306
- 万家 307
- 前卫 332
- 绥中 346
- 绥中 356
- 沙后所 381
- 兴城 396
- 兴城 400
- **葫芦岛** 416
- 葫芦岛东 425
- 塔山 435
- 高桥 442
- **锦州** 455
- 互通 458
- 锦州东 467
- 凌海 473
- 互通 476
- 凌海 482
- 光辉 504
- 互通 534
- **盘锦** 536
- 盘锦北 538
- 高升 560
- 台安 576
- 辽中 598
- 辽中 609
- 茨榆坨 620
- 高花 640
- 高花 640
- **沈阳西** 662
- 北李官 663
- 三台子 680
- 朱尔屯 688
- 蒲河 703
- 清水台 710
- 怪坡 716
- 铁岭南 720
- 腰堡 727
- **铁岭** 741
- 铁岭 749
- 铁岭北 752
- 开原 778
- 开原 780
- 昌图 806
- 昌图 807
- 双庙子 829
- 和利 851
- 毛家店 851

(吉辽界)

沈海高速 G15 400

- 金宝台 0
- 苏家屯 5
- 十里河 20
- 灯塔 30
- 井泉 37
- **辽阳北** 48
- 辽阳南 53
- 互通 60
- 辽阳县 65
- **鞍山** 76
- 鞍山南 88
- 甘泉 97
- 南台 103
- 海城 112
- 西柳 118
- 海盘 122
- 虎庄 134
- 互通 143
- **营口** 147
- 营口南 169
- 西海 172
- 盖州 177
- 沙岗子 184
- 鲅鱼圈 195
- 熊岳 204
- 熊岳 204
- 李官 225
- 鞠屯 242
- 复州河 257
- 瓦房店 261
- 老虎屯 271
- 瓦房店南 281
- 炮台 291
- 海湾北 303
- 石河 309
- 三十里堡 316
- 三十里堡 320
- 九里 332
- 金州 338
- 互通 341
- 拉树房 347
- 周水子机场 351
- 营城子 364
- 长城 376
- 三涧堡 384
- 旅顺 391
- 旅顺新港 396
- 旅顺 400

(鲁辽界)

丹锡高速 G16 501

- 大孤山 0
- 海盘 144
- 感王 146
- 旗口 160
- 辽河 175
- 西安 178
- 大洼 197
- **盘锦** 209
- 互通 223
- 互通 299
- 班吉塔 336
- 松岭门 351
- 双庙 360
- 朝阳南 385
- **朝阳** 391
- 老建平 462
- 黑水 501

(蒙辽界)

丹阜高速 G1113 296

- **丹东** 0
- 五龙背 11
- 凤城 38
- 凤城 41
- 刘家河 71
- 通远堡 86
- 通远堡 91
- 草河口 97
- 下马塘 122
- 南芬 134
- 桥头 144
- 本溪南 153
- **本溪** 160
- 响山 174
- 石桥子 179
- 石桥子 179
- 边牛 184
- 杨千户 194
- 杨千户 195
- 桃仙 208
- 下深沟 217
- 白塔堡 221
- 互通 230
- 北李官 242
- 互通 254
- 老边 274
- 互通 296
- **阜新**

长深高速 G25 476

(辽蒙界)
- 窝铺 199
- 康平北 224
- 互通 233
- 康平 237
- 康平 255
- 方家屯 257
- 包家屯 287
- 彰武 305
- 互通 320
- 彰武 322
- 大固本 350
- 那四 354
- 阜新东 391
- 阜新 399
- **阜新** 405
- 东灰同 410
- 王府 417
- 马友营 455
- 马友营 461
- 北票 489
- 桃花吐 507
- **朝阳北** 521
- 龙城 529
- 互通 533
- 朝阳 552
- 杨树湾 561
- 公营子 584
- 建平南 599
- 凌源 624
- 北炉 649
- 三十家子 669
- 三十家子 674
- 三十家子 675

(冀辽界)

阜锦高速 G2512 119

- 东灰同 0
- 四合 2
- **阜新南** 13
- 清河门 36
- 义县 56
- 义县 69
- 七里河 86
- 双羊 113
- 互通 119

鹤大高速 G11 498

(辽吉界)
- 新开岭 988
- **丹东** 1197
- 丹东西 1209
- 东港 1231
- 马家店 1245
- 大孤山 1272
- 大孤山 1277
- 栗子房 1289
- 青堆子 1305
- 吴炉 1320
- 庄河东 1332
- 庄河 1336
- 大郑 1357
- 花园口 1366
- 明阳 1370
- 城子坦 1382
- 皮口 1399
- 皮口 1400
- 杨树房 1409
- 杏树屯 1423
- 登沙河 1434
- 得胜 1446
- 董家沟 1452
- 互通 1461
- 十里岗 1468
- 互通 1479
- **大连市** 1486

沈吉高速 G1212 152

- **沈阳东** 2
- 世博园 8
- 抚顺西 17
- 抚顺 23
- **抚顺** 25
- 抚顺东 37
- 南杂木 76
- 南口前 89
- 北三家 97
- 北三家 98
- 清原
- 英额门 132
- 草市 152

● 出入口 ● 服务区 ● 收费站

服务区 出入口 收费站 未建成 高速公路

盘锦209 盘锦出入口距该高速公路零千米处209千米
铁岭749 铁岭服务区距该高速公路零千米处749千米
三十家子675 三十家子收费站距该高速公路零千米处675千米

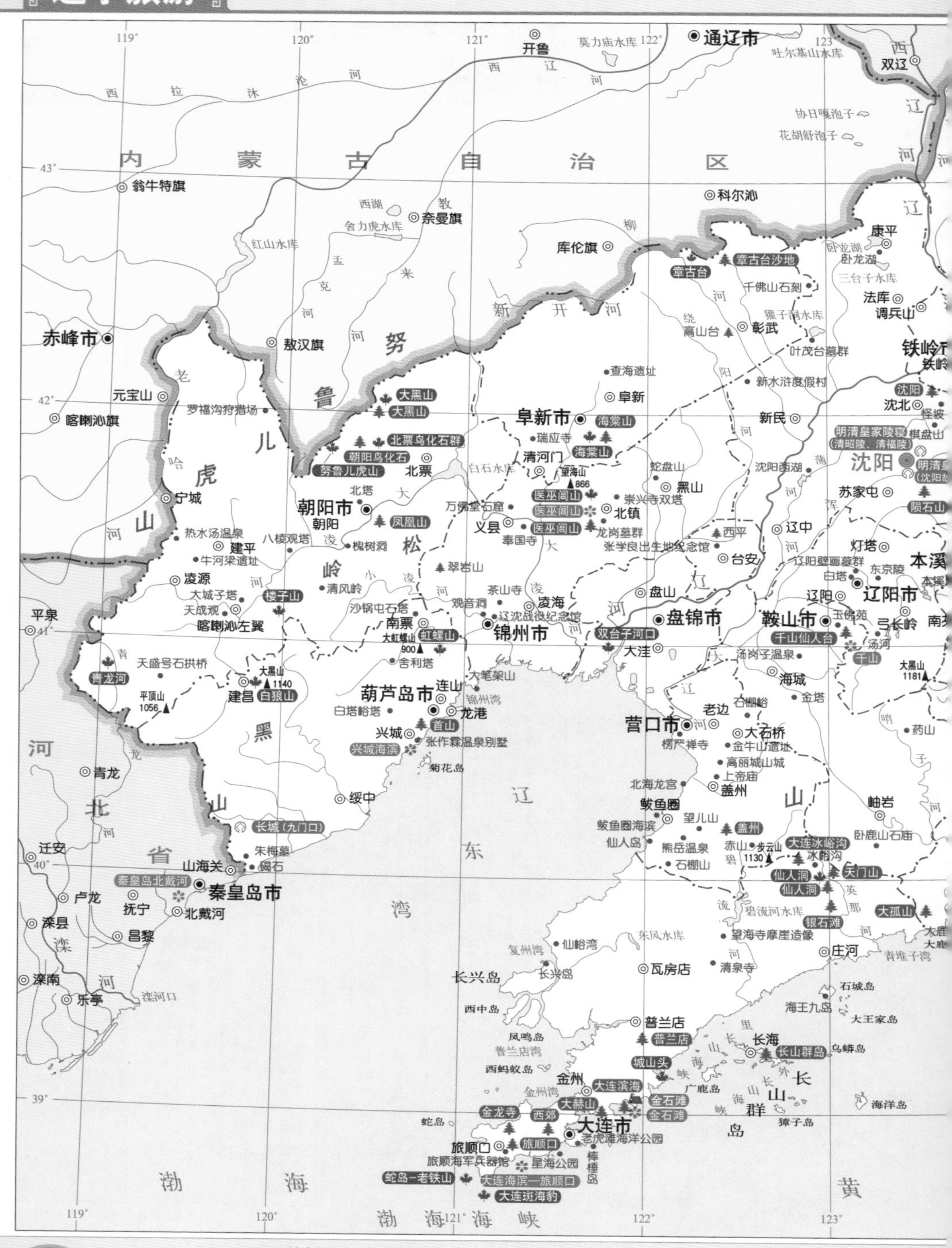

比例尺 1∶3 150 000

31.5千米 0 31.5 63.0 94.5千米

昭陵 世界遗产

沈阳 国家历史文化名城

辽宁旅游

辽宁历史源远流长，是中国开发较早的地区。有着十分丰富的旅游资源和鲜明的地方特色。

辽宁现有省级以上文物保护单位180多处、国家级风景名胜区9处、国家重点文物保护单位53处、国家级自然保护区17个，明清皇宫(沈阳故宫)、明清皇家陵寝(清昭陵、清永陵、清福陵)、高句丽王城(五女山山城)和长城(九门口)为世界遗产。沈阳市为国家历史文化名城。沈阳、鞍山、本溪、大连、丹东、抚顺、锦州是中国优秀旅游城市。

辽宁省旅游资源可分为11大类，一是优秀旅游城市名城系列，二是风景名胜系列，三是生态旅游系列，四是旅游度假系列，五是十二大名泉系列，六是历史文化博物馆系列，七是大型主题公园系列，八是大型人造景观系列，九是八大奇特景观系列，十是专项旅游系列，十一是大型节庆活动系列。结合上述的项目结构，旅游部门组织了以大连为龙头的海滨度假休闲游、以沈阳为代表的清前史迹游、以本溪水洞为主的奇特景观游、丹东中朝跨国游、辽西走廊访古度假游、沈阳、抚顺冰雪游以及辽宁旅游缤纷节庆游、购物游等旅游项目。

辽宁气候四季分明，旅游者一年四季均有旅游项目可选择。春可去丹东踏青看杜鹃；亦可去大连听涛、赏槐、看樱花。夏可至沈阳看荷花，体会一下类似江南的炎热，做一回荷花仙子；亦可至海边避暑。秋可去锦州观红海滩之壮美，又可去本溪赏枫叶；亦可来大连看国际服装节，饱览世界顶级品牌服装。冬有沈阳抚顺冰雪节，让你置身于洁白无瑕的世界，成为冰雪的宠儿，还可去大连过春节，那里有中华烟花爆竹节和冬季购物节，让你被浓浓的节日气氛包围，使你身在异乡如同在家一样。

辽宁地质结构复杂，地热资源丰富，有庄河安波、鞍山汤岗子、丹东五龙背、熊岳等十二处温泉。享誉全国的最大充水溶洞—本溪水洞，有“地下龙宫”之称。大连庄河境内的冰峪沟，因其典型的喀斯特地貌形态，使其拥有“北方小桂林”之美誉，是夏秋季旅游的好去处。

辽宁历史悠久，有着灿烂的古代文化，营口“金牛山人”化石及旧石器遗址的发现，证明其与北京猿人生活的时期相当。牛河梁遗址等地大量的出土文物表明，大连一带和辽河流域是龙山文化和红山文化的发祥地之一。

位于绥中境内的九门口长城有着 “京东首关” 之称，建于明洪武年间，明末李自成曾在此大战吴三桂。位于兴城市中心，建于1430年的宁远卫城，是我国现存完好的四座明代古城之一。这座扼守辽西走廊咽喉要道的明代古城，历经数百年炮火战乱而完好保存至今。中国历史上离我们最近的满清王朝，正是以辽宁兴起而南据中原的。清王朝入关前，在这里留下了著名的“三京四陵”，全部位于辽宁境内，即新宾的兴京和永陵，辽阳的东京和东京陵，沈阳的盛京、昭陵和福陵。沈阳故宫位于沈阳旧城中心，是我国现存仅次于北京故宫的非常完整的古代皇家建筑群，是清太祖努尔哈赤和清太宗皇太极营造和使用的宫殿，曾称“盛京宫殿”、“陪都宫殿”。

千山 国家级风景名胜区　成山头 国家级自然保护区　高山台 其他森林公园　卧龙湖 旅游景点
大孤山 国家级森林、地质公园　金石滩 国家旅游度假区　大青沟 其他自然保护区

比例尺　1:2 800 000

28.0千米　0　28.0　56.0　84.0千米

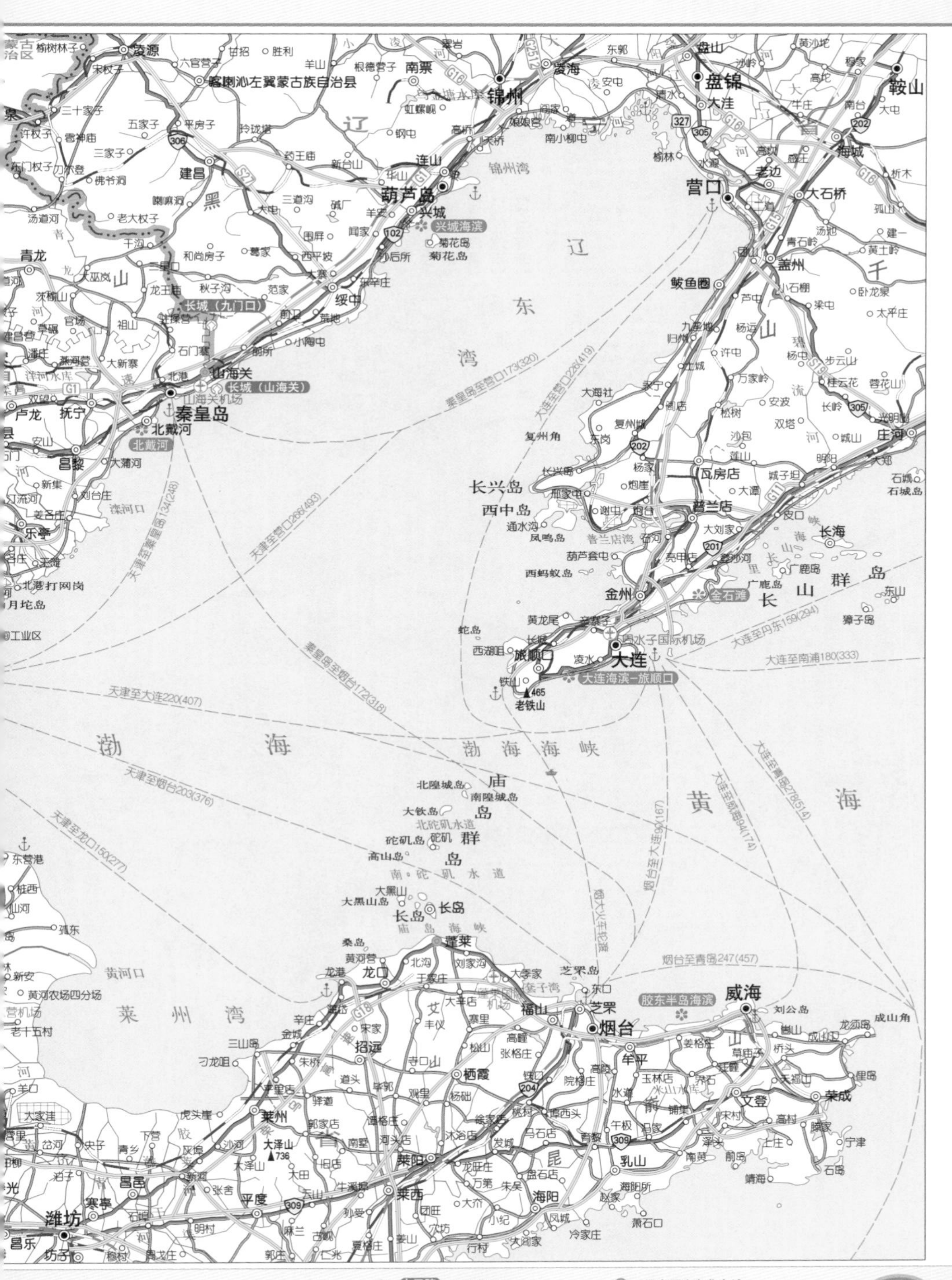

十三陵 世界遗产　　国家历史文化名城

野三坡 国家级风景名胜区

【地理位置】 位于辽宁省中部，北邻内蒙古自治区，西与阜新市、锦州市交界，南与鞍山市、辽阳市相接，东邻本溪市、抚顺市及铁岭市。

【行政区划】 辖沈河、和平、大东、皇姑、铁西、苏家屯、浑南、沈北、于洪、辽中10区和新民市及康平、法库2县。

【人口面积】 人口722万，面积12980平方千米。

【地　　形】 地势平坦，以平原为主，平均海拔50米左右，丘陵地集中在东北、东南部，属辽东丘陵的延伸部分。西部是辽河、浑河冲积平原，地势由东向西缓缓倾斜。

【最高山峰】 城子山，海拔443米。

【主要河流】 辽河、浑河、太子河。

【湖泊水库】 棋盘山水库。

【气　　候】 属温带季风气候，年平均气温6°C～8°C之间，1月平均气温－12°C～14°C，7月平均气温22.5°C～25°C，年降雨量500～800毫米，年无霜期145～165天。

【交　　通】 是辽宁省重要交通枢纽，秦沈客运专线、沈大、京哈、沈山、沈丹、铁法、大郑、高新等铁路线在此交会，101、102、202、304国道和京哈、沈海、长深、新鲁、沈康、沈吉以及沈阳环城、辽中环线等高速公路经此。桃仙国际机场开通有直达国内各主要城市以及朝鲜、俄罗斯、日本、韩国等国家的航线。

【资　　源】 主要矿藏有煤、石油、天然气、铁等。动植物资源种类较多，有经济价值的植物有10类778种，动物4类100余种。全市

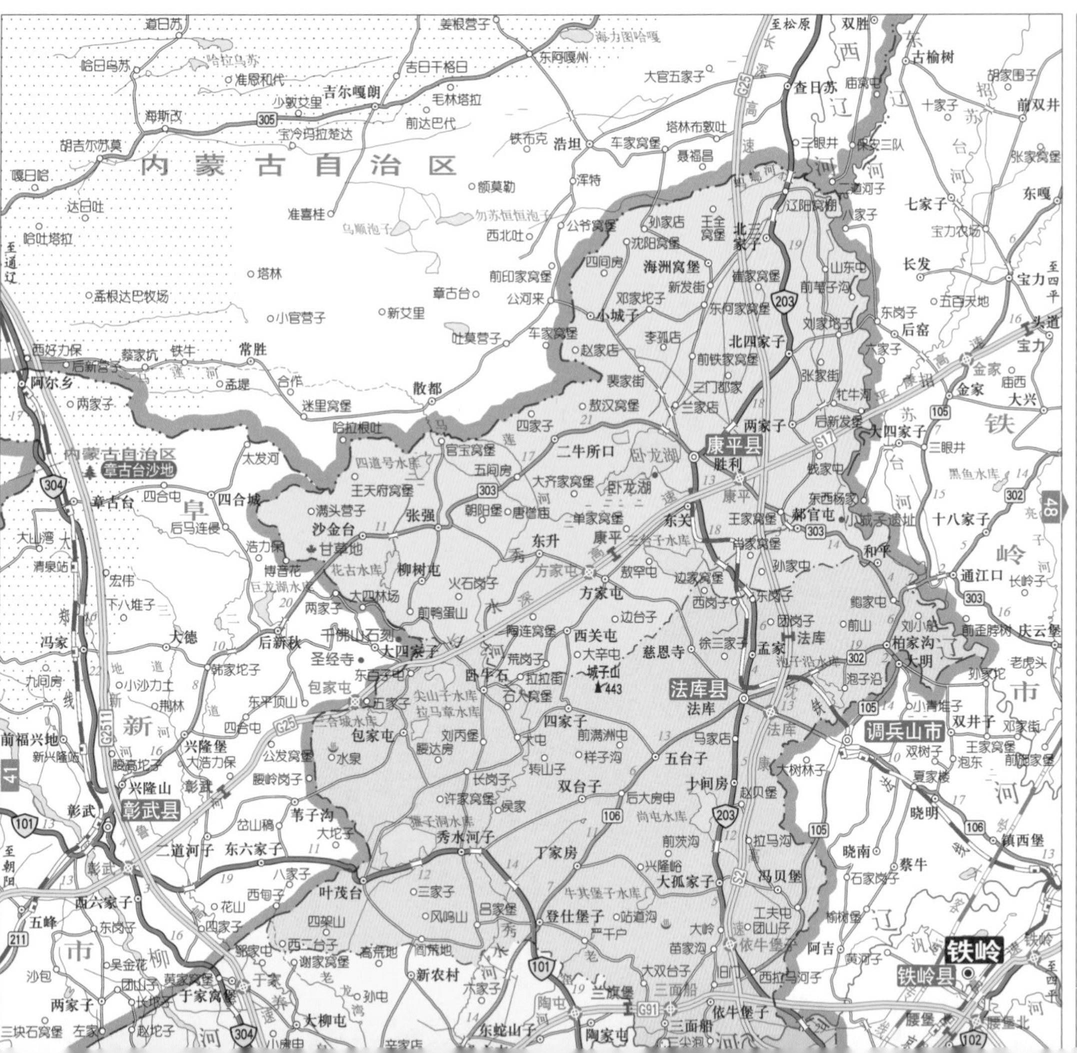

中心，中国重要的工业基地之一。机械制造、有色金属加工、无机化学、橡胶、制药等在全国占有重要地位。

【风景名胜】 世界遗产沈阳故宫、昭陵、福陵，东陵公园、棋盘山风景区、怪坡、卧龙湖，沈阳、陨石山国家森林公园等。

【景点介绍】 **棋盘山风景区** 位于沈阳东北20千米处，占地面积116平方千米。辉山居群山之首，海拔265米，属长白山山脉的支脉。棋盘山与辉山隔水相望，是风景区第二高山。“二山”之中的秀湖是风景区的明珠，是拦截蒲河水形成的人工湖，湖面5平方千米，因呈“秀”字型且山清水秀而得名。

怪坡 位于沈阳市新城子区清水台镇帽山西麓，长约80余米，宽约20余米，地势西高东低。此坡之怪在于各种车辆都在这里从低向高滑行而上。在怪坡东南约百米处，还有脚踩发声的“响山和”“嗡顶”。怪坡自1989年4月发现以来，国内外游客蜂拥而至。现已开发为“怪坡风景区”。

福陵 又称东陵，是清太祖努尔哈赤和皇后叶赫那拉氏的陵墓。陵园东临浑河，北倚天柱山，游览须登108级石阶。园内万松耸翠、大殿凌云，构成独特风格的帝王陵寝。现在已辟为游览区。东陵、北陵以及永陵作为明清皇家陵寝的拓展项目已列入《世界遗产名录》。

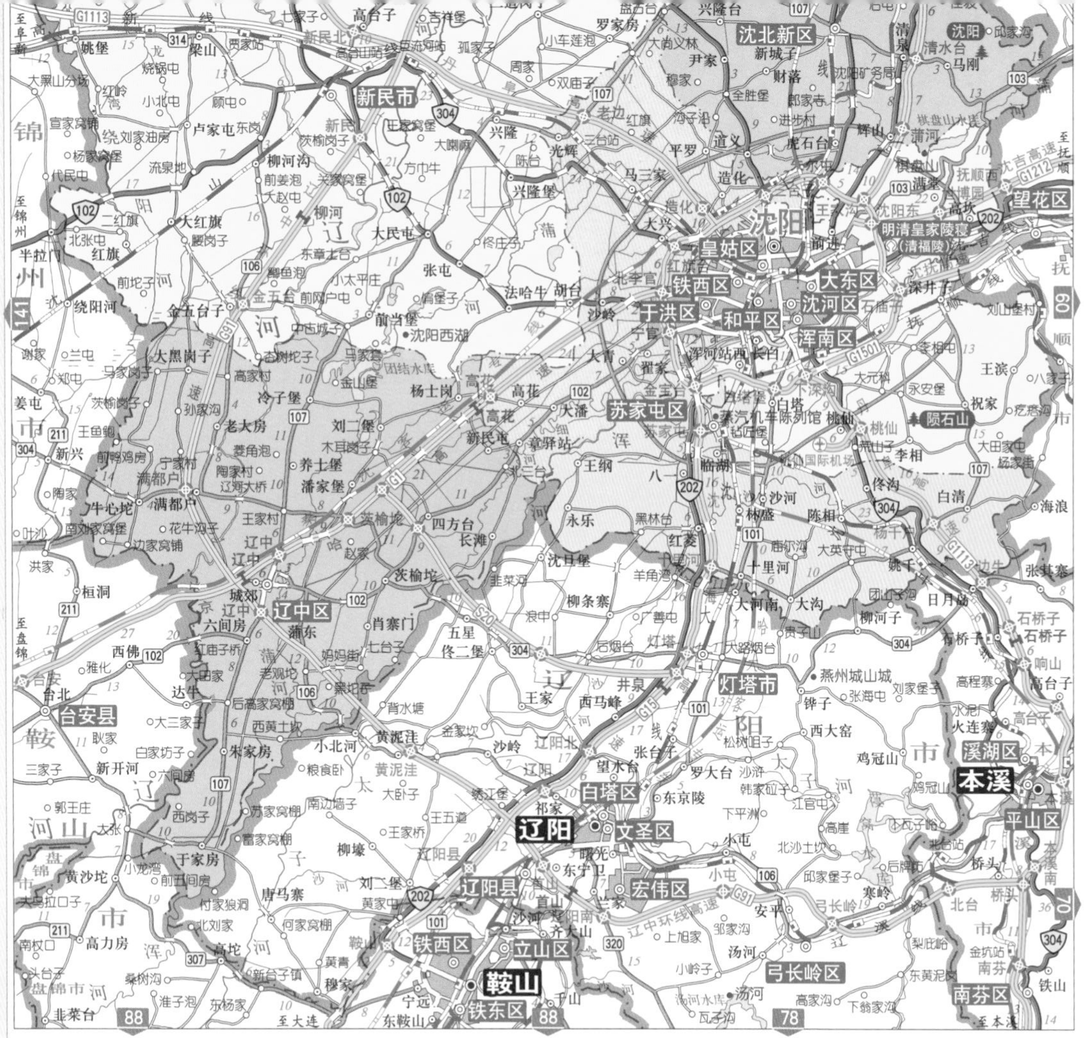

沈阳故宫 世界遗产
凤凰山 国家级风景名胜区
仙人洞 国家级自然保护区
元帅林 国家级森林、地质公园
服务区
出入口
里程起迄点
收费站

【地理位置】 位于沈阳市中部。

【城市特色】 历史悠久，风光旖旎，是国家历史文化名城，以清前史迹文化享誉天下。素有“一朝发祥地，两代帝王城”之称。

【历史沿革】 周代以前隶属营州，战国时期属辽东郡，西汉时期称侯城，辽代置沈州，并用土夯筑城墙。金代沿用沈阳之名，元代重新创建城郭，改称沈阳路。1625年，清太祖努尔哈赤从辽阳迁都沈阳。1634年，清太宗皇太极尊沈阳为盛京，成为大清王朝的国都。1644年清朝迁都北京后，沈阳为陪都。清统一中国后，1657年在沈阳设奉天府。1954年设立辽宁省，改沈阳为省辖市、省会。

【地　　形】 以平原为主，地势平坦。

【主要河流】 浑河、新开河。

【湖泊水库】 辉山水库、东山水库。

【交　　通】 市内交通方便，有公共汽车路线100多条，还有长途客运汽车、省快速客运汽车、小公共汽车、旅游专线等。沈阳火车站、沈阳北站有发往全国各地的客运列车，两站均可搭乘哈大客运专线列车。有沈阳环城高速公路。

【土特产品】 不老林糖果、红梅味精、绢花、羽毛画。

【风味小吃】 老边饺子、马家烧麦、李连贵熏肉大饼。

【风景名胜】 沈阳故宫、福陵（东陵）、昭陵（北陵）、“九一八”事变纪念馆。

【景点介绍】 沈阳故宫 位于沈河区沈阳路，与繁华的中街毗邻，是清代最早的宫殿建筑群，为世界文化遗产明清皇宫的组成部分、国家4A级旅游景区、全国重点文物保护单位。沈阳故宫始建于后金天命十年(1625年)，建成于清崇德元年(1636年)，是清太祖努尔哈赤和清太宗皇太极营造和使用的宫殿。沈阳故宫占地面积6万平方米，全部建筑90多所，300多间。以崇政殿为核心，大清门－清宁宫为中轴线，分为东、中、西三路，建筑分布错落有致、高低相间、疏密得当，是东北地区保存最完整、规模最大的独立古代建筑群。

沈阳故宫

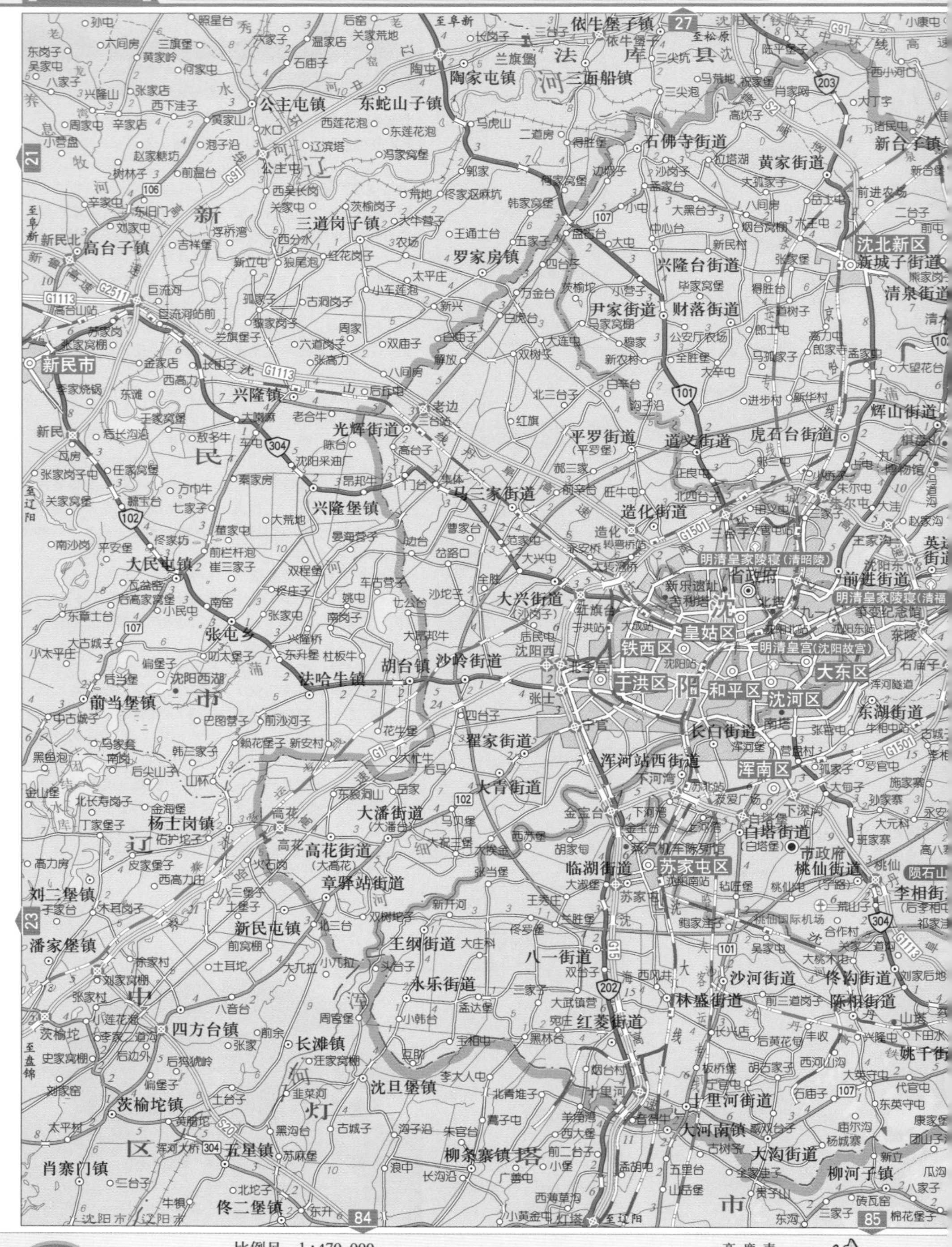

比例尺 1:470 000

4.7千米 0 4.7 9.4 14.1千米

高度表

0 50 100 200 300 400 500 600 800 1000 1200 1500米

沈阳市辖区

【地理位置】 位于沈阳市南部，包括沈河、和平、大东、皇姑、铁西、苏家屯、浑南、于洪、沈北新区和辽中共10区(2016设立的辽中区在22页表示)。

【人口面积】 人口518万，面积3467平方千米。

【历史沿革】 周代以前隶属营州，战国时属辽东郡，西汉时期称候城，辽代置沈州，元代改称沈阳路。1625年，清太祖努尔哈赤从辽阳迁都沈阳。清统一中国后，1657年在沈阳设奉天府。1945年恢复沈阳市名称。

【地　　形】 以平原为主，地势平坦。

【主要河流】 浑河、蒲河、沙河、细河。

【交　　通】 是辽宁重要交通枢纽，101、203国道抵此，102、202、304国道穿越城区，101、102、103、107省道纵横境内，京哈、沈海、沈吉、丹阜高速公路与沈阳环城高速公路相交，秦沈、哈大客运专线、沈丹高铁、京哈、沈吉、沈山、沈丹铁路在此交会，形成以城区为中心放射状主干交通网。桃仙国际机场有通往国内主要城市以及朝、俄、日、英、德等国家的航班。

【风景名胜】 世界遗产沈阳故宫、昭陵（北陵）、福陵（东陵），北陵公园、棋盘山风景区。

【土特产品】 沈阳陈酿酒、红梅味精、不老林糖果。

【风味小吃】 大清花饺子、老边饺子、马家烧麦、李连贵熏肉大饼。

【景点介绍】 **昭陵** 位于沈阳市北部的北陵公园内，是清太宗皇太极和皇后的陵寝，是关外清代三陵中规模最大、布局最完整的陵墓。陵正门外有石牌坊，四柱三楼，雕工精细，艺术价值极高，门两翼镶嵌有蟠龙壁，造型生动。正红门内参道两侧有华表4个，石兽12个，大望柱4个，两两相对，靠北城堡式方城为陵园主体建筑。整个陵园以精美的石刻艺术闻名。昭陵、福陵和永陵作为明清皇家陵寝的拓展项目已列入《世界遗产名录》。

昭　陵

沈阳故宫 世界遗产　仙人洞 国家级自然保护区　服务区　里程起迄点

凤凰山 国家级风景名胜区　元帅林 国家级森林、地质公园　出入口　收费站

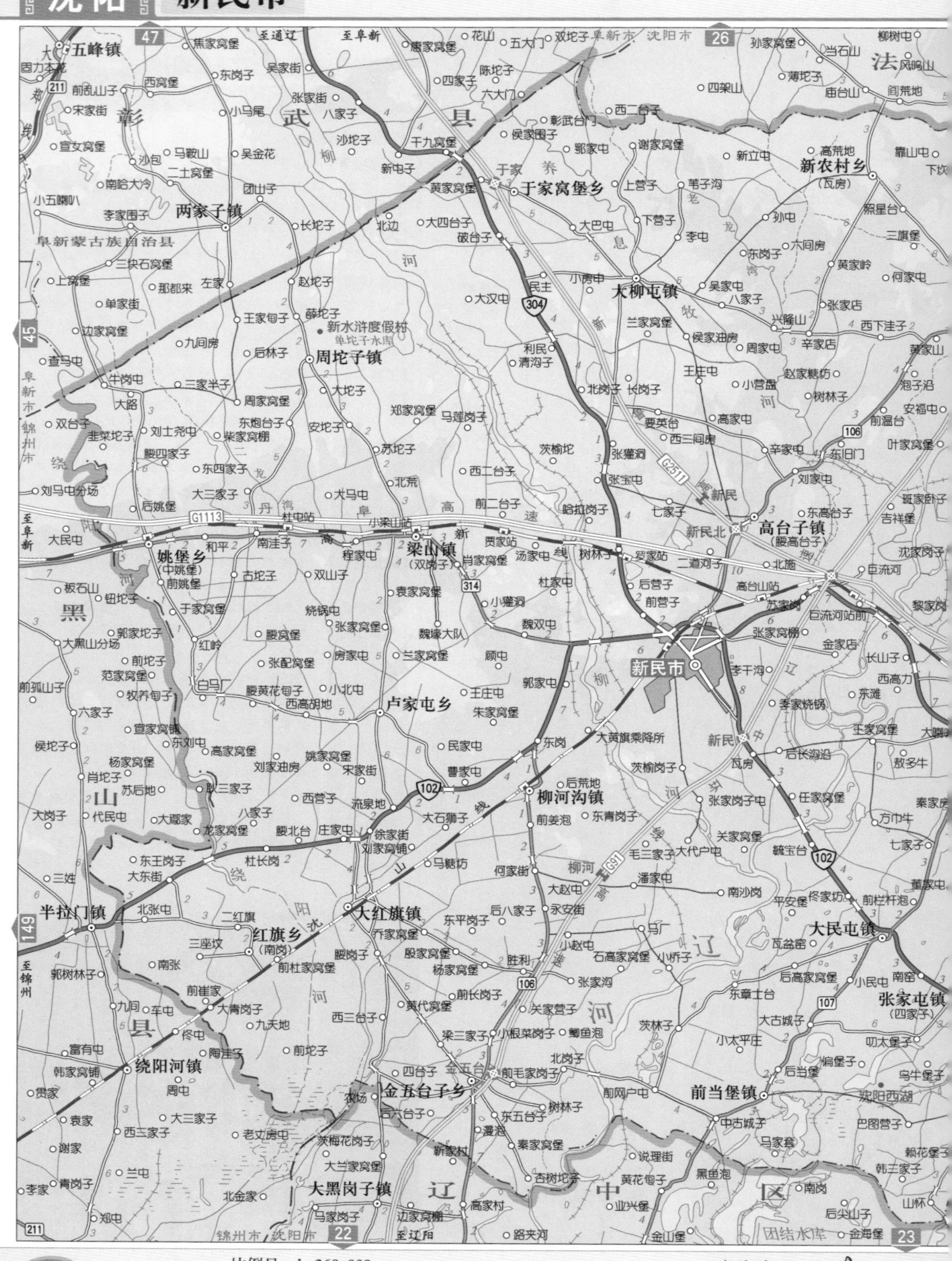

比例尺 1:360 000

3.6千米 0 3.6 7.2 10.8千米

高度表

0 50 100 200 300 400 500 600 800 1000 1200 1500米

【地理位置】 位于沈阳市中部，辽河下游的平原地区，东、北与沈阳市辖区、法库县相邻，西与阜新市、锦州市接壤，南与辽中县为界。

【人口面积】 人口70万，面积3315平方千米。

【历史沿革】 “新民”一名，源于清初新民屯。明末清初从山东、河北迁移大批灾民来东北垦荒，当时汉民被称为“民人”，他们的聚居地称为“民屯”，因聚落形成有先后，为了区别，将后来落户的“民屯”称之为“新民屯”。新民县就是袭用驻地的专称而得名。清嘉庆十三年（1808年）设新民厅，光绪二十八年（1902年）升为新民府，民国元年（1912年）置新民县。解放后隶属沈阳市，1993年6月14日经国务院批准，撤县设市，为省直辖市。

【地　　形】 地处辽河中下游，地势平坦低洼，属平原丘陵区，北高南低。

【主要河流】 辽河、秀水河、柳河、蒲河等。

【湖泊水库】 单陀子水库。

【交　　通】 沈山、高新铁路在此汇合，新鲁、辽中环线高速公路相交。101、102、304国道和106、107、211、314省道贯穿境内。

【资　　源】 农业盛产水稻、玉米、高粱、大豆，是国家商品粮生产基地，国家优质大米和商品鱼开发基地。有石油、天然气等矿藏。

【风景名胜】 沈阳西湖景区、新水浒度假村。

【土特产品】 梁山西瓜、新民优质大米。

【景点介绍】 **沈阳西湖景区** 位于新民市东南前当堡镇，距沈阳约50千米。湖水清澈苍茫，水天相连。湖区水面60多平方千米，湖中岛面积4.67平方千米，自然生荷花13.33平方千米。景区自然天成与人工雕琢融为一体，是不可多得的游览胜地。

沈阳西湖

沈阳故宫 世界遗产　仙人洞 国家级自然保护区　服务区　里程起迄点

凤凰山 国家级风景名胜区　元帅林 国家级森林、地质公园　出入口　收费站

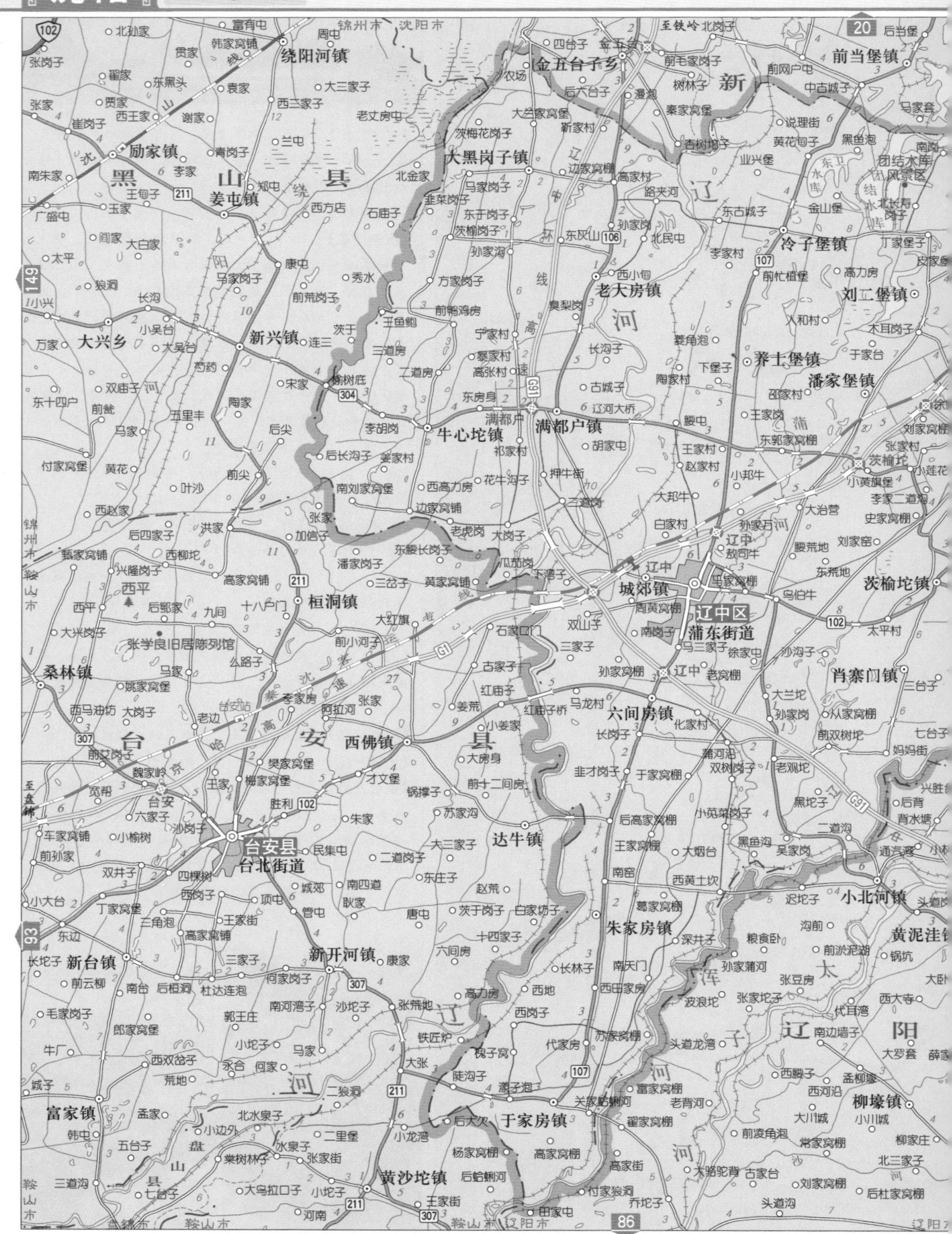

比例尺 1:370 000

3.7千米 0 3.7 7.4 11.1千米

高度表

0 50 100 200 300 400 500 600 800 1000 1200 1500米

【地理位置】 位于沈阳市区西南，东南以浑河为界，与沈阳市辖区及辽阳县相邻，西南与鞍山市、锦州市为邻，北与新民市接壤。

【人口面积】 人口54万，面积1647平方千米。

【历史沿革】 西汉时属辽东郡辽阳县（今茨榆坨镇偏堡子）。东汉时辽阳县改属玄菟郡，直至三国时期。东晋元兴三年（404年），县境为地方的民族政权高句丽割据。隋代于县境辽河西岸设怀远县，属辽西郡，辽河东仍为高句丽辖。唐贞观十九年（645年）县境为安东都护府地。辽代属汤州。金代属辽阳府。元代县境分属辽阳路和广宁府路。明代为辽东都指挥使司定辽右卫、后卫、中卫辖境。清光绪三十二年（1906年）分新民府、辽阳州、海城县地，设治阿司牛录镇（今辽中镇），不久又将承德县西南境划入，建辽中县，归奉天府管辖。1948年10月28日辽中县全境解放。1969年末，改隶沈阳市辖。

【地　　形】 地处辽河平原中部，地势由东北向西南倾斜。

【主要河流】 辽河、浑河、蒲河。

【湖泊水库】 团结水库、卫东水库。

【交　　通】 京哈、灯辽、辽中环线高速公路相交会，秦沈客运专线过境，102、106、107省道纵横境内。

【资　　源】 农业盛产水稻、玉米、大豆、高梁和蔬菜，是辽宁省商品粮基地县之一，沈阳市副食品基地。地下蕴藏着丰富的石油和天然气、煤等资源。

【经　　济】 工业有机械、造纸、化工、酿酒、建材、印刷、制药、食品等部门。柳编制品销往欧洲、北美等地。

【风景名胜】 团结水库风景区。

【土特产品】 柳编工艺品、工艺蜡。

【景点介绍】 **团结水库风景区** 位于辽中县北25千米处，交通方便、地理条件优越。现有水面2.5万亩。水库中有绿岛7处，岛青水秀，景色迷人。水中鱼种繁多、菱藕飘香，岛上松柏常青，奇花不谢。

团结水库

沈阳故宫 世界遗产　仙人洞 国家级自然保护区　服务区　里程起迄点
凤凰山 国家级风景名胜区　元帅林 国家级森林、地质公园　出入口　收费站

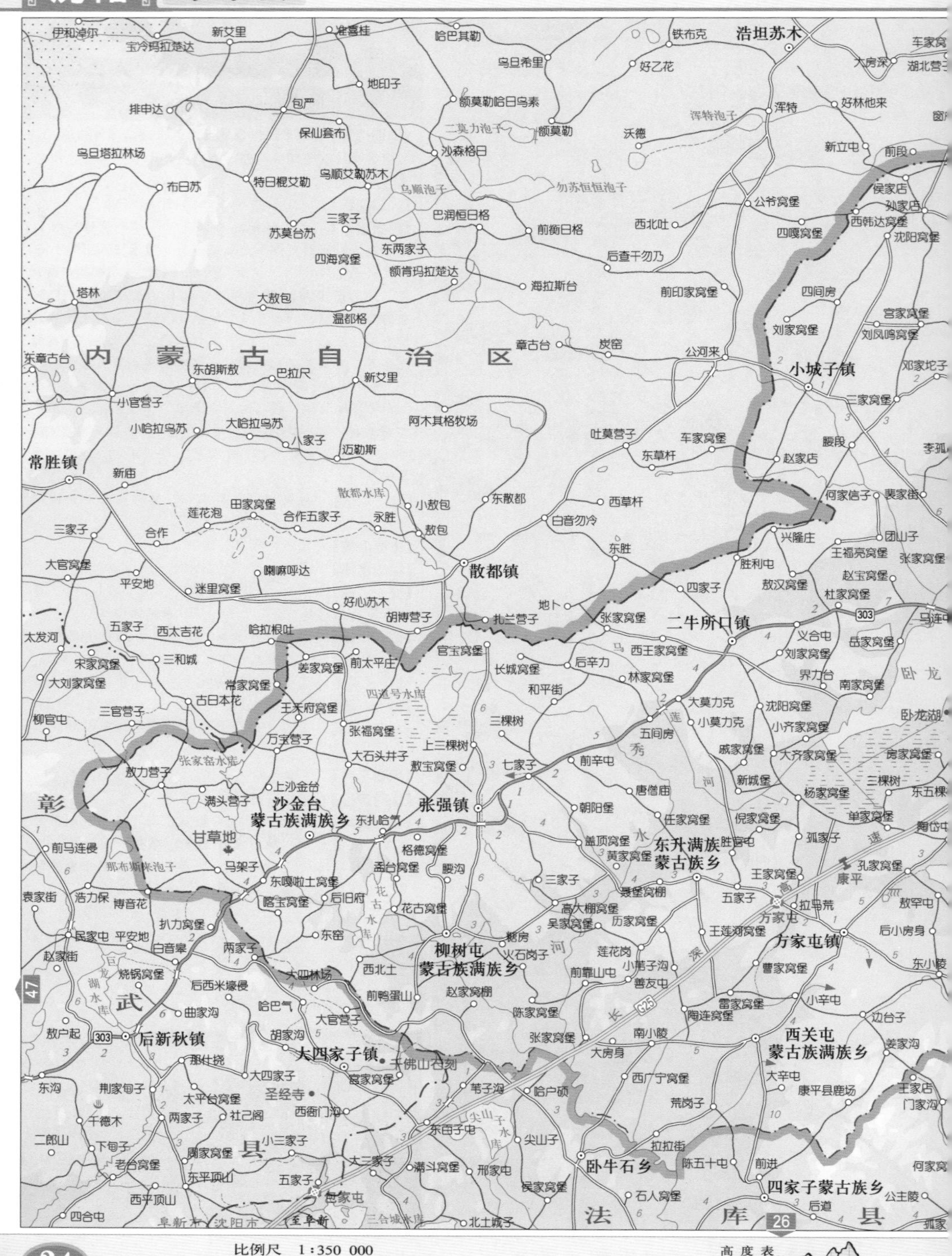

比例尺 1:350 000

3.5千米 0 3.5 7.0 10.5千米

高度表

0 50 100 200 300 400 500 600 800 1000 1200 1500米

【地理位置】 位于沈阳市北端。东依辽河与昌图县毗邻，南连法库县，西接彰武县，北与内蒙古自治区科尔沁左翼后旗接壤。

【人口面积】 人口35万，面积2231平方千米。

【历史沿革】 战国、秦、汉时属辽东郡北境，两晋、南北朝及隋朝时属契丹地，唐时属松漠都督府，辽代归原州和棋州管辖，清初为蒙古族科尔沁部游牧地区，后为哲里木盟科尔沁前、中、后旗地，解放后隶属辽宁省。1956年2月属铁岭专区。1959年1月撤销专区制改市制，属沈阳市。1968年12月恢复专区制，仍属铁岭专区。1970年7月改专区为地区属铁岭地区。1984年铁岭市升格为省辖市，属铁岭市。1992年12月12日经国务院批准，将康平县划归沈阳市管辖。

【地　　形】 西南高、东北低，属平原、丘陵地貌。

【主要河流】 辽河、秀水河。

【湖泊水库】 卧龙湖、三台子水库、花古水库。

【交　　通】 为铁法铁路终点，长深、沈康、平康高速公路相会，203国道与303省道纵横穿越县城。

【资　　源】 境内已探明煤碳储量6亿吨，其他矿藏有硅石、石灰石、玛瑙石等。为“三北”防护林基地之一，森林覆盖率21.4%，地下矿泉水储量丰富，且品质优良。农业主产玉米、高粱、谷子，兼产豆类、花生等。

【风景名胜】 卧龙湖风景区、小城子遗址。

【自然保护区】 甘草地自然保护区。

【土特产品】 芦苇、蒲草、白柳条、蓖麻籽、芝麻等。

【景点介绍】 **卧龙湖风景区** 位于康平县城西，是辽宁省最著名的湖泊。旅船码头依山傍水，古朴典雅，泊船港面积1万平方米。湖中有龙舟、快艇、铁木机船、铁木划船等设备，可乘船飘摇，悠闲自得。还有游泳池、荷花池、垂钓池各200亩，既可游玩，又可观赏。

卧龙湖

沈阳故宫 世界遗产　仙人洞 国家级自然保护区　服务区　里程起迄点

凤凰山 国家级风景名胜区　元帅林 国家级森林、地质公园　出入口　收费站

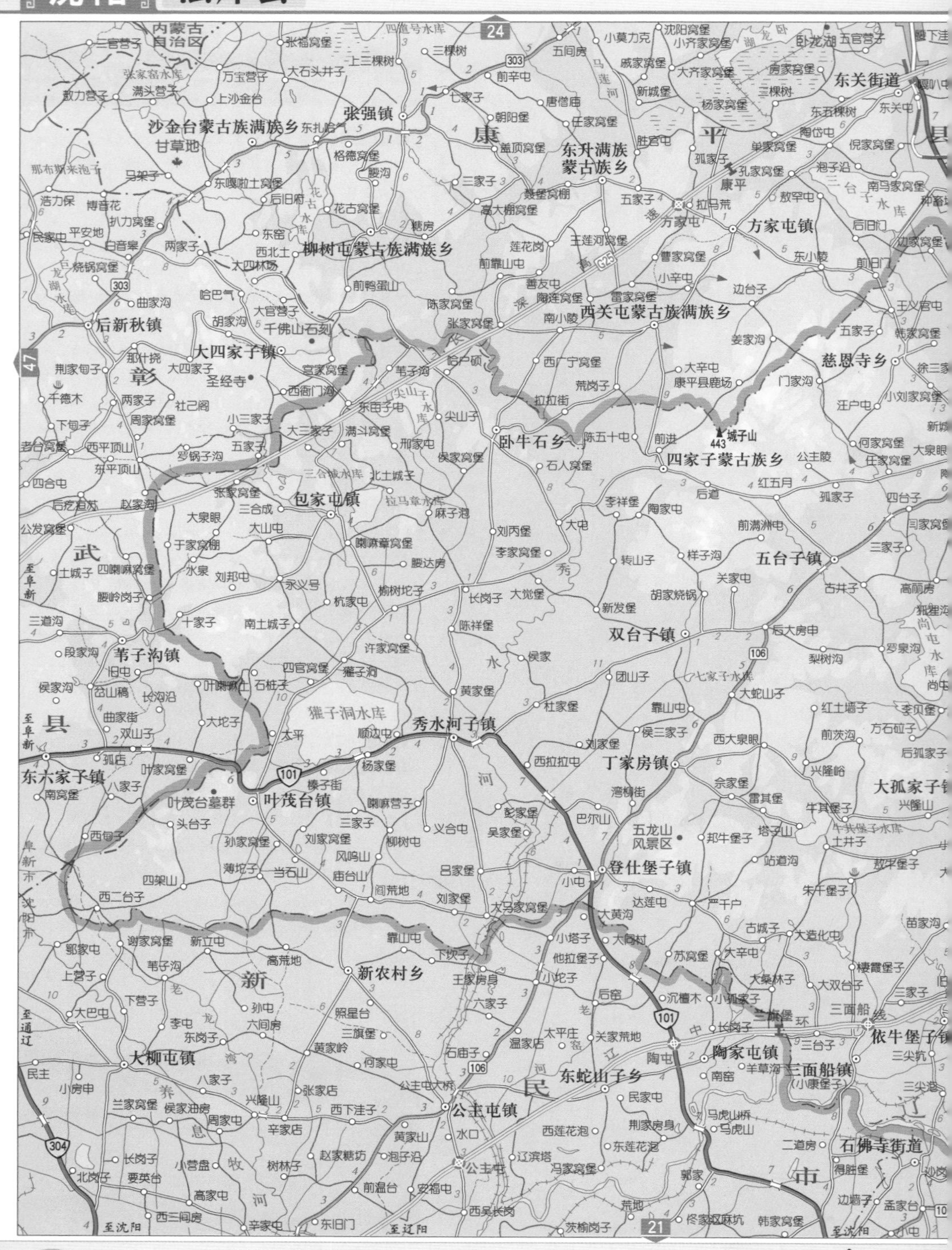

比例尺 1:390 000

3.9千米 0 3.9 7.8 11.7千米

高度表

0 50 100 200 300 400 500 600 800 1000 1200 1500米

【地理位置】 位于沈阳市北部。东与铁岭县、调兵山市接壤，东北隔辽河与昌图县、开原市相望，南与新民市毗邻，西与彰武县交界，北与康平县相连。

【人口面积】 人口45万，面积2320平方千米。

【历史沿革】 光绪六年（1880年）析置康平县辖。光绪三十二年（1906年）依据中日协约开商埠，始设法库直隶厅，隶奉天将军，民国二年（1913年）废厅置法库县，属奉天省洮昌道。民国十八年（1929年）省更名，1949年5月属辽西省。1954年6月属辽宁省。1955年12月起先后属铁岭专区、沈阳市、沈阳专区、铁岭地区、铁岭市。1992年12月12日，经国务院批准，将法库县划归沈阳市管辖。

【地　　形】 地处辽河平原北部，境内地势北高南低，丘陵平原相间，呈波状起伏。辽河于东北和南部两次流经县境，西部的秀水河和中部的拉马河由北向南汇入辽河。在辽西沿岸和各丘陵之间共有五块平原，构成了法库县"三山一水六分田"的自然面貌。

【主要河流】 辽河、秀水河。

【湖泊水库】 獾子洞水库、尚屯水库、泡子沿水库。

【交　　通】 沈康、辽中环线高速相会，长深高速于西北部过境，101、203国道和106、302省道纵横境内。铁法铁路由东北部穿过。

【资　　源】 矿产主要有煤、铁、铝、云母、硅灰石、石灰石、粘土、膨润土、氟石、珍珠岩等。森林覆盖率为20%。盛产玉米、高粱、大豆、水稻、花生等，是全国和辽宁省商品粮基地。

【风景名胜】 五龙山风景区、叶茂台墓群。

【土特产品】 桃山白酒。

【景点介绍】 **五龙山风景区** 位于法库县丁家房镇，南距沈阳75千米，东距法库33千米。山体枝缠藤绕，原始次生林遮天蔽日，百年树木随处可见，稀有树种200余种。龙怀妙音景区更有沈阳鼓山之美称，另有碧云宫、土塔林、五龙泉、朝阳洞等景观。五龙朝圣景区和龙怀妙音景区，是沈阳市民"田园风光一日游"固定线路。

五龙山风光

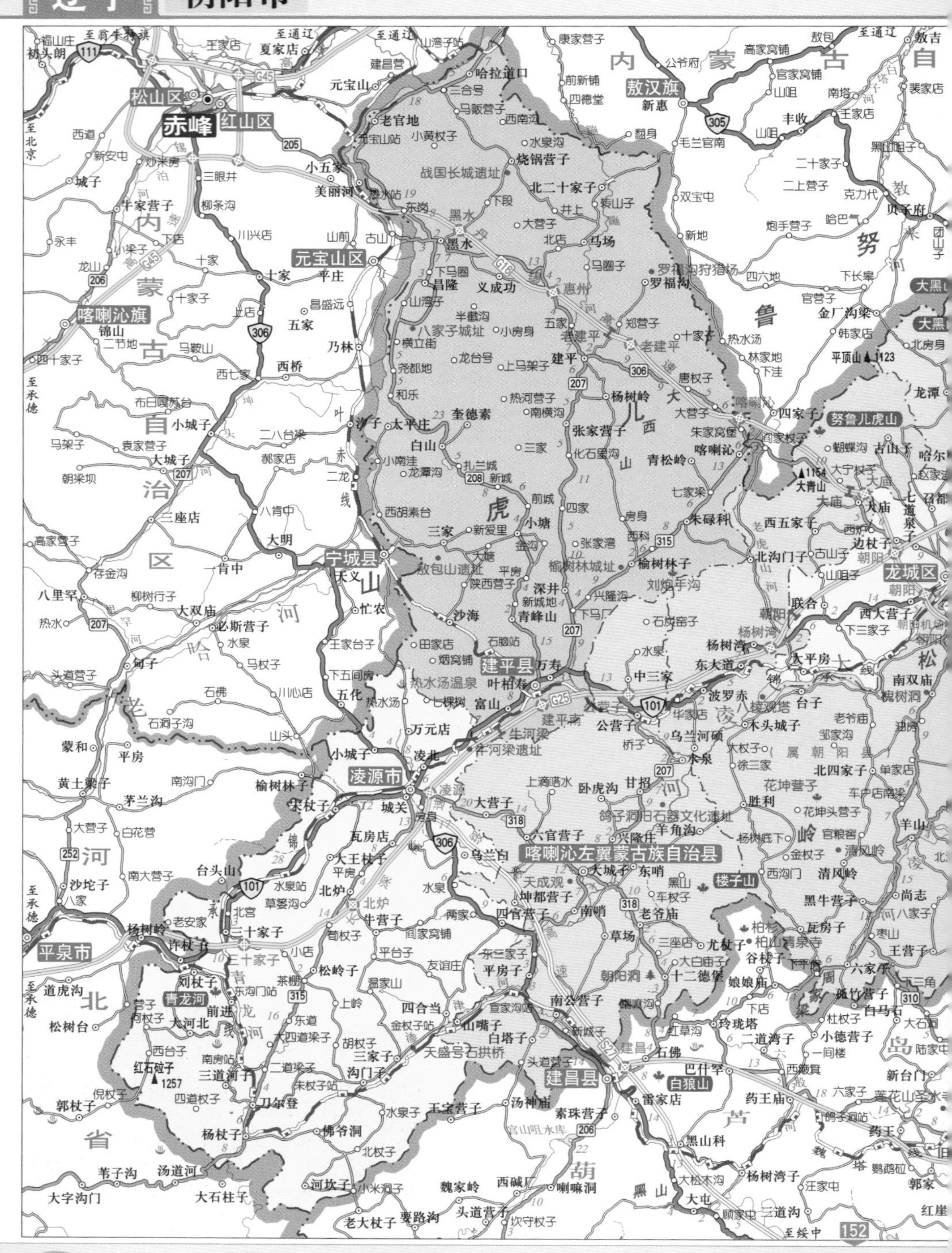

比例尺 1:1 100 000

11.0千米 0 11.0 22.0 33.0千米

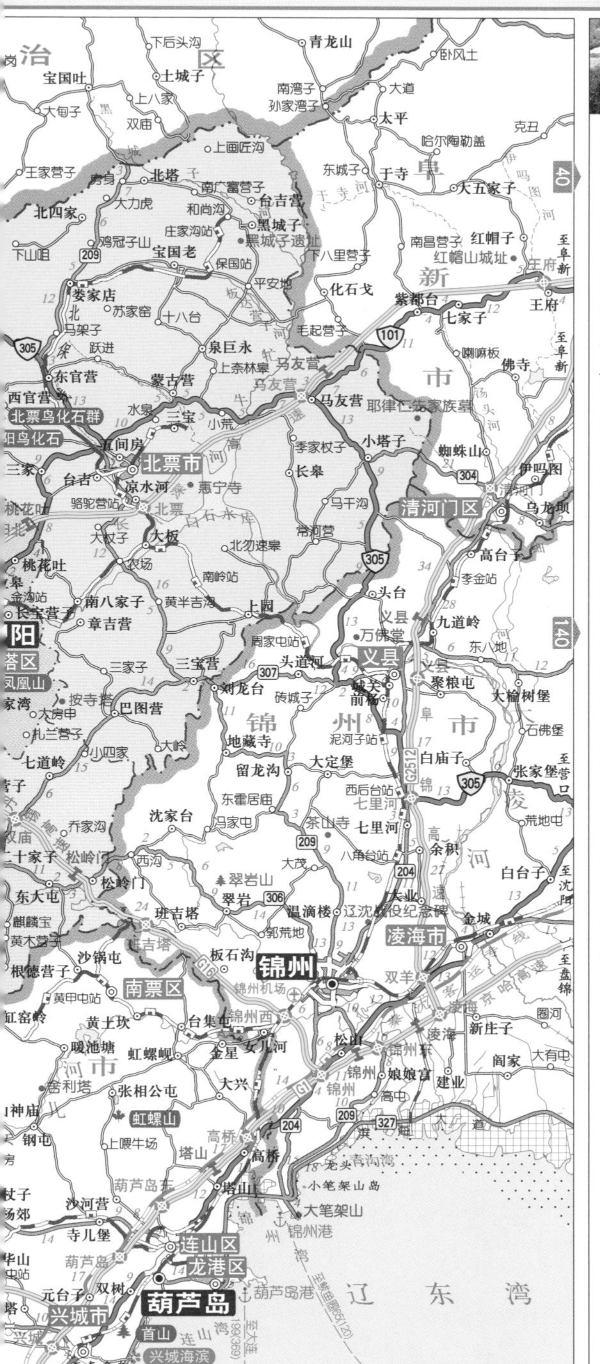

【地理位置】 朝阳市位于辽宁省西部，西邻河北省，北接内蒙古自治区、东连阜新市、锦州市，南邻葫芦岛市。

【行政区划】 辖双塔、龙城2区，北票、凌源2市，朝阳、建平2县，喀喇沁左翼蒙古族自治县。

【人口面积】 人口340万，面积19736平方千米。

【地　　形】 朝阳市属辽西山地丘陵地带，地势由西北向东南呈阶梯式降低，山地丘陵区占总面积70%以上。沿大、小凌河发育成河谷平原。

【主要山脉】 努鲁儿虎山、松岭。

【最高山峰】 红石砬子，海拔1257米。

【主要河流】 大凌河、小凌河。

【湖泊水库】 白石水库。

【气　　候】 属温带大陆性季风气候。年平均气温在8℃～8.5℃之间，1月平均气温25℃～27℃，年平均降水量为450～550毫米，无霜期125～160天。

【交　　通】 锦承铁路贯穿市区，101国道和207、208、307、318省道等公路经此。丹锡、长深高速公路相交境内。朝阳机场有飞往北京、烟台、大连的航班。

【资　　源】 农作物主要有高粱、玉米、小麦、棉花、油菜等，矿藏资源丰富，黄金产量居全省之首，还有锰、煤、钼、油母页岩、石灰石、大理石、膨润土等。

【风景名胜】 凤凰山、大黑山国家森林公园、朝阳鸟化石国家地质公园、惠宁寺、天成观、敖包山遗址、八家子城址、天盛号石拱桥、鸽子洞石器文化遗址、榆树林城址、战国长城遗址、牛河梁遗址等。

【自然保护区】 努鲁儿虎山、北票鸟化石群、青龙河、大黑山、楼子山国家级自然保护区。

【土特产品】 林榛葱、金香玉、锦龙宫曲酒等。

【景点介绍】 **牛河梁遗址** 位于凌源市与建平县交界处，因牤牛河源出山梁东麓而得名，呈半山地半丘陵地貌。101国道、锦承铁路贯穿其间。遗址座落在辽西山区一处漫延10余公里的多道山梁上，在50平方千米范围内连绵起伏的山岗上，有规律地分布着祭坛、女神庙和积石冢群，并由它们组成一个规模宏大的宗教祭祀中心。在方圆有致的积石冢内，以大墓为中心将墓葬分为若干等级，随葬品只有玉器。以写实又传神的猪龙、熊龙、凤鸟、龟等动物形玉饰，上下贯通的马蹄状玉箍和装饰着随光线变化花纹若隐若现的勾云形玉佩为主要类型，它们与竖立在积石冢上成排的彩陶筒形器都是墓主人用以通神的工具。坐落在主梁顶上的女神庙供奉着围绕主神的女神群像，一般为真人原大。遗址距今约5000年，属于红山文化。

朝阳城区 双塔区 龙城区

朝阳城区

【地理位置】 朝阳城区位于朝阳市中部，大凌河以西。

【城市特色】 朝阳是一座历史名城，人杰地灵，数以百计的宝塔古刹点缀着山河大地，使朝阳充满古文化的深邃魅力。

【主要河流】 大凌河，什家子河。

【交　　通】 市内交通方便，有公交汽车路线9条，还有长途客运汽车，小公共汽车等。朝阳火车站有通往全国各地的旅客列车，101国道，205、206省道贯通市区。

【经　　济】 朝阳市的经济发展迅速，已成为以重工业为主的中等工业城市。工业部门有煤炭、电力、冶金、机械、化工、电子、建材、纺织、食品、造纸、印刷、化纤、医药、轻工、冶炼、酿酒等。部分产品在国内市场有一定的知名度，如柴油机、汽车轮胎、装载机等，有的产品还远销国外。

【风景名胜】 关帝庙、天主教堂。

【景点介绍】 **朝阳关帝庙** 位于朝阳城区营州路东段北侧，清乾隆九年由山西会在朝阳东塔的塔基右侧修建，为朝阳市内唯一保存的礼制性建筑。根据碑文记载，关帝庙所在辽代时即为寺庙，称“灵感寺”，元代称“大通法寺”。明代废弃后，清初改建为关帝庙。属省级文物保护单位。现存关帝庙占地面积3900平方米，主要有马殿、仪仗殿、关帝殿、药王殿、财神殿、东西配殿等。

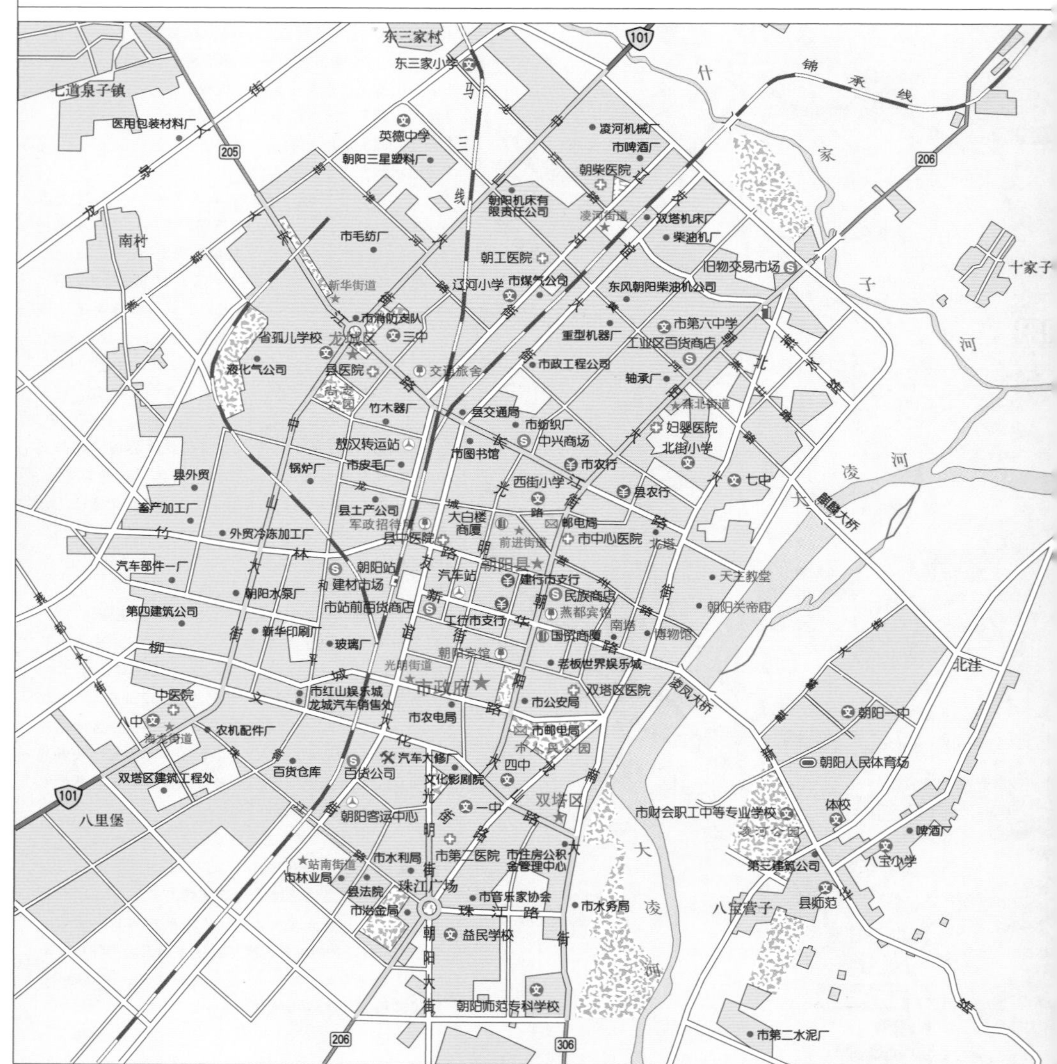

沈阳故宫 世界遗产
仙人洞 国家级自然保护区
服务区
里程起迄点
凤凰山 国家级风景名胜区
元帅林 国家级森林、地质公园
出入口
收费站

朝阳市辖区

【地理位置】 位于朝阳市中部，东北与北票市接壤，呈半环状包于朝阳县内。包括双塔、龙城2区。

【人口面积】 人口61万，面积1141平方千米。

【历史沿革】 自西汉起就设置了郡县，历史上曾为前燕、后燕和北燕的都城，有“三燕故都”之称，历来为州、府、县治所。

【地　　形】 除沿大凌河沿岸为平原外，其余均为低山地貌丘陵。

【主要山峰】 凤凰山，海拔649米。

【主要河流】 大凌河。

【交　　通】 锦承铁路、101国道过境，长深、丹锡高速公路相交。205、206、306省道相会城区。朝阳机场有飞往北京、大连、烟台的航班。

【景点介绍】 凤凰山 古称龙山，清初改为今名。位于朝阳市东，越大凌河至山下6千米。远望山形，左右两高峰，如凤之两翼；中峰微伏，有塔耸起，如凤昂首，故得名。中峰为著名风景区，有古寺上中下三处。上寺在山顶，名朝阳洞，绝顶处有凌霄塔，今已毁；中寺名云接寺，寺西有方形塔；下寺名延寿寺，是在辽代报恩寺旧址上重建的。

高度表 0 50 100 200 300 400 500 600 800 1000 1200 1500米

比例尺 1:400 000 4.0千米 0 4.0 8.0 12.0千米

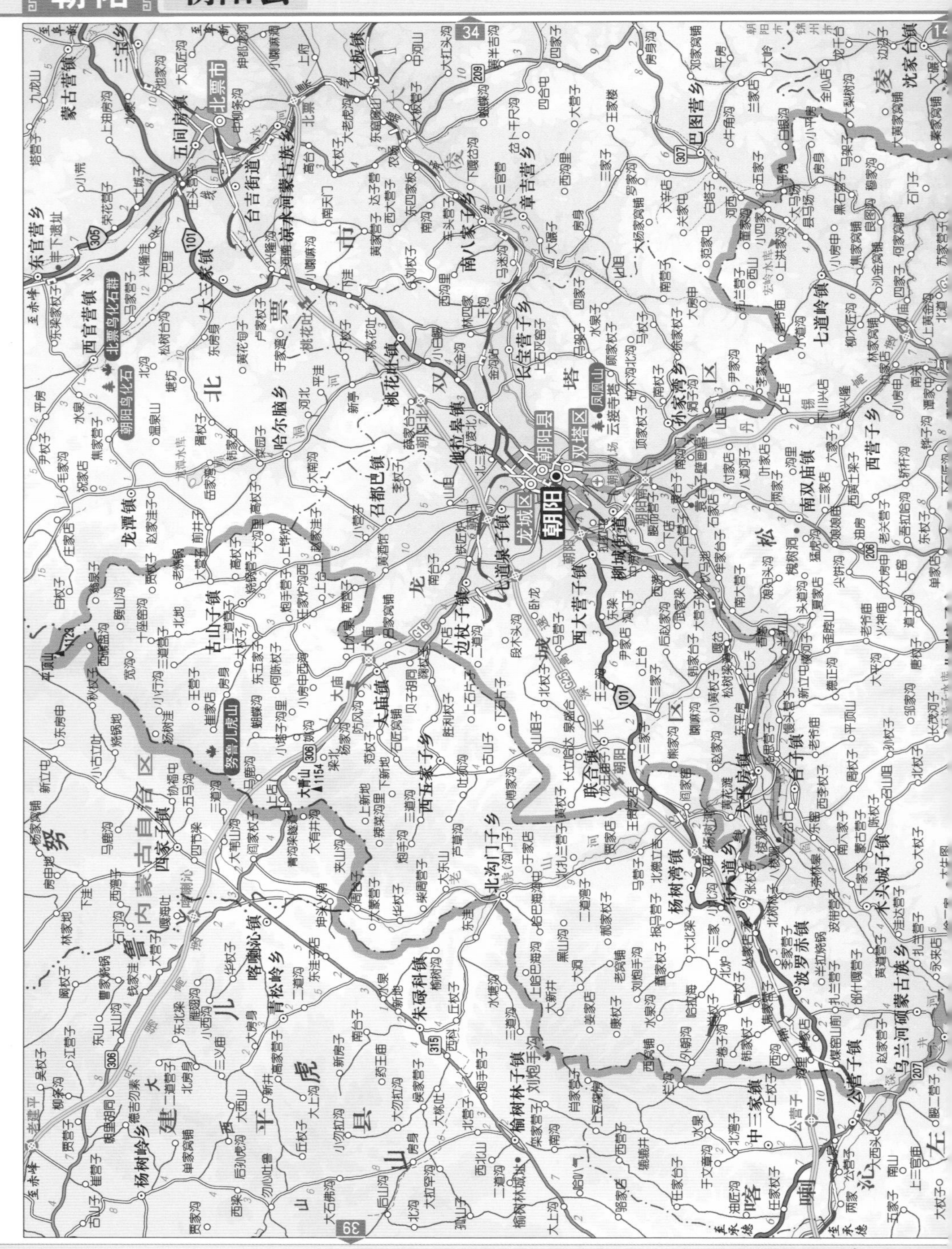

比例尺 1:520 000

5.2千米 0 5.2 10.4 15.6千米

高度表

0 50 100 200 300 400 500 600 800 1000 1200 1500米

【地理位置】 位于朝阳市中部，东与凌海市接壤，南连葫芦岛市区，西与喀喇沁左翼蒙古族自治县相接，北接内蒙古自治区。

【人口面积】 人口56万，面积3751平方千米。

【历史沿革】 西周时期，为孤竹国领地和少数民族东胡、山戎活动区。战国、秦时属辽西郡。西汉时期属幽州刺史部的辽西郡柳城县、临渝县、狐苏县、且虑县地。东汉时为辽西郡属地。中华人民共和国成立时属热河管辖。1956年朝阳县划归辽宁省管辖。1959年建朝阳市，朝阳县属朝阳市。1964年属朝阳专员公署，1984年恢复省辖朝阳市，朝阳县属朝阳市管辖。

【地　　形】 属辽西中低山区，努鲁儿虎山纵贯西北，中部为大凌河谷地，地势由西北向东南倾斜。

【最高山峰】 大青山，海拔1154米。

【主要河流】 大凌河、小凌河、老虎山河。

【湖泊水库】 阎王鼻子水库、胜利水库等。

【交　　通】 锦承铁路、长深高速、101国道横贯南北，丹锡高速在东部过境，206、307、308省道纵横境内，县乡公路连接成网。

【资　　源】 农作物主要有谷子、玉米、大豆、高粱、棉花。是全国棉花生产基地县。矿藏有煤、铁、锰、金、石棉、大理石等二十多种。

【经　　济】 有机械、煤碳、冶金、化工、建材、纺织等工业部门，“国光”苹果1973年获全国评比第一名，畅销国际市场。

【风景名胜】 努鲁儿虎山国家级自然保护区、槐树洞、清风岭。

【土特产品】 秫秸席子、召都巴汤粉等。

【景点介绍】 **清风岭** 清风岭风景区位于朝阳县长在营子乡，距市区58千米。景区内九沟十八岭，无沟不秀、无岭不奇。榆林沟景区山峰连绵重叠，争奇竞秀，岩石造型妙趣天成，形象逼真，有张家界之神韵。庙沟景区古木参天，百步一洞，千步一瀑，山泉掩映于树木之中，飞瀑斜挂在山壁之上，颇具九寨沟的意境。**槐树洞** 位于朝阳县南双庙乡。主要景点为涌泉寺，主要建筑为释迦牟尼殿、观音殿、药王殿、龙王殿，均为辽代建筑。有山泉从龙王殿外石龙头喷出，泉水清凉可口，有“神龙圣水”之称。寺中有数株树龄三百年以上的古槐，如伞盖遮天蔽日，槐树洞由此得名。

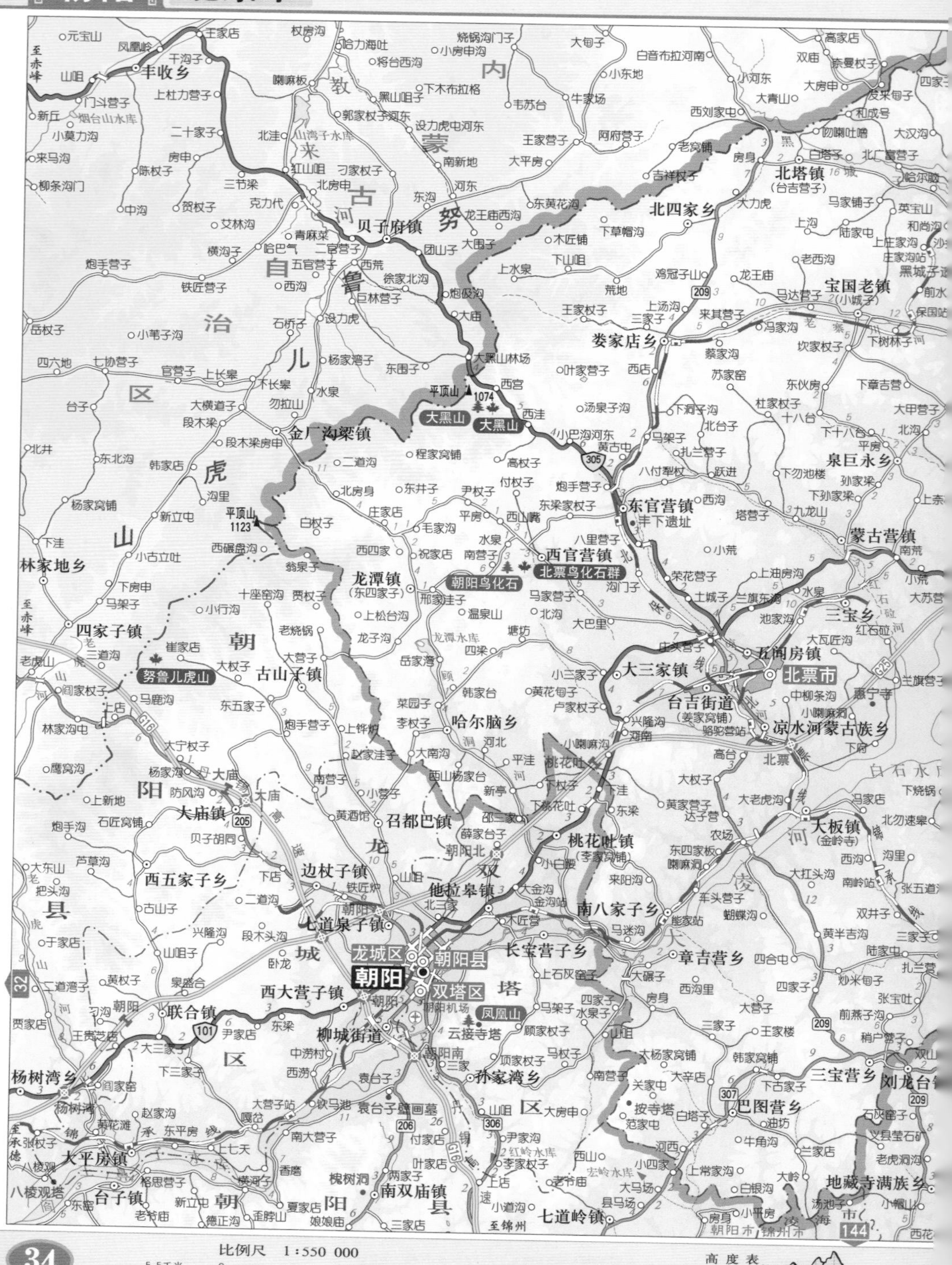
北票市
朝阳
龙城区
朝阳县
双塔区
内蒙古自治区
努鲁儿虎山
北票鸟化石群
朝阳鸟化石
大黑山
凤凰山
比例尺 1:550 000
高度表

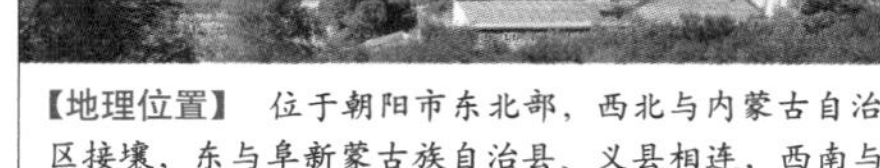

【地理位置】 位于朝阳市东北部，西北与内蒙古自治区接壤，东与阜新蒙古族自治县、义县相连，西南与朝阳县、龙城区、双塔区相邻。

【人口面积】 人口58万，面积4469平方千米。

【历史沿革】 秦、汉属辽西郡。三国（魏）、晋、前燕、前秦及后燕属昌黎郡，北燕属昌黎尹。南北朝时期北魏、东魏属昌黎郡。北齐属营州。金属北京路兴中府宜民县，元属大宁路川州，明属泰宁卫。清属承德府塔子沟厅东境，光绪三十年（1904年）属朝阳府朝阳县。新中国成立后属热河省辖1956年划归辽宁省，管辖。

【地　　形】 境内群山起伏，丘陵连绵，地势西北高、东南低，中部有散布于山前的河谷平原。

【最高山峰】 平顶山，海拔1074米。

【主要河流】 大凌河、牤牛河、黑城子河、顾洞河。

【湖泊水库】 白石水库、龙潭水库。

【交　　通】 锦承线是本市的铁路主干线，公路以长深高速和101、305国道及209省道为主干线构成交通网。

【资　　源】 农业盛产高粱、玉米、谷子、大豆、棉花、花生、向日葵等。矿产资源丰富，尤以煤炭产量大，有“辽宁第三煤都”之称。

【风景名胜】 大黑山国家森林公园、丰下遗址、黑城子遗址、惠宁寺、朝阳鸟化石国家地质公园、北票鸟化石群、大黑山国家级自然保护区。

【土特产品】 山楂、山枣、杏仁。

【景点介绍】 **大黑山国家森林公园** 位于北票市西北部，与内蒙古自治区敖汉旗相连，属努鲁儿虎山脉东段南麓。大黑山山峦起伏，奇峰林立，森林茂密，动植物种类繁多。森林公园核心部分面积29.4平方千米，森林覆盖率达93%以上，是辽西地区面积最大的一片绿地，被誉为辽蒙边界的绿色明珠。全国政协原副主席、著名科学家卢嘉锡曾为大黑山亲笔题词“辽西绿岛，生命之源”。大黑山森林公园集雄、奇、险、秀于一体，为国家AA级旅游风景区。已开发7个景区72处景点，形成颇具特色的森林群落和植被景观以及奇特的岩石地带景观。

惠宁寺 建于清乾隆初年，是朝阳地区保存较好的寺庙之一。寺内树木繁茂。

北票惠宁寺

沈阳故宫 世界遗产　仙人洞 国家级自然保护区　服务区　里程起讫点
凤凰山 国家级风景名胜区　元帅林 国家级森林、地质公园　出入口　收费站

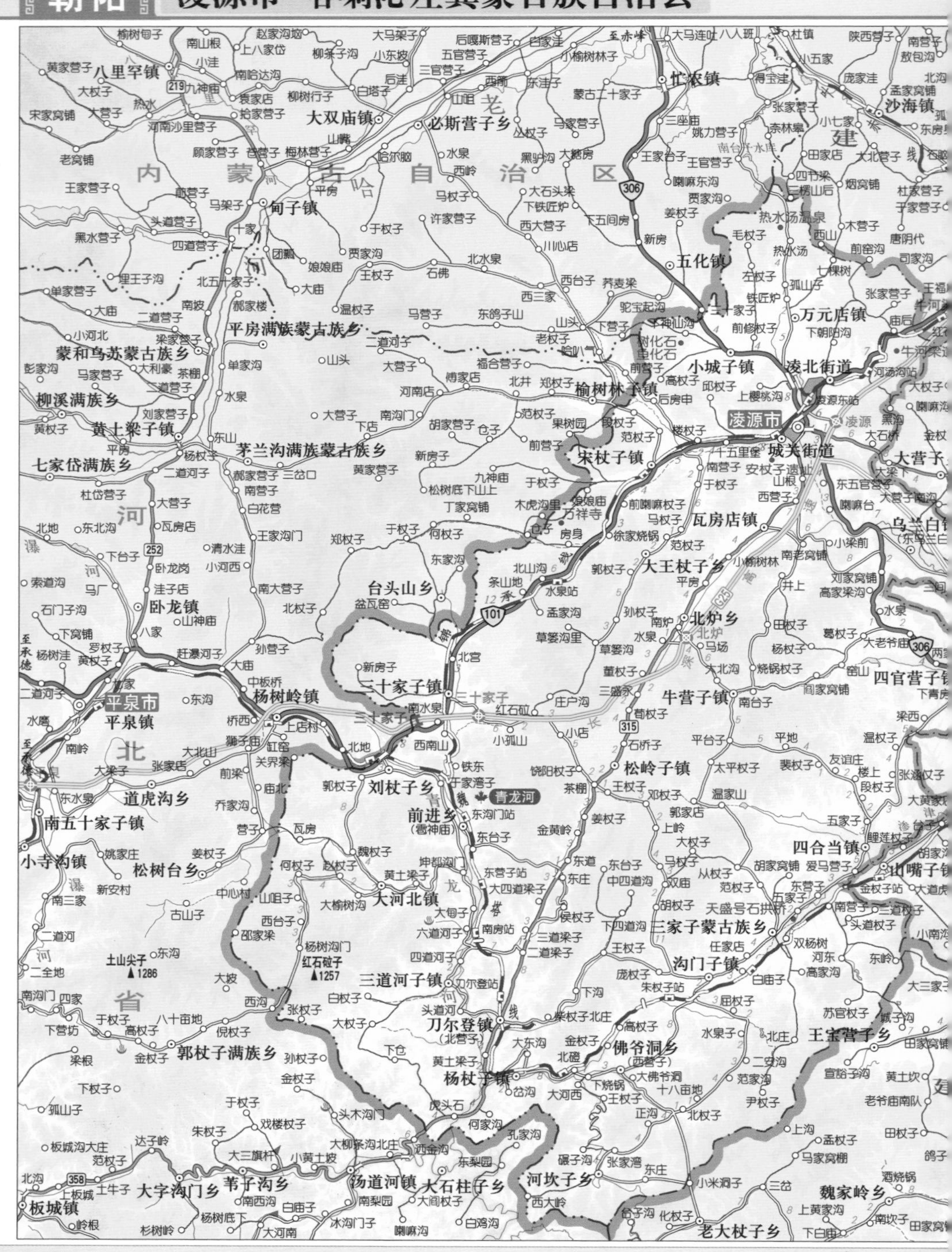

比例尺 1:580 000

5.8千米 0 5.8 11.6 17.4千米

高度表

0 50 100 200 300 400 500 600 800 1000 1200 1500米

凌源市

【地理位置】 位于朝阳市西南部，北与建平县和内蒙古自治区相接，西南与河北省接壤，东南与建昌县相邻，东接喀喇沁左翼蒙古族自治县。

【人口面积】 人口64万，面积3264平方千米。

【历史沿革】 凌源市历史悠久，早在3000多年前，凌源属商朝孤竹国范畴。清乾隆三年(1738年)，设塔子沟厅，归承德州管辖。清光绪三十年(1904年)，从建昌县东北划出一部分归建平县管辖。1914年改名为凌源县。1959年建立朝阳市，凌源县归朝阳市管辖。1992年撤销凌源县，设立凌源市，仍由朝阳市管辖。

【地　　形】 地处辽西低山与丘陵区的中部，地势西北高、东南低，境内沟壑纵横，山峦重叠。

【最高山峰】 红石砬子，海拔1257米。

【主要河流】 大凌河、青龙河。

【交　　通】 锦承、魏塔铁路境内接轨，长深高速公路过境，101、306国道和315、318省道相会市区。

【资　　源】 农业主产玉米、高粱、谷子等。矿藏有金、锰、钨、铁、煤、珍珠岩、石灰石等。

【风景名胜】 青龙河国家级自然保护区、牛河梁遗址、万祥寺、热水汤温泉等。

【景点介绍】 **万祥寺** 位于凌源市宋杖子镇，始建于清乾隆三年（1738年），原占地3.3万平方米，是清乾隆皇帝御批修建的一座集藏、汉民族建筑风格于一体的喇嘛寺院。

喀喇沁左翼蒙古族自治县

【地理位置】 位于朝阳市西南部，北接建平县，西邻凌源市，南与建昌县接壤，东与朝阳县相邻。

【人口面积】 人口43万，面积2240平方千米。

【历史沿革】 喀喇沁左翼蒙古族自治县历史悠久，公元前16世纪至公元前11世纪商朝时为孤竹国。隋朝时，属营州总管府所辖。唐朝时，属营州都督府。1738年设塔子沟厅。1946年成立喀喇沁左翼人民政府。1958年成立喀喇沁左翼蒙古族自治县。属朝阳市管辖。

【地　　形】 地处辽西丘陵地带，除中部大凌河流域部分平原外，均为山地、丘陵。

【最高山峰】 楼子山，海拔1091米。

【主要河流】 大凌河、深井河。

【湖泊水库】 瓦房水库。

【交　　通】 锦承、魏塔铁路过境，长深高速公路和101、306国道及207、318等省道连接成网。

【资　　源】 农业主产高粱、玉米、谷子、大豆，兼产麻、烟草、花生，盛产棉花。主要矿藏有金、铁、铜、锰、钼、铅、煤等。

【风景名胜】 楼子山国家级自然保护区、鸽子洞旧石器文化遗址、朝阳洞森林公园。

沈阳故宫 世界遗产　仙人洞 国家级自然保护区　服务区　里程起讫点

凤凰山 国家级风景名胜区　元帅林 国家级森林、地质公园　出入口　收费站

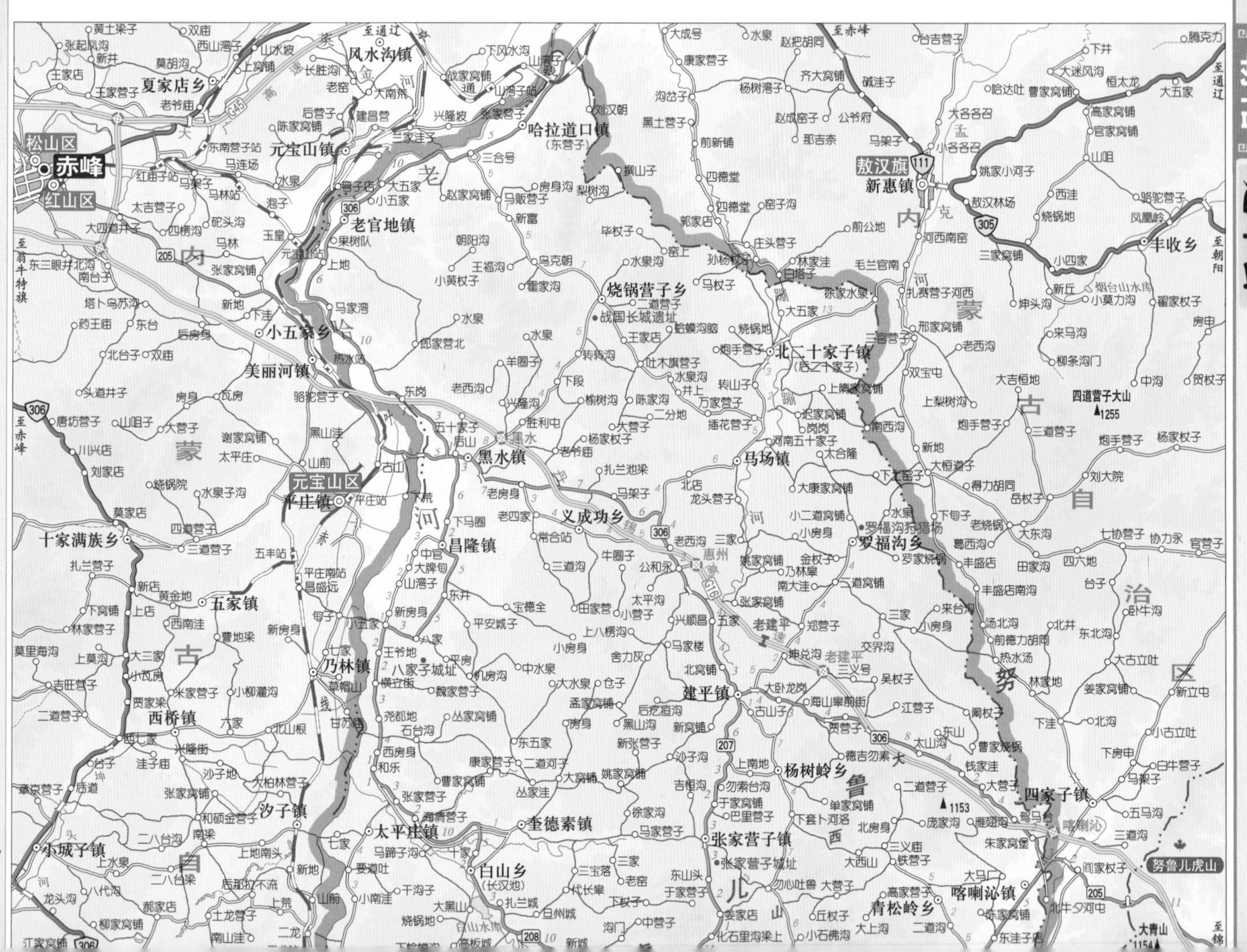

比例尺 1:570 000

5.7千米 0 5.7 11.4 17.1千米

高度表

0 50 100 200 300 400 500 600 800 1000 1200 1500米

【地理位置】 位于朝阳市西北部，东南邻朝阳县，南接凌源市、喀喇沁左翼蒙古族自治县，西、东北与内蒙古自治区接壤。

【人口面积】 人口58万，面积4838平方千米。

【历史沿革】 境内发现的“建平”人（杨树岭乡南地村）骨化石证明，早在旧石器时代后期，人类就开始在这里聚族而居。周朝属于山戎。春秋时属东胡，后又属燕。秦汉时属辽西郡地。三国时属鲜卑。晋时属鲜卑段氏、宇文氏、慕容氏活动地带。元代属北京路，领属富庶、金原、惠和、武平。明代属大宁卫，景太后属诺音卫。清初为敖汉部牧地。清光绪二十九年（1903年）划县时，因旧属建昌县和平泉县辖境，取建昌和平泉两县首字得名建平。1955年7月，热河省撤销后，建平县划归辽宁省。1956年11月，属辽宁省锦州专区管辖。1959年建立朝阳市，建平县划归朝阳市管辖。1980年9月16日始隶属朝阳地区行政公署（现朝阳市）管辖，县驻地红山街道。

【地　　形】 东北为丘陵山区，地势西南高东北低，努鲁儿虎山脉横贯中部，最高山峰海拔1153米。

【主要河流】 老哈河、蹦蹦河、深井河。

【湖泊水库】 白山水库。

【交　　通】 锦承铁路与叶赤铁路相接，长深、丹锡高速公路，101国道，207、315、306、208、205等省道过境。

【资　　源】 农业主产谷子、高粱、玉米、大豆、甜菜、葵花子，特产大蒜、土豆等。矿产资源主要有黄金、铁、锰、珍珠岩、膨润土、陶土、沸、大理石、石灰石等。其中膨润土、珍珠岩储量大，质量好，素有“中国膨润土之乡”之称。

【风景名胜】 战国长城遗址、八家子城址、张家营子城址、榆树林城址、罗福沟狩猎场、敖包山遗址、刘炮手沟自然保护区。

【土特产品】 锦龙宫曲酒。

【景点介绍】 **战国长城遗址** 位于建平县内，为公元前3世纪战国时期燕国修筑的长城，由西向东，穿山跨河，气势雄伟。城墙筑造方法为石筑、土筑和“天然屏障”三种。石墙基宽2～3米，存高1～2米。因年代久远、水土流失现冲刷已尽，但隐约可见黑土带。除长城外，沿线还有不同类型的防御建筑设施——台址、郭址和城址。

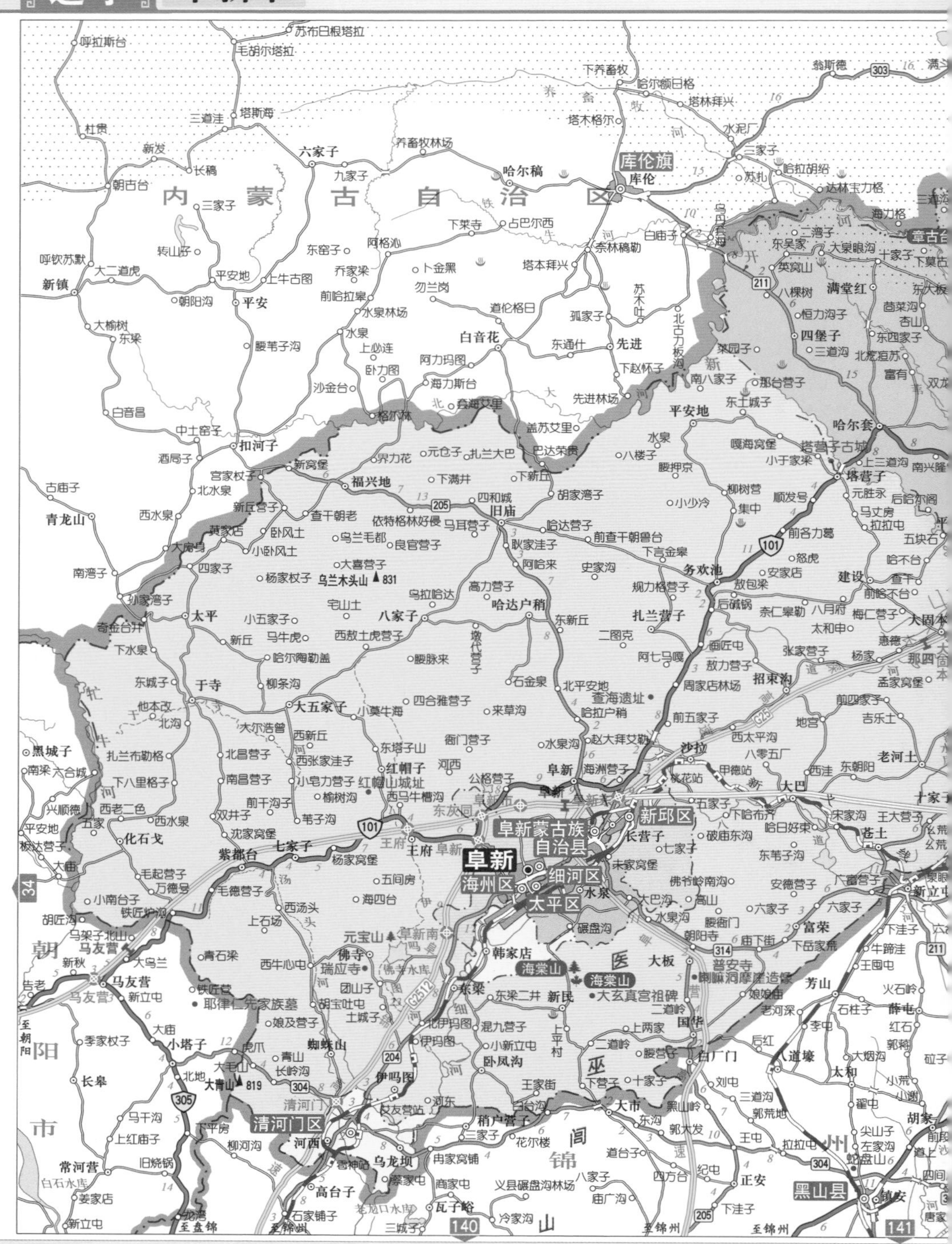

比例尺 1∶750 000

7.5千米 0 7.5 15.0 22.5千米

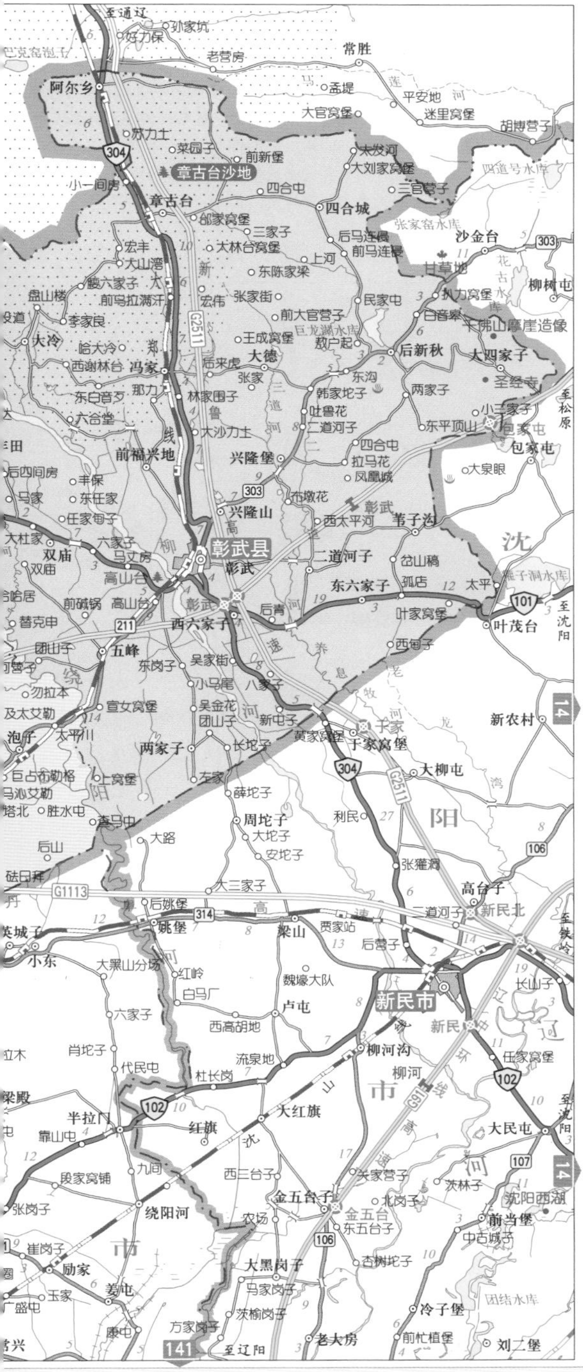

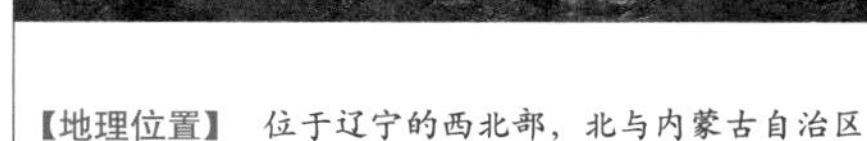

【地理位置】 位于辽宁的西北部，北与内蒙古自治区接壤，东与沈阳相邻，西与朝阳相接，南与锦州相望。

【行政区划】 辖海州、新邱、太平、清河门、细河5区，彰武县和阜新蒙古族自治县。

【人口面积】 人口192万，面积10445平方千米。

【历史沿革】 明清时为蒙古族驻牧地，名黄佃子，清光绪二十年置阜新县，1940年置市。

【地　　形】 由西南至东北方向依次为低山、丘陵、平原，东北方向有内蒙古沙地地貌延体带。

【主要山脉】 医巫闾山。

【最高山峰】 乌兰木头山，海拔831米。

【主要河流】 绕阳河、细河、柳河。

【湖泊水库】 巨龙湖水库、宝海水库。

【气　　候】 属于大陆性季风气候，年平均气温在7℃～8℃之间，1月平均气温−11.5℃～−13℃，7月平均气温23℃～25℃，年平均降雨量450～550毫米，无霜期145～160天。

【交　　通】 新义、大郑铁路经此，阜锦高速通往锦州，阜营高速通往盘锦，长深、新鲁高速纵横全境，101国道、206、211、303省道连接成网，四通八达。

【资　　源】 矿产主要有煤、铜、铁、钼、锌、金、孔雀石、磷、重晶石、萤石、云母、水晶等。天然宝石玛瑙和麦饭石是其特产。农业盛产大豆、玉米、小麦、油菜、甜菜、烟草、沙棘等。植物种类繁多，有油松、落叶松、樟子松、侧柏等。

【经　　济】 阜新是一座新兴的工业城市，以能源产业为主体。是我国的重要能源基地之一。主要的工业部门有煤炭、电力、机械、电子、建材、化工、轻工、服装、医药、食品等。

【风景名胜】 章古台沙地、海棠山国家森林公园、高山台森林公园、元宝山森林公园、查海遗址、圣经寺、红帽山城址、海棠山、章古台国家级自然保护区。

【风味小吃】 蒙族馅饼、全羊汤、荞面系列美味食品、手扒羊肉、熏兔、清沟鱼宴、喇嘛食品系列、关山鹿宴。

【景点介绍】 **海棠山国家森林公园** 坐落在阜新蒙古族自治县大板镇境内。海棠山风光秀丽，景色宜人，以奇峰怪石、古松紫柏、山谷幽深而著称，可与华山之险、黄山之奇媲美，素有“辽西小华山”之美誉。堪称中国一大奇观的摩崖造像群布满全山，造像雕功刀法为国内一绝，是中华民族的文化瑰宝。坐落于此的普安寺始建于1683年，历经六代五世活佛，是东方藏传佛教中心，素有“小布达拉宫”之称。

沈阳故宫 世界遗产　仙人洞 国家级自然保护区　服务区　里程起讫点
凤凰山 国家级风景名胜区　元帅林 国家级森林、地质公园　出入口　收费站

【地理位置】 阜新城区位于阜新市的西南部，细河从城市中心穿过。

【城市特色】 阜新市是煤炭工业为主的新兴工业城市。取“物阜民丰，焕然一新”之意，拥有悠久的历史和原始文明，被国内外考古学界称誉为“玉龙故乡”。

【主要河流】 细河。

【交　　通】 市内有公共汽车路线十余条，还有长途客运汽车，阜新火车站有通往全国各地的列车。阜锦、阜盘高速公路已通车。

【风景名胜】 海州露天煤矿。

【景点介绍】 海州露天煤矿 位于距市中心3千米处。矿场东西长4千米，南北宽2千米，垂直深250米，总面积30平方千米。站在调度大平台上，远眺医巫闾山，山势逶迤，绿色葱葱，宛若一条巨龙盘亘于露天矿南缘。海州露天矿的煤炭生成于中生代，大规模的地质变迁形成了大量动、植物化石标本，深入剥离现场，不时会发现一些令人称奇的鱼、鸟、树的化石。畅游海州露天矿，既可领略曾是亚洲第一大露天煤矿的丰采，也可一睹现代化煤炭生产的壮观场面。置身其间，游人不能不为大自然的神秘而惊叹。

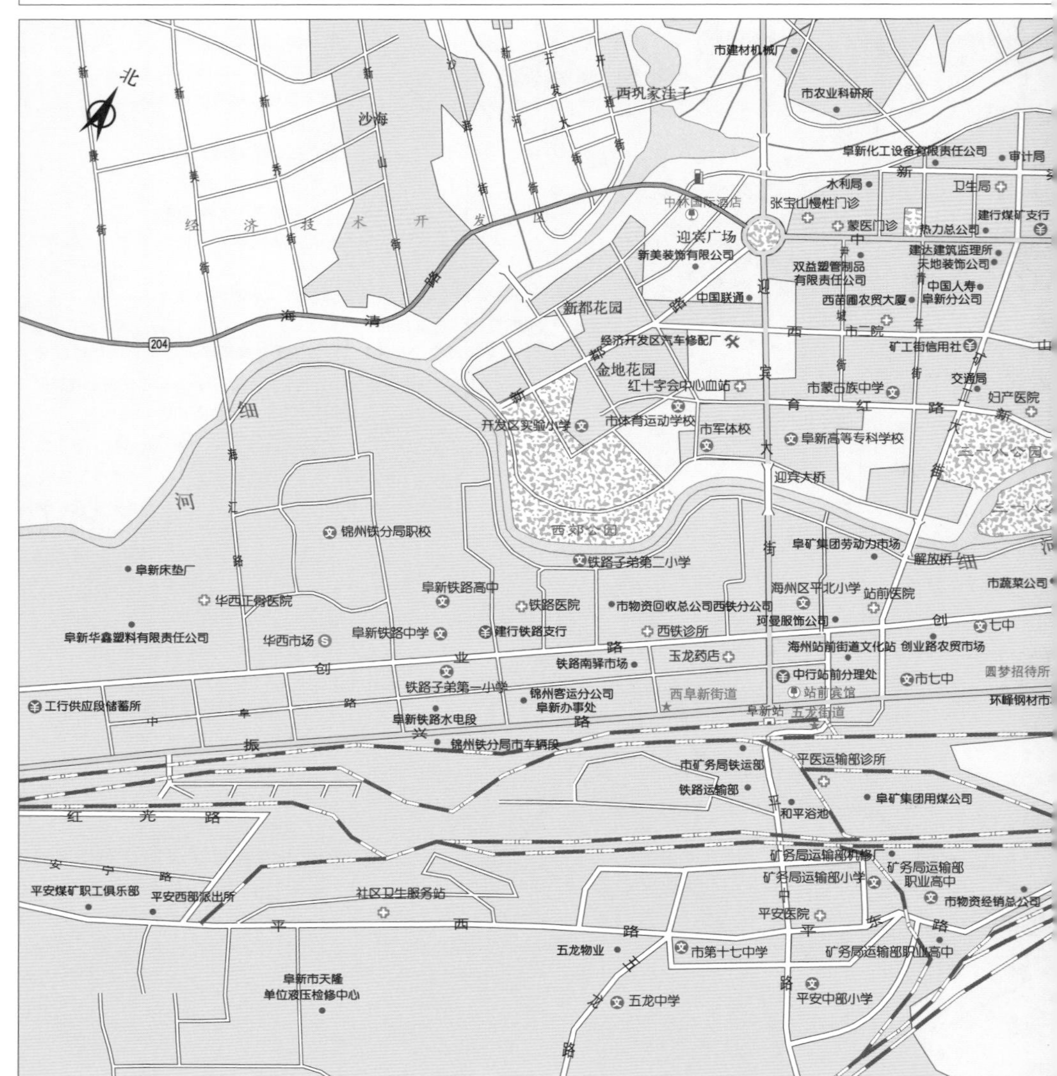

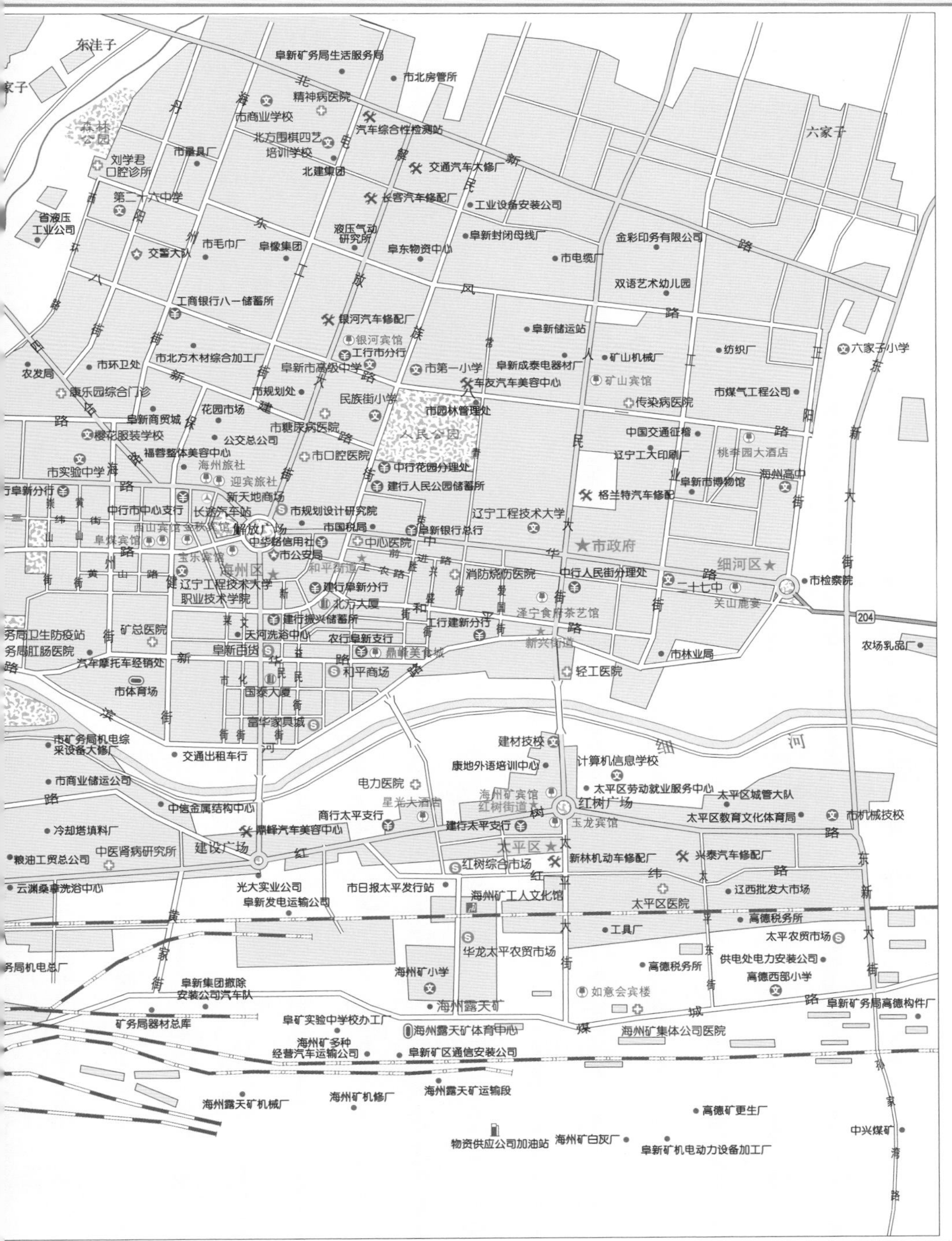
东洼子
阜新矿务局生活服务局
市北房管所
精神病医院
市商业学校
汽车综合性检测站
北方围棋四艺培训学校
北建集团
交通汽车大修厂
长宫汽车修配厂
工业设备安装公司
刘学君口腔诊所
第二十六中学
省液压工业公司
市毛巾厂
阜橡集团
液压气动研究所
阜东物资中心
阜新封闭母线厂
市电缆厂
金彩印务有限公司
双语艺术幼儿园
交警大队
工商银行八一储蓄所
银河汽车修配厂
银河宾馆
工行市分行
阜新储运站
矿山机械厂
纺织厂
六家子小学
六家子
市北方木材综合加工厂
市环卫处
农发局
阜新市高级中学
市第一小学
阜新成泰电器材厂
车友汽车美容中心
矿山宾馆
市煤气工程公司
康乐园综合门诊
市规划处
民族街小学
市园林管理处
传染病医院
花园市场
阜新商贸城
市糖尿病医院
人民公园
中国交通征稽
樱花服装学校
公交总公司
福蓉整体美容中心
市口腔医院
辽宁工大印刷厂
桃李园大酒店
市实验中学
海州旅社
迎宾旅社
中行花园分理处
阜新市博物馆
海州高中
工行阜新分行
建行人民公园储蓄所
格兰特汽车修配
新天地商场
中行市中心支行
长途汽车站
市规划设计研究院
辽宁工程技术大学
西山宾馆
金秋宾馆
解放广场
市国税局
阜新银行总行
阜煤宾馆
中华铭信用社
中心医院
市政府
宝乐宾馆
市公安局
海州区
和平街道
细河区
中行人民街分理处
消防烧伤医院
二十七中
市检察院
辽宁工程技术大学职业技术学院
建行阜新分行
关山鹿宴
北方大厦
泽宁食府茶艺馆
204
矿总医院
建行振兴储蓄所
工行建新分行
务局卫生防疫站
务局肛肠医院
天河洗浴中心
农行阜新支行
新兴街道
农场乳品厂
阜新百货
鼎峰美食城
汽车摩托车经销处
市林业局
和平商场
轻工医院
市体育场
国泰大厦
富华家具城
市矿务局机电综采设备大修厂
建材技校
交通出租车行
康地外语培训中心
计算机信息学校
细河
市商业储运公司
电力医院
太平区劳动就业服务中心
太平区城管大队
海州矿宾馆
红树街道
中信金属结构中心
星光大酒店
红树广场
商行太平支行
玉龙宾馆
太平区教育文化体育局
市机械技校
冷却塔填料厂
鼎峰汽车美容中心
建行太平支行
建设广场
中医肾病研究所
太平区
新林机动车修配厂
兴泰汽车修配厂
粮油工贸总公司
红树综合市场
云渊桑拿洗浴中心
光大实业公司
市日报太平发行站
海州矿工人文化馆
辽西批发大市场
阜新发电运输公司
太平区医院
高德税务所
工具厂
太平农贸市场
华龙太平农贸市场
供电处电力安装公司
务局机电总厂
海州矿小学
高德税务所
高德西部小学
阜新集团撤除安装公司汽车队
如意会宾楼
海州露天矿
阜新矿务局高德构件厂
矿务局器材总库
阜矿实验中学校办工厂
海州露天矿体育中心
海州矿集体公司医院
海州矿多种经营汽车运输公司
阜新矿区通信安装公司
海州露天矿运输段
海州露天矿机械厂
海州矿机修厂
高德矿更生厂
物资供应公司加油站
海州矿白灰厂
阜新矿机电动力设备加工厂
中兴煤矿
北海街
丹东路
阳州街
八一路
市中街
新华路
解放大街
民族街
新华路
凤路
人民大街
工业街
阳新大街
东新大街
孙家湾路
中华路
红树大街
黄家街
煤城路

阜新市辖区

【地理位置】 阜新市辖区邻阜新蒙古族自治县，清河门区与锦州市义县相连。
【人口面积】 人口78万，面积564平方千米。
【地　　形】 主城区地势南高北低，以丘陵和细河平原为主；清河门区西部多山，中部、东部较平坦。
【主要河流】 细河、清河。
【湖泊水库】 七家子水库。
【交　　通】 新义铁路经此，阜锦高速、阜营高速、长深高速相会。101国道和205、204、304省道贯穿过境。

阜新蒙古族自治县

【地理位置】 位于阜新市西南部，东临黑山县、彰武县，南靠义县、北镇市，西北与内蒙古自治区相连，西与北票市接壤
【人口面积】 人口73万，面积6246平方千米。
【地　　形】 属低山丘陵地貌，地势中部高、外沿边缘略低。
【最高山峰】 乌兰木头山，海拔831米。
【主要河流】 牤牛河、绕阳河、新开河。
【交　　通】 阜锦、阜营、长深高速公路，101、305国道，204、205、211、304省道纵横境内，新义、高新、大郑铁路过镜。
【资　　源】 农业主产高梁、玉米、谷子、大豆，还有棉花

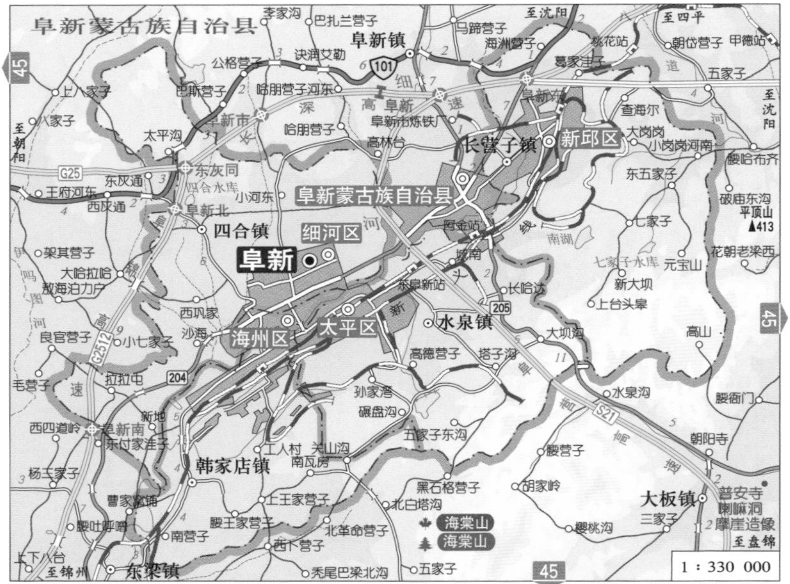

1：330 000

1：210 000

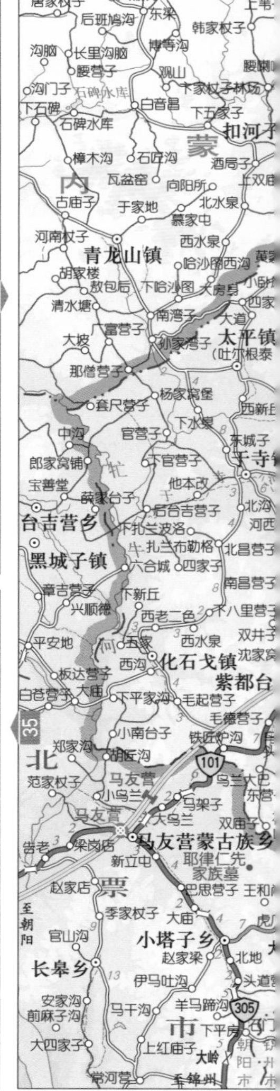

沈阳故宫 世界遗产　仙人洞 国家级自然保护区　服务区　里程起迄点
凤凰山 国家级风景名胜区　元帅林 国家级森林、地质公园　出入口　收费站

花生、芝麻等。煤是境内的主要矿产资源，其他还有铁、金、石灰石、萤石、氟石、花岗岩等。

【风景名胜】 查海遗址、瑞应寺、普安寺喇嘛洞摩崖造像、海棠山国家森林公园、大玄真宫祖碑、元宝山森林公园、红帽山城址、海棠山国家级自然保护区。

【土特产品】 玛瑙制品系列、麦饭石系列产品、沙棘油系列产品、新绿丝面、三沟老窖酒、梅雪啤酒、红袍杏等。

【风味小吃】 蒙族馅饼、全羊汤、荞面系列美味食品、手扒羊肉、熏兔 、清沟鱼宴、喇嘛食品系列、关山鹿宴。

【景点介绍】 **普安寺喇嘛洞摩崖造像** 位于阜新蒙古族自治县内一陡峭的巨石上。有260余尊石刻造像，多为明末清初所造，造像形态各异，雕功细腻，大的高5米多，小像只有10厘米。

瑞应寺 位于阜新蒙古族自治县的佛寺镇。建于1669年，金龙镶边的满、蒙、藏、汉4种文字雕刻的“瑞应寺”匾额为康熙皇帝所赐。为一规模宏大的喇嘛庙，正殿形式仿布达拉宫又稍有变化。

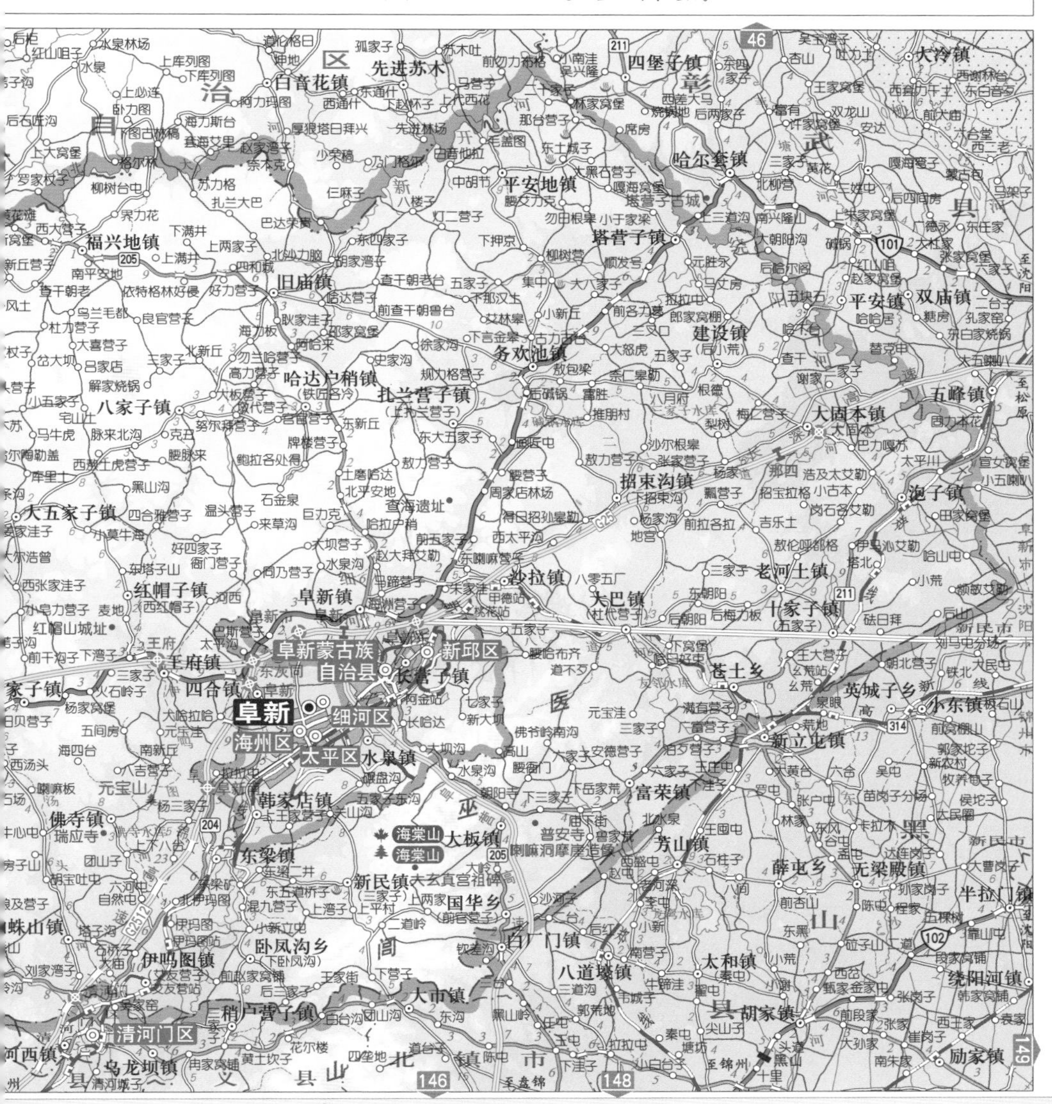

高度表
0 50 100 200 300 400 500 600 800 1000 1200 1500米

比例尺 1:690 000
6.9千米 0 6.9 13.8 20.7千米

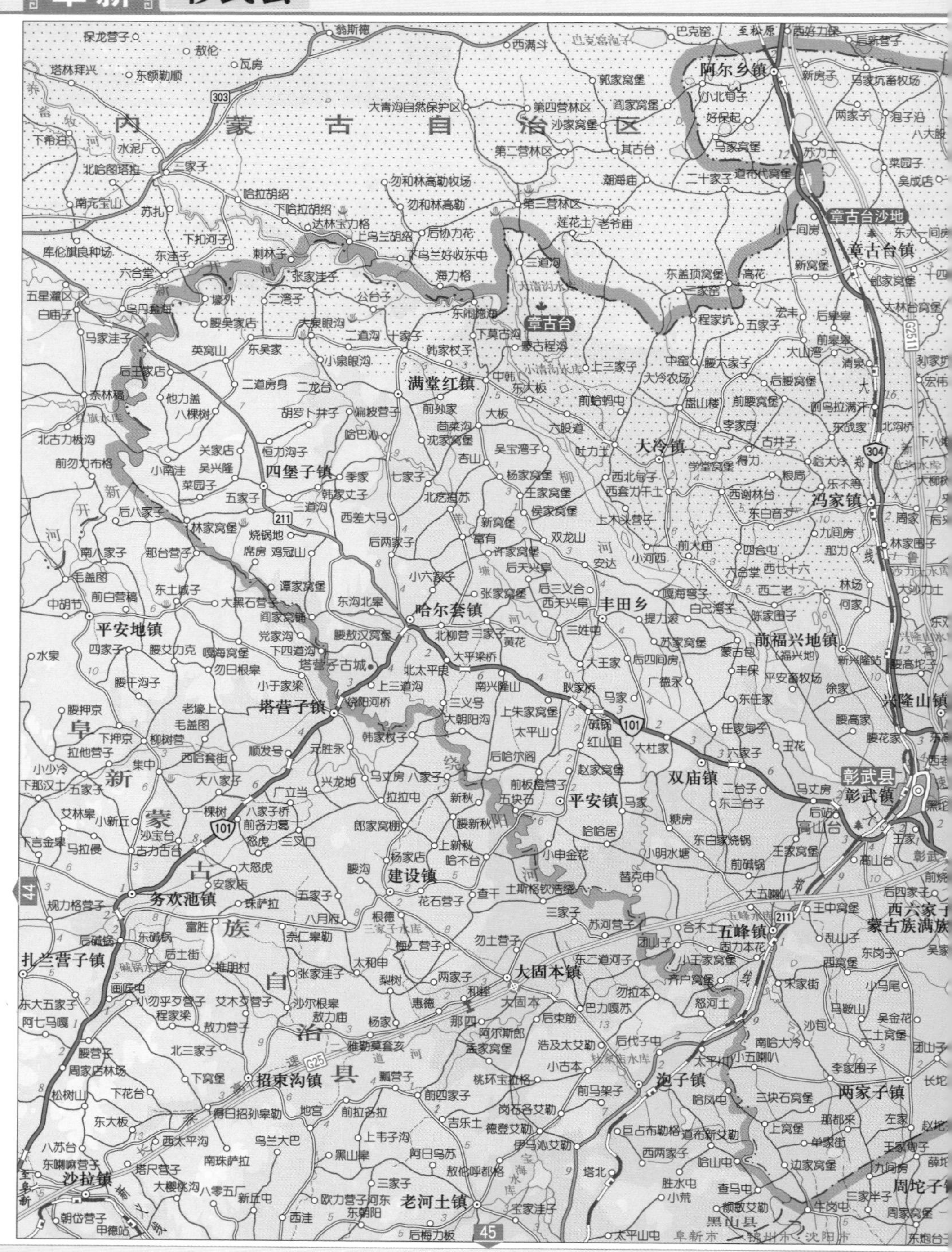

比例尺 1:440 000

4.4千米 0 4.4 8.8 13.2千米

高度表

0 50 100 200 300 400 500 600 800 1000 1200 1500米

44
45

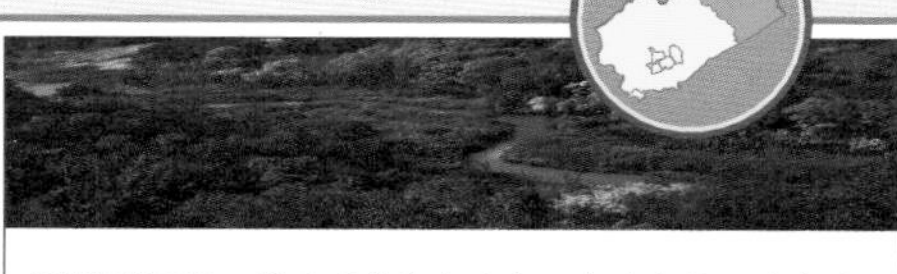

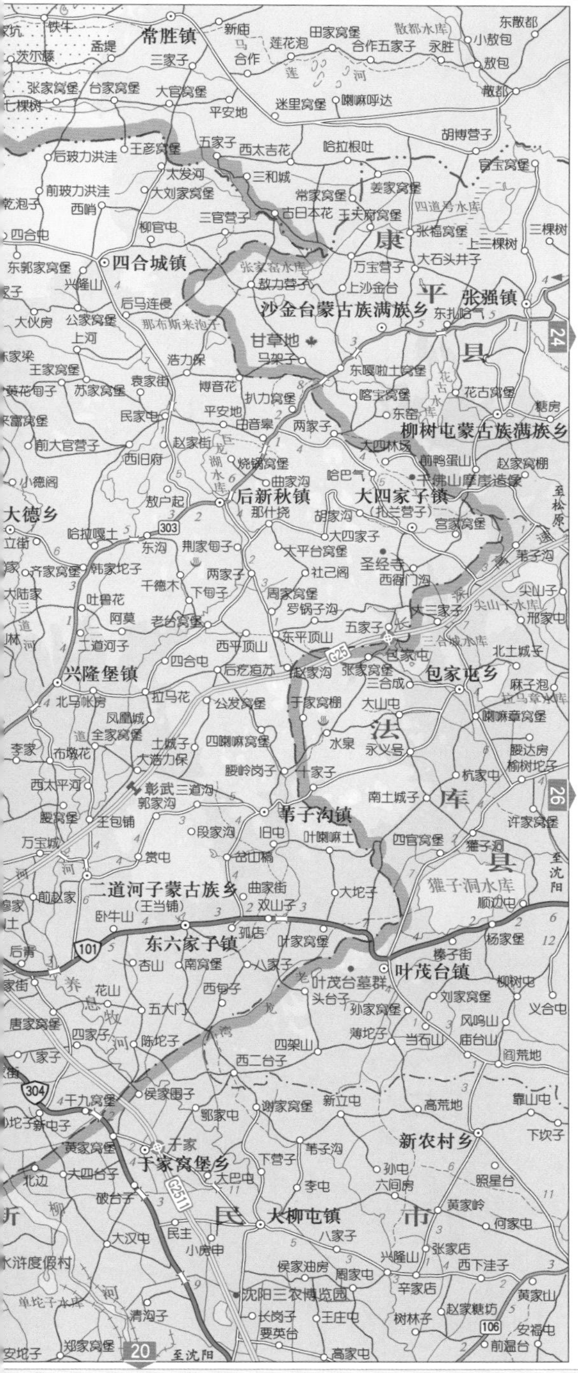

【地理位置】 位于阜新市东北部，东连康平、法库县，东南与新民市相邻，西与阜新蒙古族自治县隔河相望，北接内蒙古自治区。

【人口面积】 人口41万，面积3635平方千米。

【历史沿革】 彰武历史悠久，春秋时期属古幽州之域。战国时期地属燕国，处燕长城之外。秦、汉至隋、唐五代为东胡、肃慎、鲜卑、契丹、女真等少数民族活动之地。辽代属上京道。金、元时期属懿州地。明代属辽东都指挥使司广宁后屯卫。清初置养息牧场，光绪二十八年（1902年）设县治，以地处彰武台边门外名彰武县，隶属新民府。1954年7月，彰武县归辽宁省辖。1956年2月，划归锦州专区辖。1959年1月，锦州专区辖。1959年1月，锦州专区撤销，实行市辖县的体制，彰武县属阜新市。

【地　　形】 地势由西北向东南倾斜，为丘陵平原区。东西两侧多丘陵，北部为科尔沁沙地延伸地，中部和南部为辽河平原边缘地。

【主要河流】 新开河、柳河、绕阳河等。

【湖泊水库】 巨龙湖水库。

【交　　通】 大郑铁路纵贯南北，新鲁、长深高速相交，101、304国道相会县城，211、303省道与县乡公路形成公路交通主干网。

【资　　源】 农业主产玉米、高粱、大豆、水稻、小麦。矿产资源有硅砂、珍珠岩、氟石、石灰石、膨润土等。

【风景名胜】 千佛山石刻、章古台沙地国家森林公园、章古台国家级自然保护区、塔营子古城。

【景点介绍】 **大清沟自然保护区** 大清沟位于县境西北，沟内植物繁茂，种类达七百种左右，其中木本植物百种以上。按自然分布基本形成了以水曲柳、蒙古栎、大果榆为代表的三个植物群落。药用植物二百余种，观赏植物三四十种，一年四季花开不断。如春夏开花的芍药、百合、香线菊、稠李、野玫瑰、杜鹃大药杓兰等；硕果满支的南蛇藤，其红果黄萼，素有北国梅花之称。纤维植物分布也很广。野生果树和野生野菜资源也较丰富。此外，还有猴头、云芝、黑木耳、蘑菇等真菌山珍植物资源。大清沟风景区以其自然粗犷的原始风貌蜚声全省，独具特色的沙丘地貌，莽莽的原始森林，珍奇的野生植物，粉沙大坝以及神秘的传说使之成为省内外的旅游胜地。

千佛山摩崖造像 位于彰武县大四家子乡扎兰村西南2.5千米处。千佛山山岩突兀，据传在清代晚期，关内和尚朱温久率弟子来此雕造佛像，本欲雕千尊，但至宣统元年（1909年）仅雕成198尊而终止。现存雕像197尊，有武士、罗汉等，分别乘马、龙、虎、象、麒麟等坐骑，造像一般高1米左右，最高达20.2米，最低仅0.3米。在山南端石壁上，还凿有一石窟，一门二窗，名为观音洞。千佛山摩崖造像群雕工精细，技法较高，是研究清代造像艺术的重要资料。

沈阳故宫　世界遗产　　仙人洞　国家级自然保护区　　服务区　　里程起迄点

凤凰山　国家级风景名胜区　　元帅林　国家级森林、地质公园　　出入口　　收费站

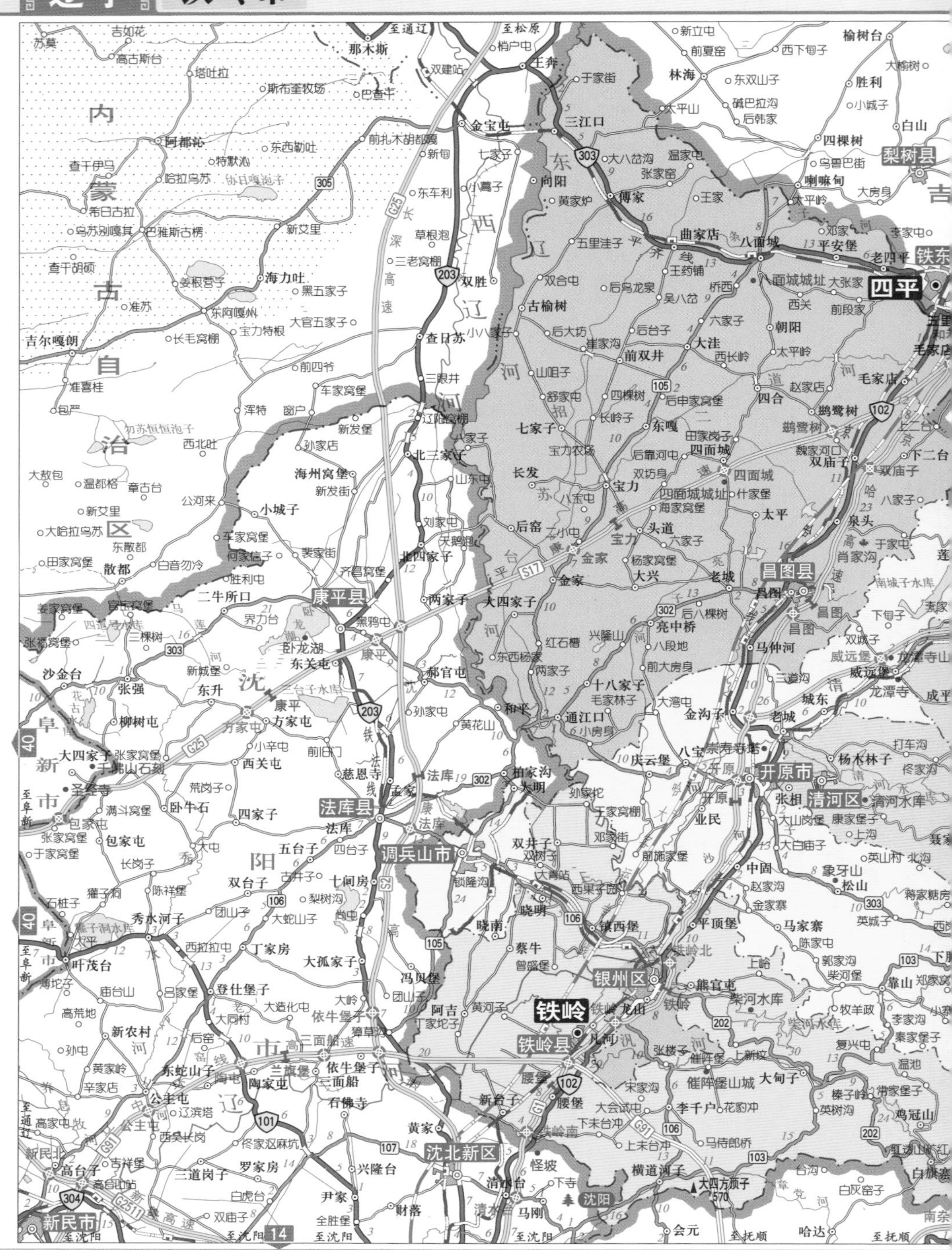

比例尺 1:930 000

9.3千米 0 9.3 18.6 27.9千米

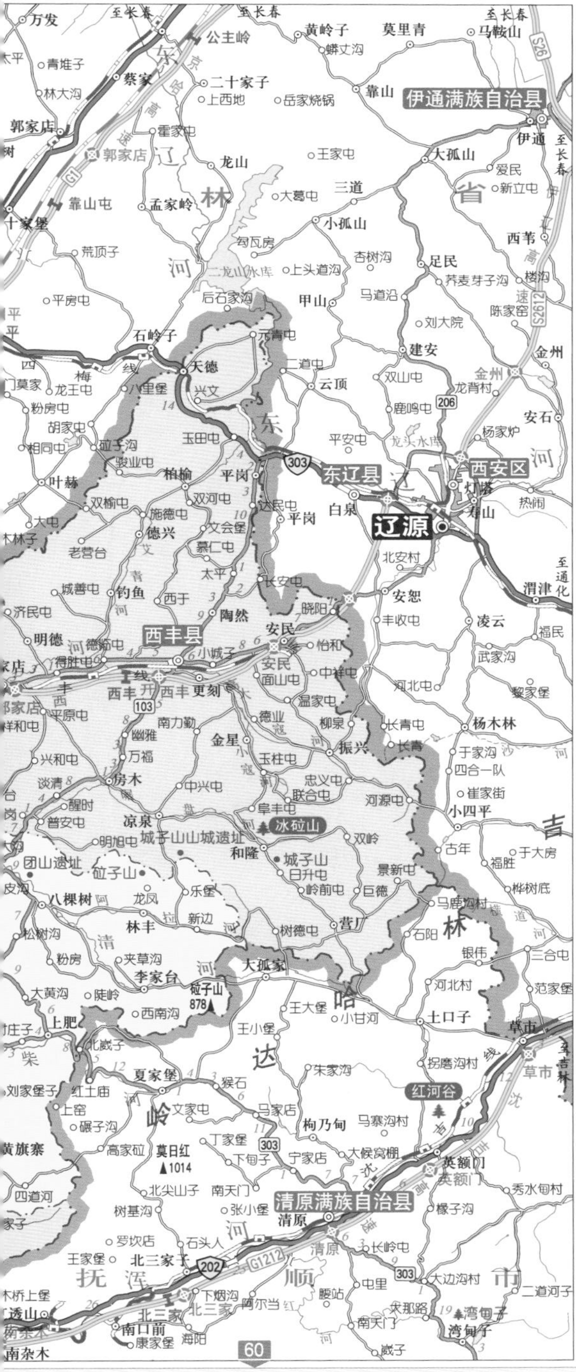

【地理位置】 位于辽宁省北部，松辽平原中段，西南与沈阳市、东南与抚顺市毗邻，东北与吉林省相连，西北与内蒙古自治区为邻。

【行政区划】 辖银州、清河2区，调兵山、开原2市，铁岭、西丰、昌图3县。

【人口面积】 人口306万，面积12966平方千米。

【地　　形】 全市可划分为东部低山丘陵区和西部辽河低丘平原区两大地貌区。

【最高山峰】 砬子山，海拔878米。

【主要河流】 辽河、柴河。

【湖泊水库】 清河水库、柴河水库、南城子水库等。

【气　　候】 属于温带季风性大陆气候，年平均气温在5℃～7℃之间，1月平均平均气温−13℃～−17℃；7月平均气温22℃～25℃，年平均降水量为650～750毫米；无霜期为130～160天。

【交　　通】 哈大客运专线、开丰、京哈铁路境内接轨，京哈、平康、西开、辽中环线高速相连，102、303国道和103、105、106、202、301、302、303省道形成了交通主干网。

【资　　源】 铁岭是辽宁的商品粮基地，素有“辽北粮仓”之称，农作物主要有水稻、玉米、大豆、高粱等。矿产资源有煤、铁、铅、锌、金等。其中煤炭储量丰富。

【风景名胜】 冰砬山国家森林公园、肖家沟自然保护区、龙潭寺、城子山山城遗址、团山遗址。

【土特产品】 山楂、猕猴桃酒、铁岭大葱。

【景点介绍】 冰砬山国家森林公园　位于西丰县境内，总面积为2200多公顷，森林覆盖率达96%。园中的生态植被基本保持原始自然状态。增设水榭码头、垂钓台、观音庙等十几个景点；修建狩猎场、森林浴场、索道、林内避暑山庄、冰雪大世界等游乐设施。园区内辐射小、温差大、风速小，空气负离子含量比城市高3～5倍。

冰砬山森林公园

60

沈阳故宫 世界遗产　仙人洞 国家级自然保护区　服务区　里程起迄点
凤凰山 国家级风景名胜区　元帅林 国家级森林、地质公园　出入口　收费站

铁岭城区

【地理位置】 位于铁岭市西南部。

【城市特色】 有"煤电能源之城"、"小品艺术之乡"，"体育冠军之乡"等美誉。

【主要河流】 辽河、柴河、柴河灌渠。

【交　　通】 街区沿京哈铁路两侧分布，铁岭火车站有通往全国各地的列车。道路以南马路、广裕街、文化路为主干，交通便利，有公交汽车路线近20条。设有长途客运站，可直通沈阳、抚顺、本溪、四平等市和本市辖各县区。

【风景名胜】 龙首山风景区、铁岭白塔、银冈书院等。

【风味小吃】 牛肉火勺、大甸子羊汤等。

银州区

【地理位置】 位于铁岭市西南部，四周被铁岭县环绕。

【人口面积】 人口35万，面积203平方千米。

【地　　形】 地势东高西低，平均海拔65～70米，北部、西部为辽河、柴河流域淤积平原，南部为丘陵地带，东部为山区。

【主要河流】 辽河、柴河、汎河。

【交　　通】 铁法、京哈铁路相交于境内，京哈高速、102国道以及106、202省道纵横过境。

【经　　济】 工业有精工机械、电子、化工、橡胶、纺织、建材、服装、食品、印刷等，农业主产稻谷、蔬菜，特产铁岭大葱，为国家重点矿区之一。

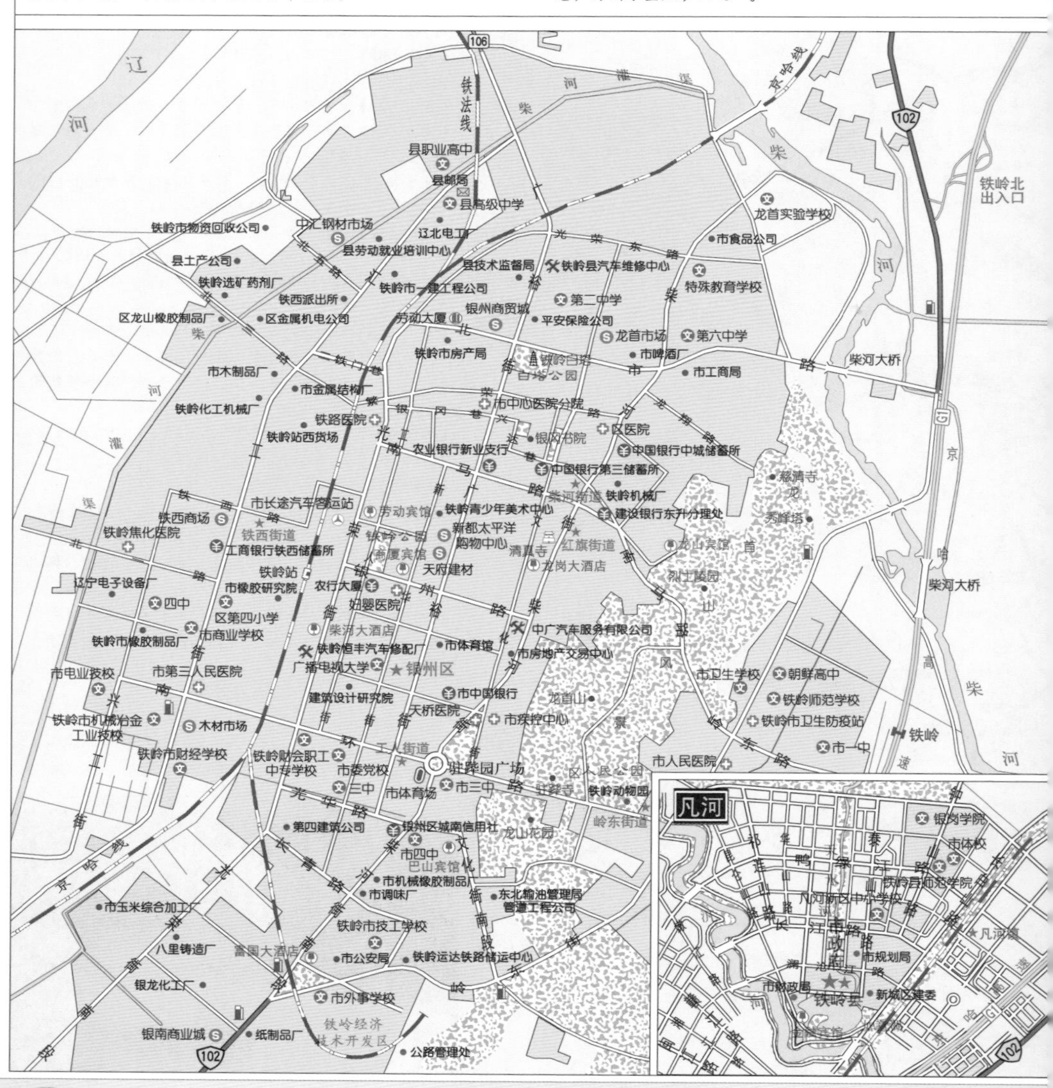

沈阳故宫 世界遗产　仙人洞 国家级自然保护区　服务区　里程起迄点

凤凰山 国家级风景名胜区　元帅林 国家级森林、地质公园　出入口　收费站

清河区

【地理位置】 位于铁岭市中部，东北与西丰县相邻，三面与开原市交界。

【人口面积】 人口10万，面积423平方千米。

【地　　形】 地处辽河平原与长白山哈达岭余脉交界处，东南为低山丘陵，西南为平原，清河流经境东北边缘。

【河流湖泊】 清河、寇河、清河水库等。

【交　　通】 支线铁路接京哈铁路，县乡公路围绕水库，103省道在东。

【经　　济】 工业以电力为主，有塑料、机械加工、炼钢、电器制造、食品等，农作物有水稻、玉米、高粱等。

调兵山市

【地理位置】 位于铁岭市西部，铁岭县和法库县之间。

【人口面积】 人口24万，面积263平方千米。

【地　　形】 西部多丘陵和低山，地势较高，东、南两面处于辽河冲积平原，除少量孤山、岗地外，地势较低。

【交　　通】 105省道与106省道贯穿并在城区交会。

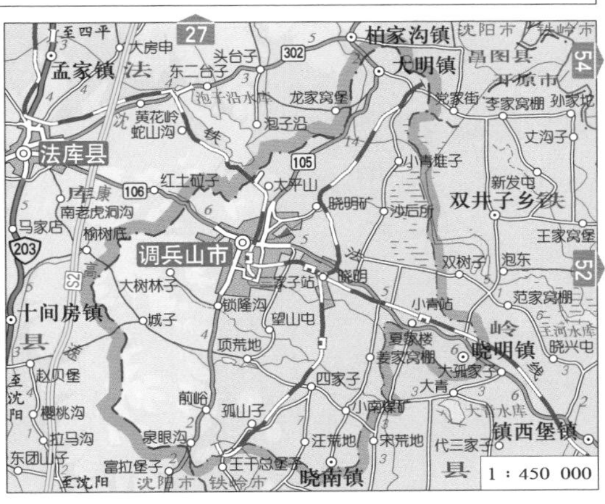

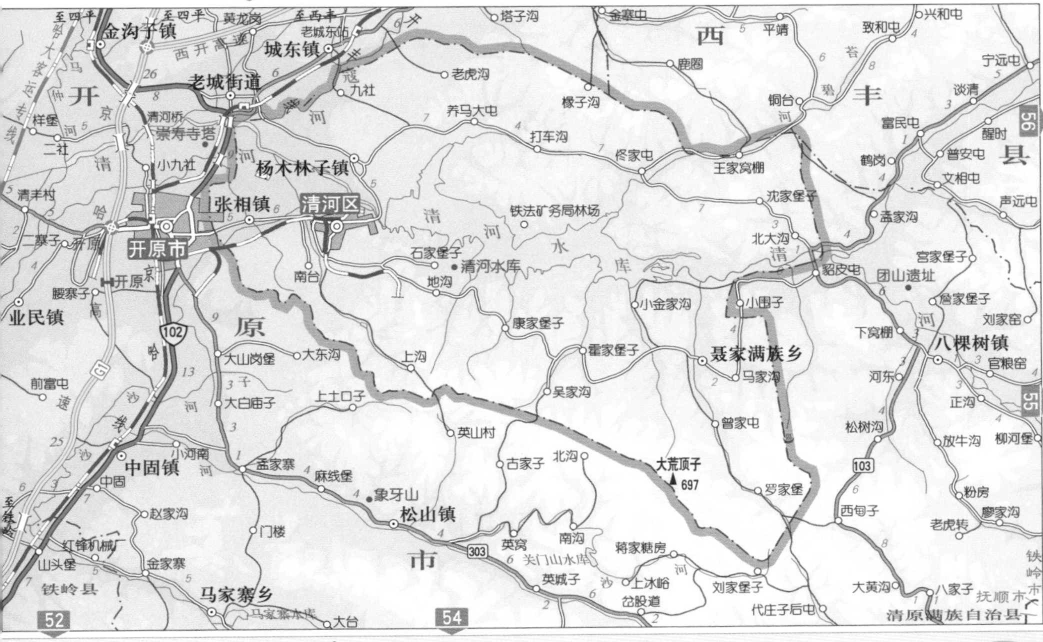

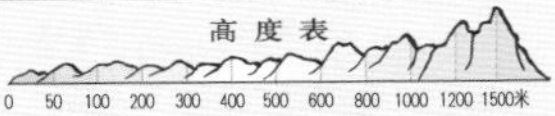

金沟子镇
城东镇
老城街道
杨木林子镇
张相镇
清河区
开原市
业民镇
中固镇
马家寨乡
松山镇
聂家满族乡
八棵树镇
清河水库
团山遗址
大荒顶子 697
铁岭县
西丰县
清原满族自治县
抚顺市
铁岭市

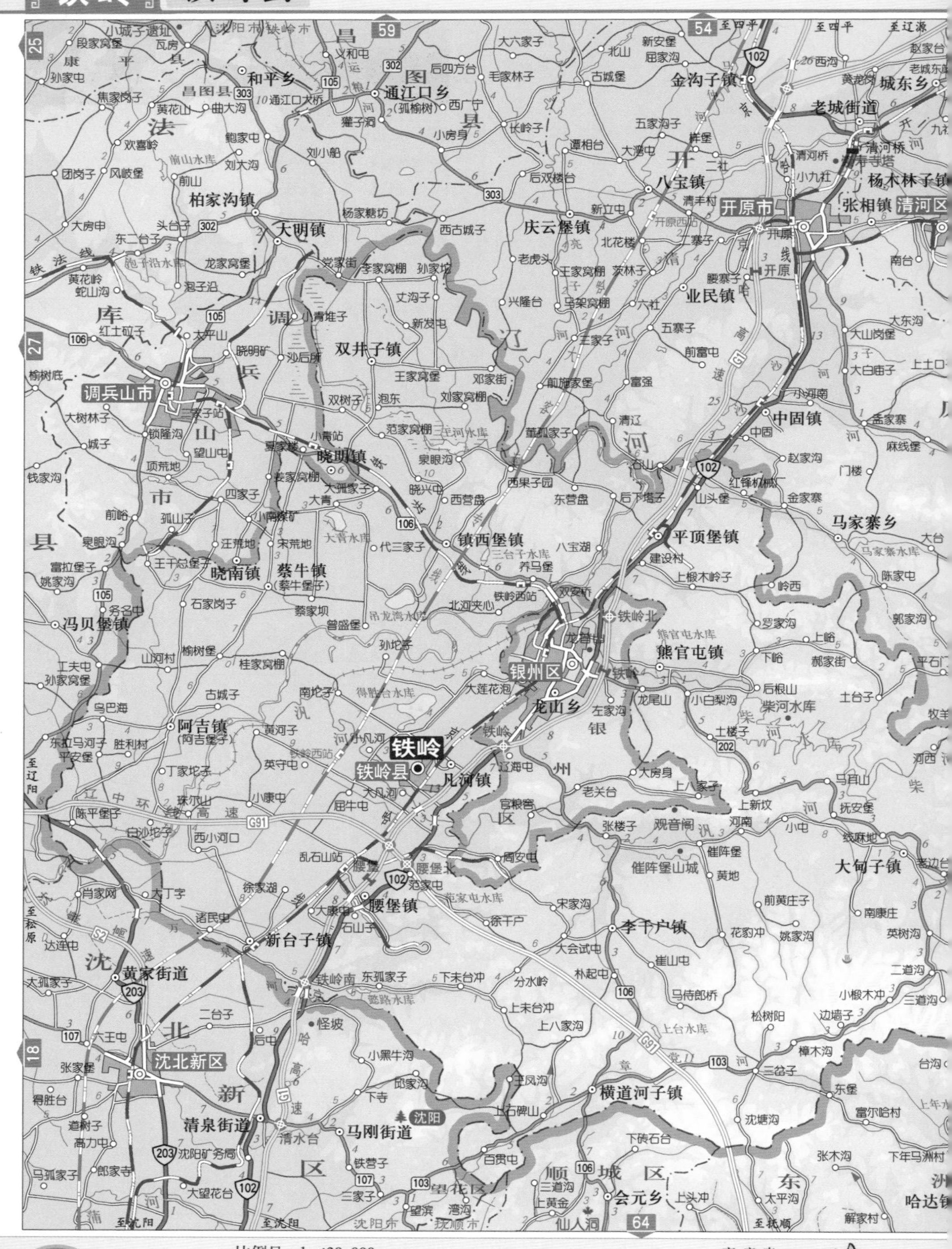
铁岭
银州区
铁岭县
调兵山市
开原市
清河区
沈北新区
昌图县
法库县
沈阳市
抚顺市
比例尺 1:430 000
高度表

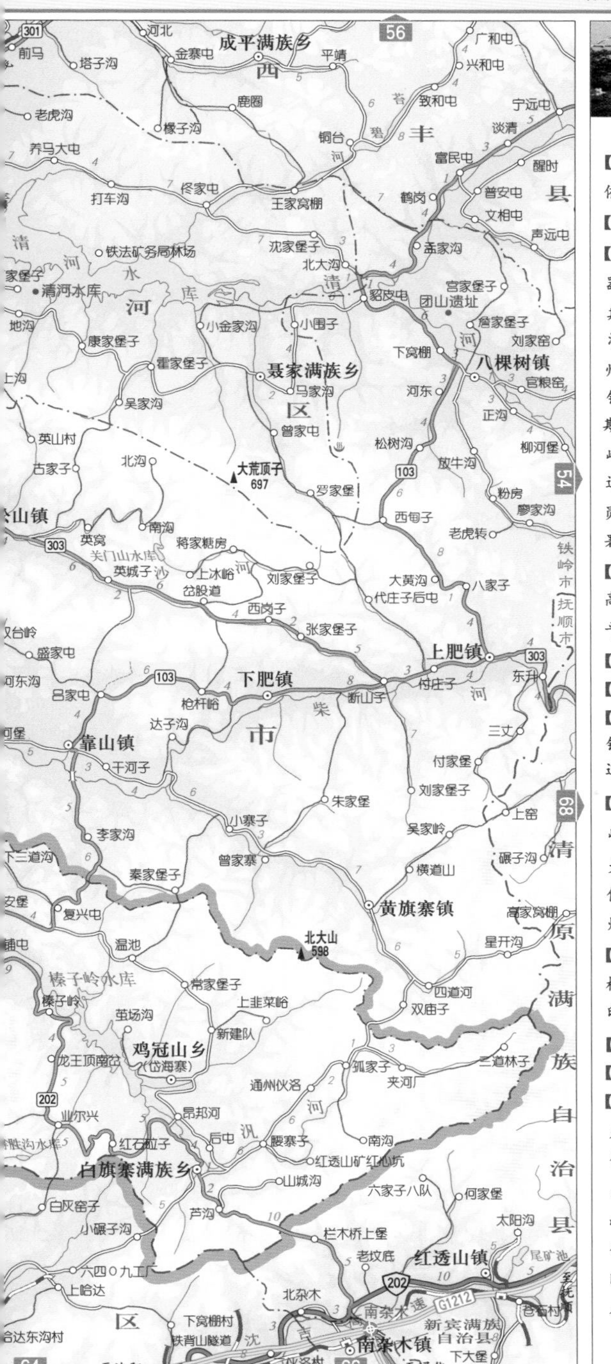

【地理位置】 位于铁岭市南部，西南依沈阳市，东南依抚顺市，东北与开原市相连，西北接调兵山市。

【人口面积】 人口39万，面积2231平方千米。

【历史沿革】 铁岭县历史悠久。远在7000年前的新石器时期，这里就有人类生息活动。战国、秦和西汉时期本境属辽东郡，唐武后圣历元年（668年）建立渤海国，置富州和铜山县。辽太祖天显十三年改嵩州为银州。明洪武二十六年（1393年）徙铁岭卫于银州，仍名铁岭卫，此处始有“铁岭”之名。清代初期属盛京辖地，康熙三年（1646年）废明铁岭卫置铁岭县，隶奉天府。1949年4月属辽西省，1954年辽西、辽东二省合并，铁岭县又属辽宁省，1956年属铁岭专员公署，1958年改属沈阳市，1964年属沈阳专员公署,1969年属铁岭专区，1984年属铁岭市。

【地　　形】 县境东西长，南北窄呈蝶形，地势东北高、西南低，东部属辽东山地丘陵，西部为辽河冲积平原。

【主要河流】 辽河、柴河、汎河。

【湖泊水库】 柴河水库、榛子岭水库。

【交　　通】 哈大客运专线、京哈铁路斜贯中部，与铁法铁路接轨，京哈、辽中环线高速公路相交，102国道和103、106、202、303等省道过境。

【资　　源】 农业盛产水稻、玉米、大豆，尤以铁岭大葱著称。矿产资源有煤、铅、锌、铜、砂金、大理石等。铁岭“中国红”大理石以质地优良、花纹优美闻名。经济作物有花生、葵花籽、芝麻、蓖麻、烟叶。森林覆盖面积4.08万公顷，大部分是人工林。

【经　　济】 工业以煤炭为主，还有冶金、发电、机械、电子、化学、橡胶、纺织、建材、服装、食品、印刷等。

【风景名胜】 催阵堡山城、柴河水库、观音阁。

【土特产品】 铁岭大葱。

【景点介绍】 **柴河水库风景区** 距铁岭城区12千米，是辽宁省六大水库之一。水库长约30千米，容量6.36亿立方米。四周群山环绕，山势陡峻，林木葱郁，春天山花遍野，秋天满山红叶，自然景观优美。库区有蛇山、兴隆岛、下马山等景区，附近有“娥女峰”、“猫登崖”、“七真人仙洞”等名胜，游客在此可登山远眺，亦可乘船游览。水库大坝两侧设有钓鱼区，供游人垂钓。

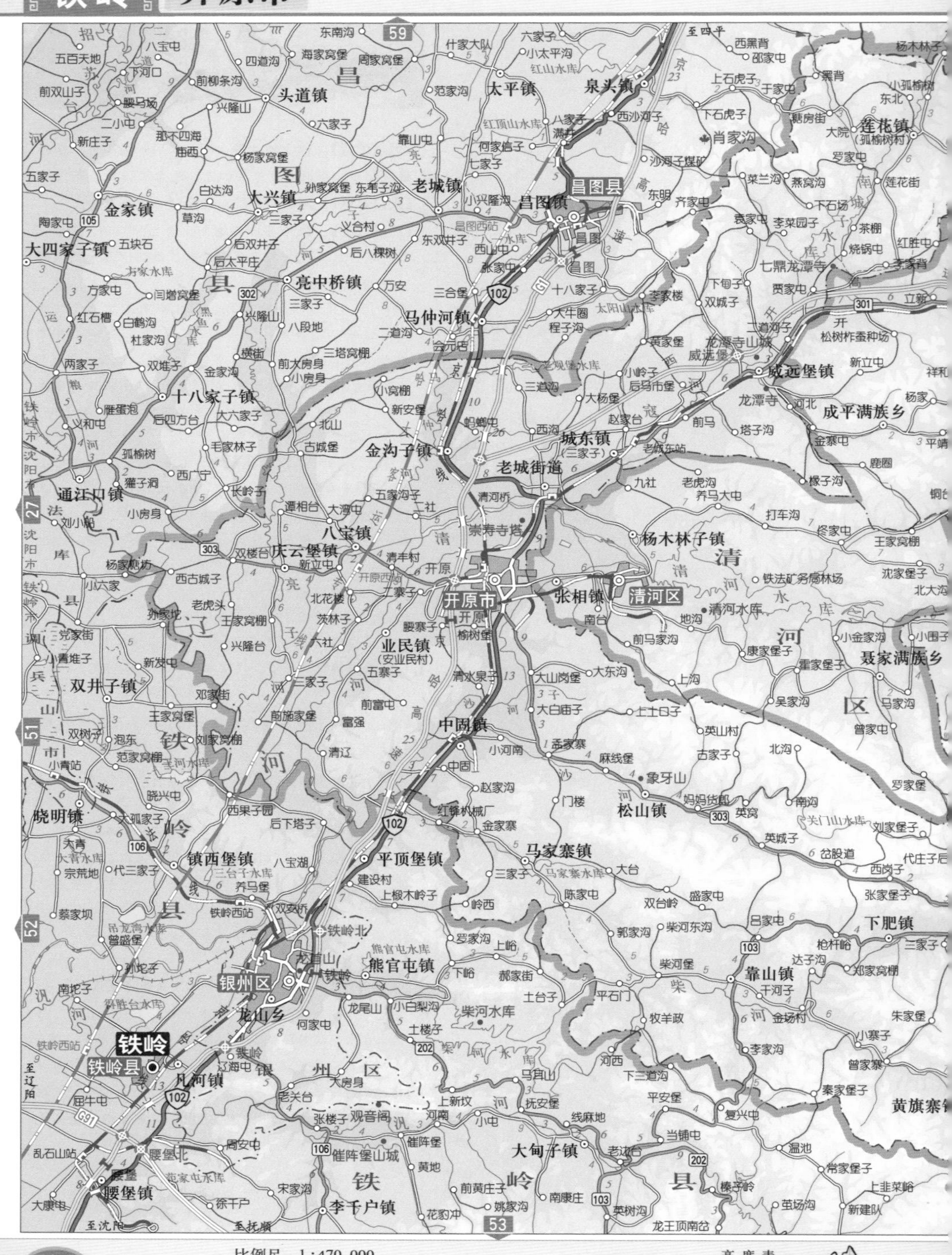

比例尺 1:470 000

4.7千米 0 4.7 9.4 14.1千米

高度表

0 50 100 200 300 400 500 600 800 1000 1200 1500米

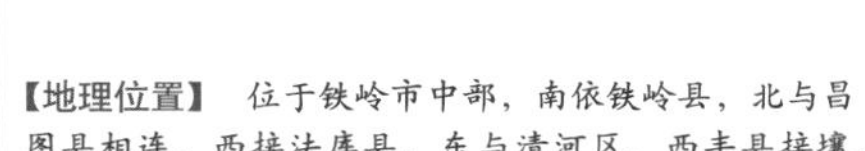

【地理位置】 位于铁岭市中部，南依铁岭县，北与昌图县相连，西接法库县，东与清河区、西丰县接壤。

【人口面积】 人口59万，面积2825平方千米。

【历史沿革】 夏、商、周时属肃慎氏地。秦时属辽东郡。两汉、三国、两晋属扶余国。南北朝属高句丽。隋及唐初属高丽，后属安东都护府。公元713年后属渤海国。明洪武二十一年（1388年）改开元为开原，置三万卫，属辽东都指挥使司。清康熙三年（1664年）设开原县，隶奉天府。1954年8月1日后属辽宁省。1988年12月26日经国务院批准撤销开原县，设立开原市。由铁岭市管辖。

【地　　形】 地势东高西低，东部为辽东山地丘陵，西部为辽河冲积平原。

【最高山峰】 砬子山，海拔878米。

【主要河流】 辽河、柴河、清河、寇河、沙河、亮子河、马仲河。

【湖泊水库】 南城子水库、关门山水库。

【交　　通】 哈大客运专线、京哈线和开丰支线贯通，京哈、西开高速公路相连，102国道和103、301、303等省道连接成网。

【资　　源】 有金、铜、铁、锌、煤、大理石、石灰石等矿藏，山区盛产木材、药材、水果和山货，种类繁多。农业盛产水稻、玉米、大豆等粮食作物，是我国商品粮基地县之一。

【经　　济】 工业有机械、化学、建材、轻工、食品、酿造等。

【风景名胜】 崇寿寺塔、象牙山、七鼎龙潭寺、砬子山。

【土特产品】 山楂、紫皮大蒜、鹿茸。

【景点介绍】 **砬子山风景区** 是长白山余脉，景区面积39.5平方千米，90%为森林覆盖。地处东北长白山植物区系与华北植物区系、西北蒙古植物区系的交汇过渡地带，成为植物的王国，动物的乐园。这里植物分布有原始森林、天然次生林、人工林。木本植物347种，草本植物826种，药材植物有231种。林间盛产蕨菜、蘑菇、人参、细辛、百合、木耳等。这里森林茂密，遮天蔽日，枝藤牵绕，是享受森林浴的绝好去处。

崇寿寺塔 位于开原市老城内西南隅。金正隆元年（1156年）建，是埋葬金上京都僧录宣徽弘理大师行广的僧塔。“古塔朝霞”为开原八景之一。塔为砖筑八角十三级密檐式，高45.82米。塔身每面壁龛置坐佛一尊。龛两侧雕璎珞宝盖，上嵌佛名题额。题额上有宝盖，下有莲花，左右有飞天，姿态各异。过去塔上每层都有宝镜、风铎，清康熙时赵允昌就有“遥望浮屠插碧空，晴霞拥护倍玲珑，层层宝镜朝含彩，面面风铃晓映红”的题咏。塔的北面原有崇寿寺，故称崇寿寺塔。现寺已不存。

沈阳故宫 世界遗产　仙人洞 国家级自然保护区　服务区　里程起迄点
凤凰山 国家级风景名胜区　元帅林 国家级森林、地质公园　出入口　收费站

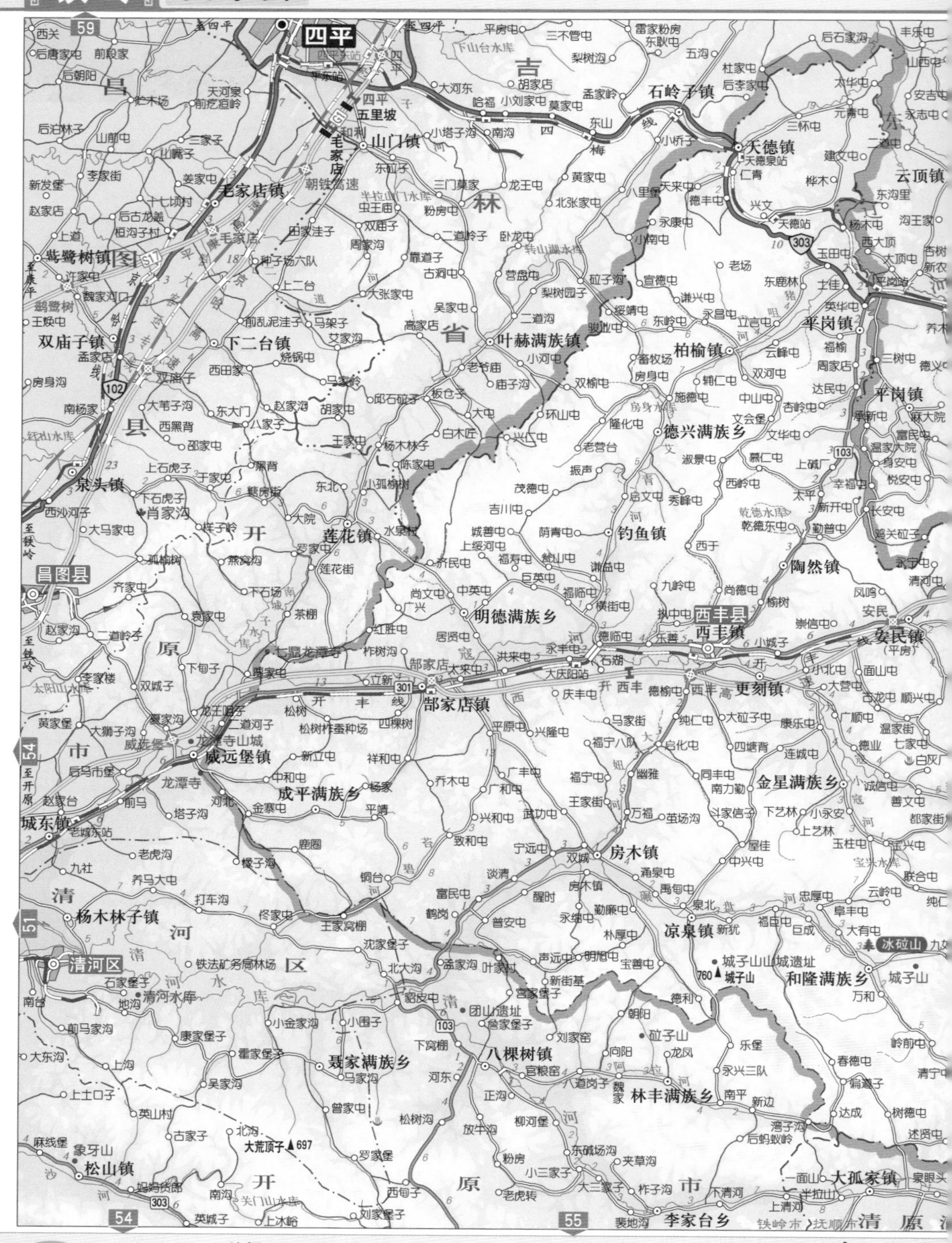

比例尺 1:480 000

【地理位置】 位于铁岭市东北部，西北、东部邻吉林省，西、南连开原市、清河区、清原满族自治县。

【人口面积】 人口35万，面积2699平方千米。

【历史沿革】 清初被封为皇家围场，1889年驰禁招垦，1902年设县，因河水西流，物产丰富，而得名西丰。1902年属奉天省海龙府；1912年至1931年属奉天省辽沈道，后归辽宁省直辖；1931年至1945年先属奉天省，后属四平省；1945年至1946年属辽北省西安（今吉林省辽源市）地区；1946年至1947年属辽北省；1947年至1951年属辽东省通化专署；1952年至1954年属辽东省；1955年至1958年属辽宁省铁岭专署；1959年至1963年属沈阳市；1964年至1966年属沈阳地区；1967年至1984年属辽宁省铁岭地区；1984年属铁岭市。

【地　　形】 境内多山地丘陵、仅山间河谷有小块平原。最高山峰城子山，海拔760米。

【主要河流】 寇河、艾青河、碾盘河。

【湖泊水库】 房身水库、巨德水库、宝兴水库。

【交　　通】 开丰铁路穿越境内，西开高速公路横贯东西，303国道在北部过境，103、301省道相会县城。

【资　　源】 农业主产玉米、水稻、高粱、大豆。矿藏资源有金、煤、铁、石灰石、陶土。森林覆盖率较高。盛产鹿茸、人参、柞蚕及中草药。野生植物有山核桃、山葡萄、猕猴桃、山里红、蘑菇、木耳等。

【风景名胜】 城子山山城遗址、城子山风景区、冰砬山国家森林公园。

【景点介绍】 **城子山山城遗址** 位于和隆满族乡，是辽宁省首批文物保护单位，辽北远近驰名的重要名胜。建筑在四周的山脊上，呈不规则圆形，有城门3处，城内有多处建筑遗址及文物，据推断该城为高句丽时期的扶余城。

城子山风景区 城子山属长白山余脉，有大小山峰30余座，其中最高是东部顶峰，海拔868.7米。由主峰向南、北两面呈弧形延展，成二臂合抱之势，似坐东向西的簸箕形状。有“巍峨山峰边晓雾，古木苍松欲接天”的气势。城子山曾是清初封禁“盛京围场”腹地，是我国人工驯养梅花鹿的发源地。城子山是一座风景秀丽的文化名山，远近闻名的旅游胜地。

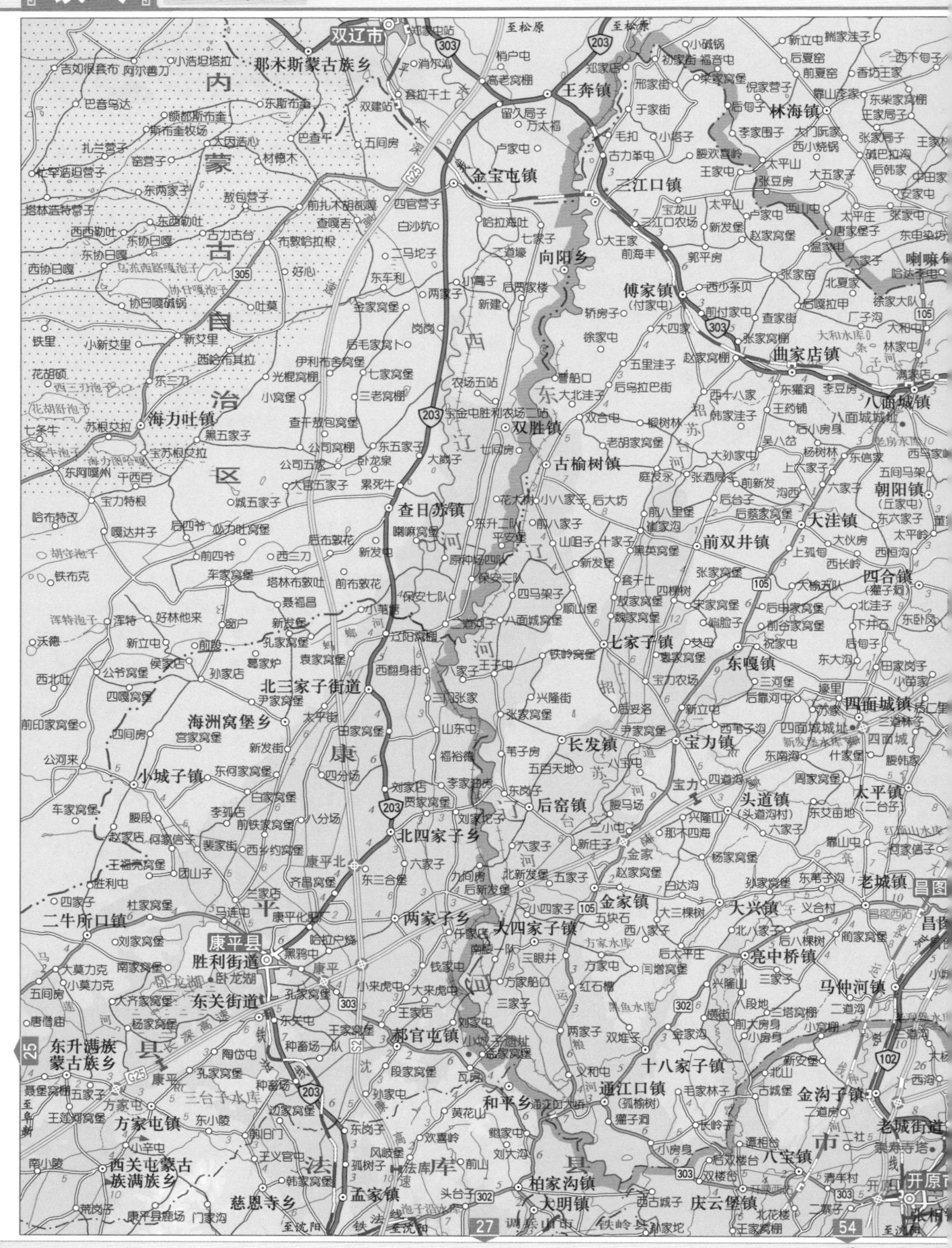
双辽市
至松原
郑家屯站
那木斯蒙古族乡
吉如很套布
阿尔善刀
小浩坦塔拉
内
蒙
古
自
治
区
巴音乌达
东斯布奎
额都斯布奎
斯布奎牧场
双建站
套拉干土
消尔沁
梢户屯
高老窝棚
留久局子
万太福
王奔镇
郑家店
邢家街
于家街
初家街
福音屯
柒家窝堡
倪家营子
后夏窑
前夏窑
新立屯
揣家洼子
西下甸子
香坊王家
林海镇
靠山李家
东柴家窝棚
王家局子
大门阮家
张家局子
王家
西小烧锅
碱巴拉沟
后韩家
中田家
安家屯
巴查干
五间房
扎兰营子
大因浩心
材德木
窑营子
忙牢浩坦营子
东两家子
敖包营子
金宝屯镇
卢家屯
毛扣
小塔子
古力革屯
腰欢喜岭
太平山
王家屯
三江口镇
张亚房
大五家子
塔林浩特营子
前扎木胡都嘎
四官营子
查嘎吉
哈拉海吐
白沙坑
七家子
宝龙山
太平山
三江口农场
新发堡
卢家屯
西山屯
太平庄
张家屯
西西勒吐
东西勒吐
古力古台
布敦哈拉根
东协日嘎
西协日嘎
乌尔西略嘎泡子
协日嘎泡子
二马坨子
好心
二道壕
向阳乡
大王家
前海丰
郭平房
赵家窝堡
温家屯
唐家堡子
东申染坊
喇嘛
八家子
哈达李屯
东车利
小营子
两家子
后贾家楼
新建
傅家镇
(付家屯)
西少条贝
张家窑
北夏家
徐家大队
协日嘎碱锅
吐莫
金家窝堡
西
辽
河
东
招
苏
台
河
后嘎拉屯
厂子沟
轩房子
前付家屯
查家街
大和水库
大和屯
铁里
小新艾里
新艾里
岗岗
后毛家窝卜
徐家屯
大四家
张家窝棚
曲家店镇
林家屯
西哈布其拉
伊利布各窝堡
七家窝堡
光棍窝棚
赵家窝棚
五里洼子
满家店
花胡硕
西三刀泡子
东三刀
农场五站
营船口
后乌拉巴街
东獾洞
李豆房
八面城镇
小窝堡
三老窝棚
大北洼子
西十八家
王药铺
花胡舒泡子
海力吐镇
苏根交拉
查干敖包窝堡
宝金屯胜利农场二站
双胜镇
双合屯
椴树林
韩家洼子
八面城城址
后小房身
七条牛
黑五家子
七条牛泡子
宝苏根交拉
公司窝棚
东五家子
七间房
老胡家窝堡
吴八岔
杨树林
东信家
西马家
海力图哈泡子
东阿嘎州
公司五家
卧龙泉
大嵗子
古榆树镇
大孙家屯
上六家子
五间马架
干西百
大官五家子
累死牛
庭发永
张酒局子
前新发
沟西
六家子
朝阳镇
(丘家屯)
宝力特根
城五家子
花大树
小八家子
后大坊
后台子
哈布特改
查日苏镇
东升二队
前八家子
前八里堡
后蔡家窝堡
大洼镇
东六家子
后四爷
必力吐窝堡
嘎达井子
后布敦花
喇嘛窝堡
平安堡
山咀子
十家子
崔家沟
前双井镇
大伙房
太平岭
胡辛泡子
前四爷
西三刀
新发屯
原种场四队
黑英窝堡
上孤甸
西恒沟
新发堡
张家窝堡
西长岭
四合镇
(蘑子洞)
铁布克
车家窝堡
塔林布敦吐
前布敦花
保安三队
套子土
大榆五队
保安七队
四马架子
四棵树
后申家窝堡
北洼子
聂福昌
敖家窝堡
宋家窝堡
洋特泡子
洋特
好林他来
小苇塘
八面城窝堡
顺山堡
魏家窝堡
偏脸子
前谷家窝堡
下井石
东卧凤
沃德
窗户
新发堡
二道沟子
辽阳窝棚
七家子镇
祝家屯
后甸子
新立屯
前胜
孔家窝堡
铁岭窝堡
袁家窝堡
惠家窝堡
东大沟
侯家店
葛家炉
西北吐
公爷窝堡
孙家店
西翻身街
八家子
王子屯
东嘎镇
田家岗子
小苗家
宝力农场
北三家子街道
尹家窝堡
三河堡
壕里
四嘎窝堡
三河张家
兴隆街
后召河屯
四面城镇
居妥洛
后仁屋
三道林子
苏家
海洲窝堡乡
太平街
张家窝堡
新立屯
前印家窝堡
宫家窝堡
田家窝堡
山东屯
长发镇
尹家窝堡
西毛子沟
宝力镇
四面城城址
四面城
西间房
新发街
康
福裕德
苇子房
八宝屯
新发屯水库
什家堡
东南海
腰韩家
公河来
小城子镇
东何家窝堡
四分场
五百天地
四道沟
周家窝堡
太平镇
(二台子)
刘家店
李家油房
东岗子
后窑镇
腰马场
头道镇
(头道沟村)
东艾甸地
车家窝堡
白家窝堡
贾家窝堡
宝力
红沙山水库
李孤店
刘家花子
兴隆山
六家子
腰段
前铁家窝堡
八分场
二小屯
那木四海
靠山屯
何家信子
赵家店
何家信子
裴家街
北四家子乡
六家子
新庄子
金家
杨家窝堡
王福亮窝堡
西乡约窝堡
康平北
团山子
九间房
北新发堡
五家子
赵家窝堡
白达沟
孙家窝堡
东苇子沟
老城镇
胜利屯
三家店
齐昌窝堡
东三合堡
后新发堡
四家子
杜家窝堡
马连屯
平
小四家子
金家镇
大三棵树
大兴镇
义合村
昌图西站
昌图
二牛所口镇
康平化肥厂
两家子乡
大四家子镇
五块石
西八家子
北八家子
后八棵树
阚家窝堡
刘家窝堡
康平县
哈拉户烙
仟家店
方家水库
后太平庄
亮中桥镇
胜利街道
黑鸦屯
南泉一队
三眼井
大莫力克
南家窝堡
卧龙湖
卧龙湖
康平
钱家屯
方家屯
闫增窝堡
兴隆山
三家子
五间房
小莫力克
孔家窝堡
小来虎屯
大来虎屯
方家船口
红石嘴
马仲河镇
东关街道
大齐家窝堡
王家店
三家子
鲍鱼水库
段地
二道沟
唐僧庙
杨家窝堡
东关屯
王家窝堡
刘家屯
两家子
双堆子
塘岩
前大房身
三塔窝棚
小窝棚
东升满族蒙古族乡
种畜场一队
郝官屯镇
小城子遗址
远家窝堡
十八家子镇
金家沟
小房身
三道沟
陶佐屯
长深高速
新安堡
大杨
县
康平
孔家窝堡
段家窝堡
瓦房
义和屯
北山
西海
聂堡窝棚
五家子
种畜场
三台子水库
通江口镇
(孤榆树)
毛家林子
古城堡
金沟子镇
孙家屯
和平乡
通江口大桥
方家屯
王莲洞窝堡
至阜新
方家屯镇
东小陵
边家窝堡
黄花山
獾子洞
二道房
东岗子
长岭子
老城街道
前旧门
欢喜岭
鲍家屯
市
二社
崇寿寺塔
小辛屯
风岐堡
遭相岱
南小陵
王义官屯
刘大沟
小房身
后双楼台
八宝镇
西关屯蒙古族满族乡
法
孤树子
库
前山
县
双楼台
清车村
开原西
开原市
韩家窝堡
柏家沟镇
头台子
孟家镇
荒岗子
慈恩寺乡
康平县鹿场
门家沟
大明镇
西古城子
庆云堡镇
北花楼
二寨子
张相镇
泡子沿水库
至沈阳
铁法线
至沈阳
调兵山市
铁岭县
孙家坨
王家窝棚
至沈阳
25
27
54
303
203
G25
305
105
302
102
比例尺 1:600 000
6.0千米
0
6.0
12.0
18.0千米
高度表
0
50
100
200
300
400
500
600
800
1000
1200
1500米

【地理位置】 位于铁岭市西北部，东南依开原市，西接内蒙古自治区和沈阳市、东北与吉林省接壤。

【人口面积】 人口104万，面积4322平方千米。

【历史沿革】 昌图县历史悠久。考古发现新石器时代遗址就有395处。三江口镇新立村出土的“白沙滩遗址”，是6000年前的文化遗存。东汉光武帝二十五年（49年）昌图老城系余扶国国都。1959年属沈阳市。1962年4月治昌图站（今昌图）。1964年4月属沈阳专员公署。1968年12月属铁岭专区。1984年6月属铁岭市至今。

【地　　形】 县境内除东部边缘一小部分山地外，大部分是平原，地势东北高、西南低。

【最高山峰】 光顶子山，海拔532米。

【主要河流】 辽河、招苏台河。

【湖泊水库】 红顶山水库、红山水库。

【交　　通】 哈大客运专线和平齐、京哈铁路过境，京哈、平康高速公路境内相会，102、303国道及105、302等省道纵横境内，县乡公路连接成网。

【资　　源】 有少量的铁、铜、铅、锌、煤、萤石，还有丰富的石灰岩、大理岩、花岗岩。农业盛产玉米、大豆、高粱、水稻、小麦，其中大豆为省内名品。

【经　　济】 工业以轻纺、化工、建材为主。素有“辽北粮仓”之称。

【风景名胜】 四面城城址、八面城城址、天桥山、太阳山、肖家沟自然保护区。

【土特产品】 亮中桥干豆腐、“山雁王”白酒、“金塔雁”昌图豁鹅。

【景点介绍】 **肖家沟自然保护区** 位于泉头镇境内，保护区处于一个凹形谷地，谷顶泉水涌出成为沙河的源头。区内植物资源有落叶林、灌木及沼泽植物，其中包括名贵珍稀植物。动物资源有水生、两栖类、鸟类、哺乳类等。整个保护区内林木茂盛，乔灌丛生，古木幽深。

天桥山景区 位于县城南9千米处，属长白山余脉，山姿俏丽，风光秀美。自然形成南北二峰，双峰对峙，险峻凌空，两峰山脊相连，峭壁悬崖，宛如天桥，行至桥上，目眩魂惊。登峰远眺，群山环抱，郁郁葱葱，令人心旷神怡。天桥山脚溪水潺潺，有天然溶洞，是一处游览胜境。

太阳山景区 位于县城南9千米，太阳山水库旁。太阳山山势绵亘蜿蜒，大小山峰十余座，山体植被丰茂，树木品种繁多。碧波潋滟的太阳山水库宛若一颗镶嵌在群山环抱中的璀璨明珠，构成了一幅山水相连、风光旖旎的优美画卷。座落在太阳山脚下的常泰寺背山面水，闻名遐迩，令游客留连忘返。

沈阳故宫 世界遗产　仙人洞 国家级自然保护区　服务区　里程起迄点
凤凰山 国家级风景名胜区　元帅林 国家级森林、地质公园　出入口　收费站

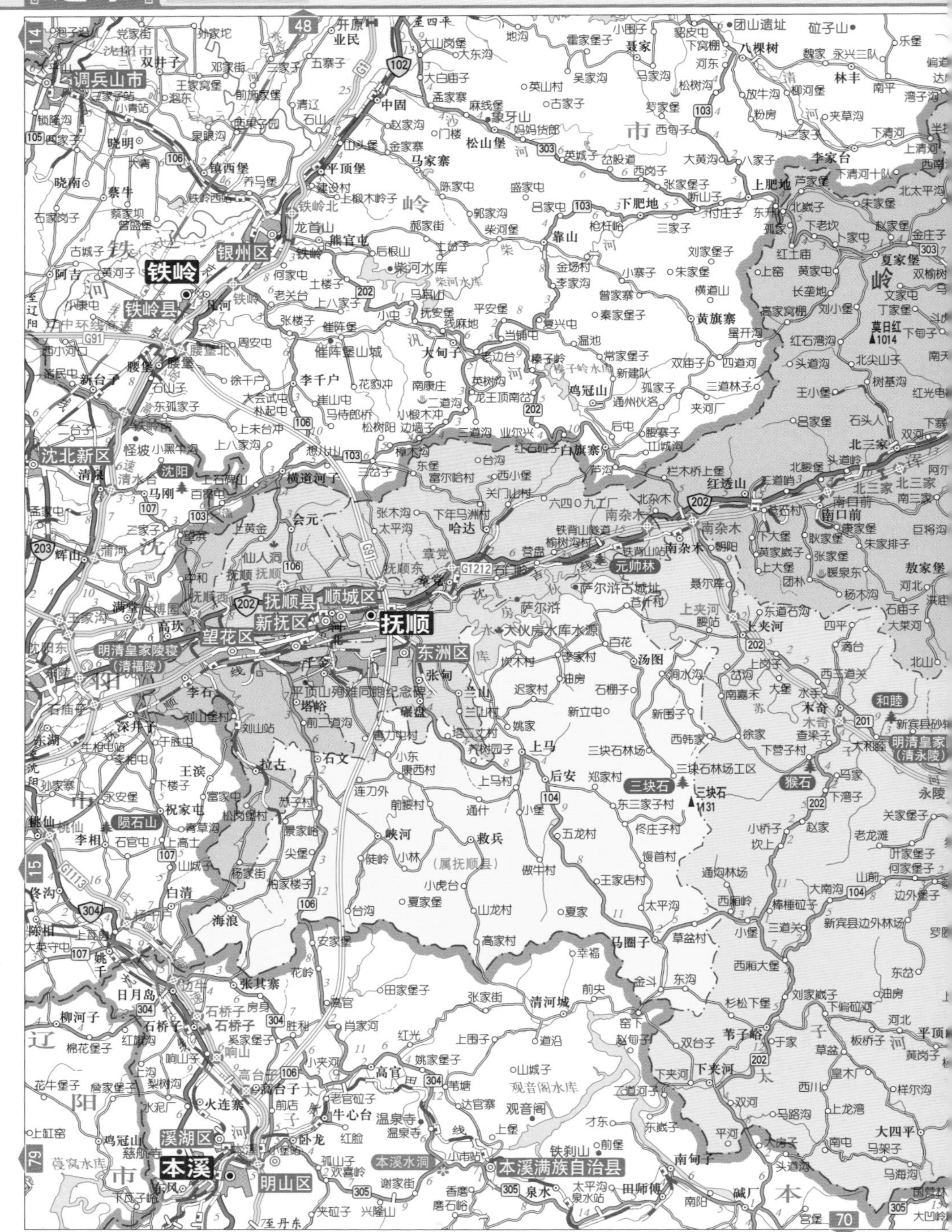

比例尺 1∶770 000

7.7千米 0 7.7 15.4 23.1千米

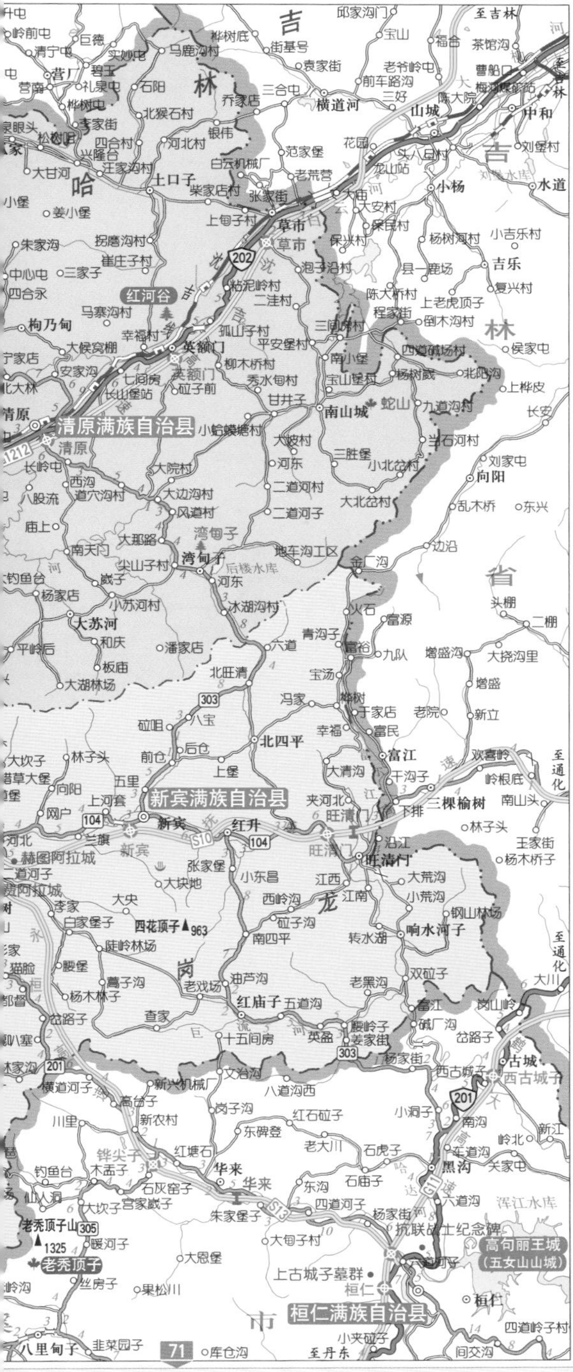

【地理位置】 位于辽宁省东部，东与吉林省接壤，西连沈阳市，北与铁岭市毗邻，南与本溪市相望。

【行政区划】 辖顺城、新抚、东洲、望花4区，抚顺县和新宾满族自治县、清原满族自治县。

【人口面积】 人口220万，面积11271平方千米。

【历史沿革】 公元前300年，燕将秦开开拓了东北疆域，置辽东、辽西二郡。秦王朝统一六国后，隶属于辽东郡襄平县。“抚顺”这一地名最早见于1384年。抚顺是清王朝发祥地，1616年努尔哈赤在抚顺所辖新宾满族自治县的赫图阿拉称汗。1937年设抚顺市。

【地　　形】 抚顺地区呈东南高、西北低之势。东部和南部山峦起伏，森林茂密。属长白山系龙岗山脉，平均海拔为400～500米。北部山势低平，为丘陵地带，西部为浑河冲积平原，海拔为100～300米之间。

【最高山峰】 三块石，海拔1131米。

【主要河流】 浑河、太子河。

【湖泊水库】 大伙房水库。

【气　　候】 属于温带湿润大陆性季风气候，夏季炎热多雨，冬季寒冷。年平均气温在5℃～8℃之间，1月平均气温-12℃～-16℃，7月平均气温22℃～24℃，全年平均降水量为800～850毫米，无霜期130～145天。

【交　　通】 沈吉铁路横穿北部，沈吉、永桓、抚通高速相连，202国道贯穿市境。

【资　　源】 抚顺蕴藏着丰富的矿产资源。以煤为基础，以盛产琥珀、煤精闻名于世。抚顺森林资源丰富，是辽宁省的重点林区之一。

【经　　济】 以石油工业为主，是门类齐全的综合性工业基地。

【风景名胜】 世界文化遗产明清皇家陵寝（清永陵），猴石、三块石、红河谷、元帅林国家森林公园，仙人洞自然保护区、蛇山自然保护区、大伙房水库水源自然保护区等。

【土特产品】 煤精雕刻、琥珀等。

【景点介绍】 **猴石国家森林公园** 位于新宾满族自治县西南部，属长白山系龙岗山脉的延伸部分，受第四季冰川作用，形成起伏连绵挺拔峻峭的冰川地貌景观。距抚顺124千米，距沈阳189千米，公园因有一块似“金猴拜月”的天然巨石而得名。景区内有弥勒大佛、镇山神龟等崖石景观。这里还有全国最长的夹扁石，吸引着无数中外游客。

猴石森林公园

沈阳故宫 世界遗产　仙人洞 国家级自然保护区　服务区　里程起讫点

凤凰山 国家级风景名胜区　元帅林 国家级森林、地质公园　出入口　收费站

雷锋陵园

【地理位置】 抚顺城区位于抚顺市的西部，浑河从城市中心穿过。

【城市特色】 抚顺是一座古老而又工业发达的城市，是“煤都”，是“满
是“绿都”。既有独特的自然风光，又有悠久的历史文化；既有中国称冠的工业
又有标新立异的名优特产品。

【主要河流】 浑河。

【交　　通】 市内交通方便，有数十条公共汽车路线，还有长途客运汽车、
游专线，旅游快速列车，抚顺火车站有通往全国各地的旅客列车，沈吉高
已建成通车。

【风景名胜】 雷锋纪念馆、西露天矿、古城遗址。

【土特产品】 煤精雕刻、琥珀工艺品、抚顺蕨菜。

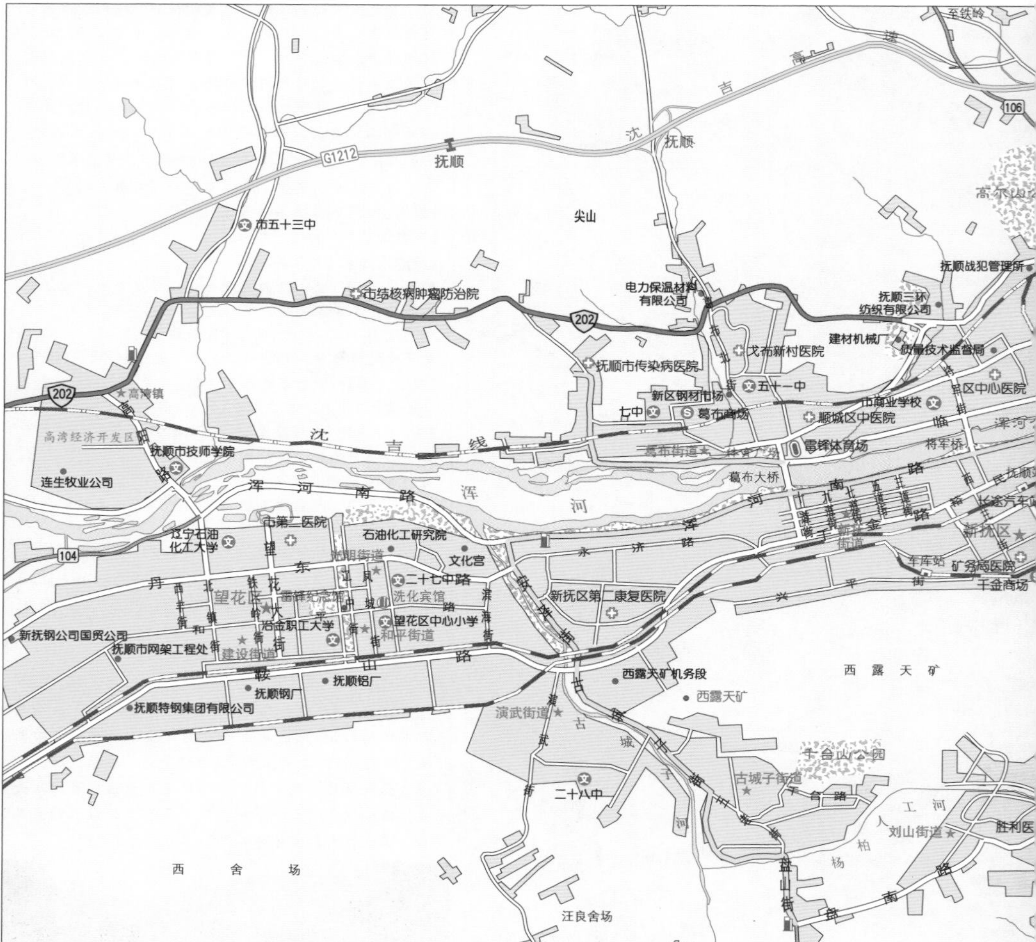

至铁岭
沈吉高速
G1212
抚顺
106
尖山
市五十三中
市结核病肿瘤防治院
202
电力保温材料有限公司
抚顺三环纺织有限公司
抚顺战犯管理所
建材机械厂
质量技术监督局
戈布新村医院
抚顺市传染病医院
五十一中
新区钢材市场
七中
葛布商场
市商业学校
顺城区中医院
高湾镇
高湾经济开发区
抚顺市技师学院
沈吉线
雷锋体育场
将军桥
连生牧业公司
浑河南路
浑河
葛布大桥
市第二医院
石油化工研究院
辽宁石油化工大学
104
文化宫
二十七中路
新抚区
矿务局医院
千金商场
望花区
雷锋纪念馆
洗化宾馆
新抚区第二康复医院
新抚钢公司国贸公司
冶金职工大学
望花区中心小学
和平街道
抚顺市网架工程处
建设街道
西露天矿机务段
西露天矿
抚顺钢厂
抚顺铝厂
抚顺特钢集团有限公司
演武街道
千台山公园
古城子街道
二十八中
刘山街道
胜利区
西舍场
汪良舍场
市会晖运输有限公司
至本溪

景点介绍】 雷锋纪念馆 位于望花区雷锋生前部队驻地附。1964年落成，陵园内安葬着雷锋同志的遗体，矗立着刻有泽东同志题词“向雷锋同志学习”的大理石石碑，屹立着雷同志的全身塑像。馆内收藏有党和国家三代领导人为雷锋题的手迹和雷锋的遗物、照片等文物1000余件，2002年进行大规的改扩建后，雷锋纪念馆成为全国爱国主义教育示范基地。

雷锋生平（1940—1962）湖南长沙人。1949年解放后入学读，1956年高小毕业后在乡政府和县委当通讯员。1957年加入青团，1960年参军，同年11月加入中国共产党，次年升任班。曾被评为节约标兵，荣立二等功一次，三等功二次。当选

抚顺市人民代表，1962年8月15日因公殉职，1963年3月5日毛泽东亲笔题词“向雷锋同志学习”。

西露天矿 位于抚顺新抚区，是全国最大的露天煤矿之一。矿坑东西长6.6千米，南北宽2千米，垂直深度达280米。毛泽东、江泽民主席曾亲临这里视察，该矿30里煤海气势雄伟，浩翰壮观，堪称世界一绝。

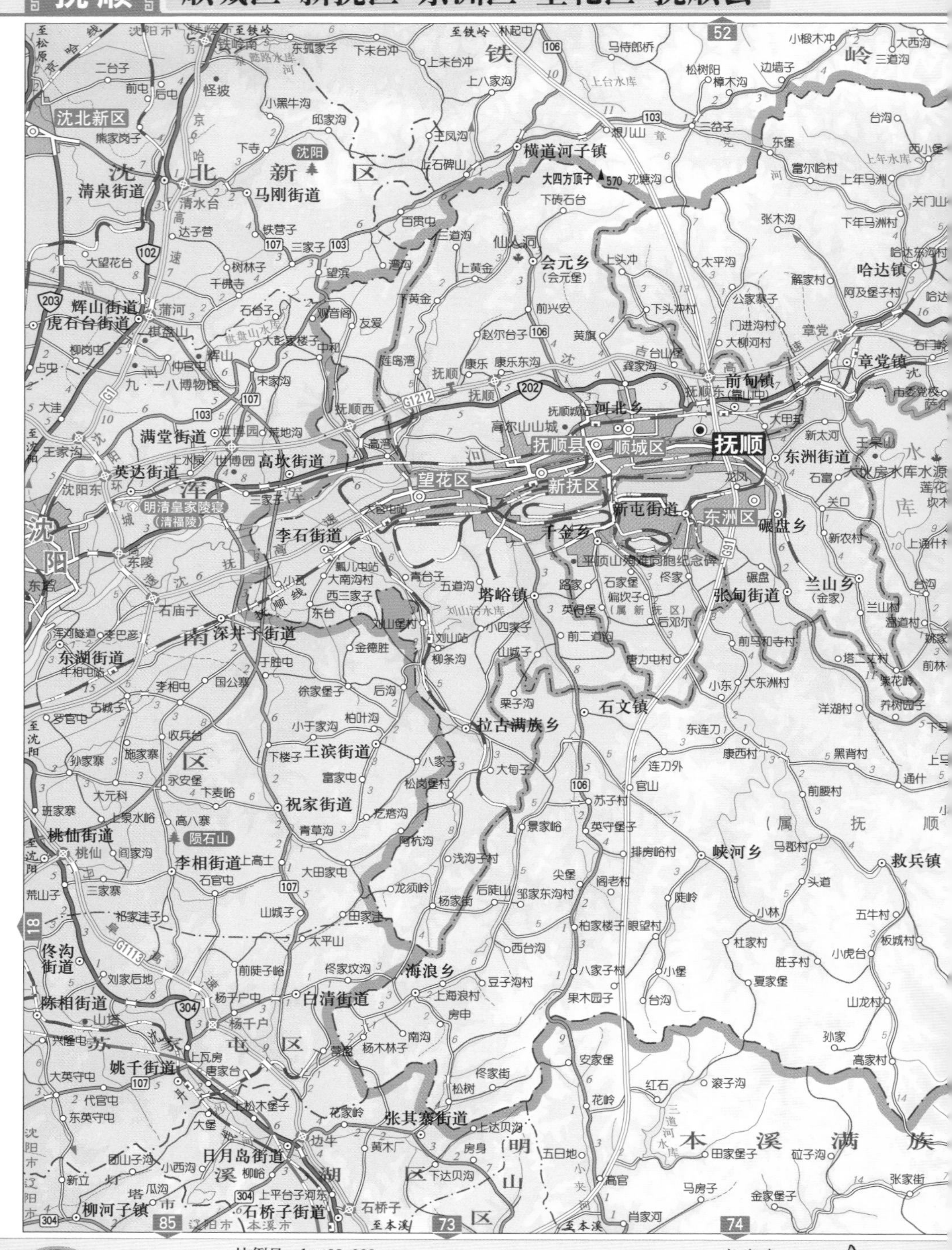

比例尺 1:400 000

4.0千米 0 4.0 8.0 12.0千米

高度表

0 50 100 200 300 400 500 600 800 1000 1200 1500米

抚顺市辖区

【地理位置】 位于抚顺市西部，东南邻抚顺县，西临沈阳市，北面与铁岭市相连。包括顺城、新抚、东洲、望花4区。

【人口面积】 人口144万，面积1416平方千米。

【地　　形】 处山地丘陵地带，南北二面环山，浑河横贯其中。

【交　　通】 沈吉、沈抚高速公路，沈吉铁路、202国道横贯东西，106省道纵穿南北，县乡公路四通八达。

【风景名胜】 高尔山山城、平顶山殉难同胞纪念碑。

【景点介绍】 高尔山山城 又称贵端城，在抚顺市浑河岸高尔山上，是历史上有名的高句丽新城。山城四面环山，居高临下。退可据山城之险，进可扼浑河之冲。城墙依山势起伏，用土垒筑，周长约4千米，辟有东、南、西三门。在山城附近的高尔山西峰上，有八角密檐式辽代砖塔和明代所建观音阁。

抚顺县

【地理位置】 位于抚顺市西部，东与新宾满族自治县接壤，北与望花、新抚、东洲区毗邻，南接本溪市。

【人口面积】 人口12万，面积1647平方千米。

【地　　形】 县境呈东南高、西北低之势。东部和南部山峦起伏，森林茂密。北部山势低平，为丘陵地带，西部为浑河冲积平原。

【最高山峰】 三块石，海拔1131米。

【主要河流】 浑河。

【湖泊水库】 大伙房水库。

【交　　通】 104、106省道与202国道纵贯南北，与县乡公路组成主干交通网。

【资　　源】 农业主要农作物有玉米、稻谷、大豆、花生等。矿产资源有金、银、铜、铁、菱镁、石灰石等矿藏，其中储量较大的有菱镁矿、石灰石、铁矿、白云岩、大理石。森林覆盖率46%。

【风景名胜】 萨尔浒风景名胜区，王果山景区，三块石、元帅林国家森林公园、仙人洞自然保护区、大伙房水库水源自然保护区。

【景点介绍】 元帅林国家森林公园 位于抚顺城区以东约30千米处，大伙房水库边的高力营子村南山岗上，是张学良为其父张作霖修建的陵墓。始建于1929年。因"九·一八"事变，陵墓停修，张作霖改葬于辽西驿马场。此处只是一座空坟。因张作霖曾任"安国大元帅"，故其陵园称元帅林。陵园依山傍水，坐北朝南，由方城、圆城、墓室三部分组成，占地12.54万平方米。圆城中62件精美石刻多为明清时文物，近年来几经修缮，成为到抚顺的必游之地。

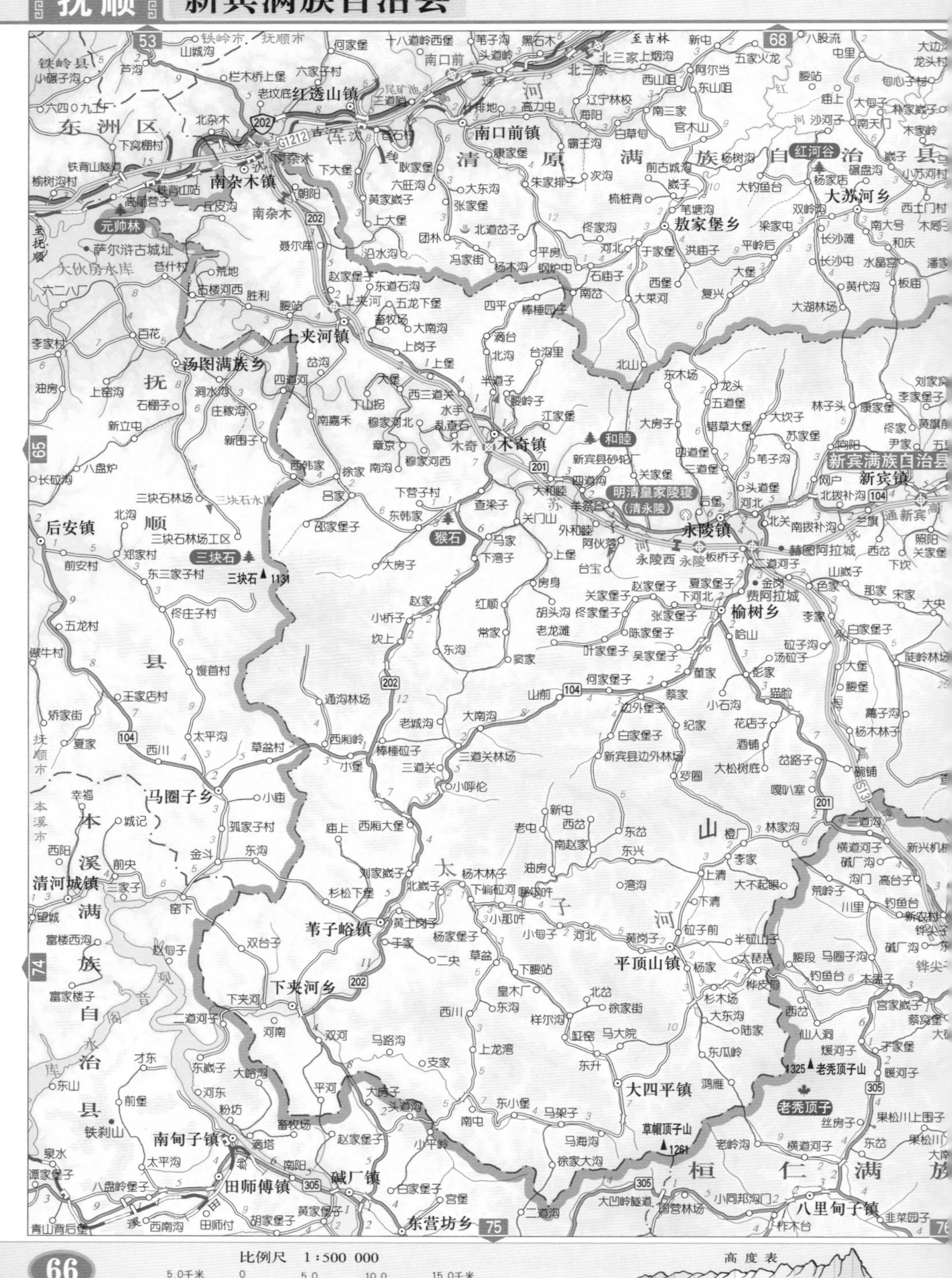

比例尺 1:500 000

5.0千米 0 5.0 10.0 15.0千米

高度表

0 50 100 200 300 400 500 600 800 1000 1200 1500米

【地理位置】 位于抚顺市东南部，东与吉林省搭界，南与本溪市为邻，西与抚顺县相连，北与清原满族自治县毗壤。

【人口面积】 人口30万，面积4287平方千米。

【历史沿革】 万历四十四年（1616年）努尔哈赤定赫图阿拉（今永陵镇老城）为后金国都。天聪七年（1633年）设城守尉衙门。天聪八年(1634年)称赫图阿拉为兴京。宣统元年(1909年)，升兴京抚民府为兴京府。1913年，改兴京府为兴京县。1929年改兴京县为新宾县。1933年复称兴京。1959年属抚顺市。1985年1月17日，经国务院批准，撤销新宾县，建立新宾满族自治县。

【地　　形】 地处辽东山区，属长白山系，海拔500米以上的山峰有1200多座，素有“辽宁屋脊”之称。地势东南高、西北低。

【主要山脉】 老龙岗。

【主要河流】 苏子河、太子河、富尔江。

【湖泊水库】 红升水库。

【交　　通】 沈吉铁路、沈吉高速由西北部穿过，抚通、永桓高速相会，104、201、202、303省道纵横交织，形成主干交通网。

【资　　源】 森林资源名列全省第二，矿产有金、银、煤、铝锌等储量较大，农业生产玉米、稻谷、大豆等。

【经　　济】 工业有电力、煤炭、建材、机械、医药、木制品、纺织、印刷、化工、食品等部门。

【风景名胜】 赫图阿拉城、永陵、猴石国家森林公园。

【土特产品】 林蛙、人参、鹿茸、香菇、蕨菜、刺嫩芽、木耳、根雕艺术品。

【风味小吃】 苏叶饽饽、萨其玛、贴饼子、煎锅贴。

【景点介绍】 **永陵** 原称兴京陵，清初著名的“关外三陵”之首。始建于明万历二十六年（1598年），1659年改称永陵。这里埋葬着清太祖努尔哈赤的高祖、曾祖、祖父、叔、伯。康熙、乾隆、嘉庆、道光等皇帝曾先后九次来此祭祖。永陵由下马碑、前宫院、方城、宝城、省牲所、冰窖、果楼等部分组成，总占地面积为11000平方米，号称清朝关东第一陵，永陵承袭了我国古代传统建筑艺术，又保留了满族风格，是国家级重点文物保护单位，2004年7月永陵以及盛京三陵，作为明清皇家陵寝的拓展项目列入《世界遗产名录》。

赫图阿拉城 赫图阿拉是满语“横冈”之意，明万历三十一年（1603年）努尔哈赤从旧老城迁到这里，1634年称兴京，随之成为满族走上统治全国政治舞台的摇篮。这里群山环绕，物产丰富，山水如画。全城围山而筑，垒土为廓，三面临水，一面靠山。内城周长2.5公里，外城周长约4.5公里。城内遗址主要有尊号台、望楼、魁星楼、文庙、昭公祠、城隍庙、八旗衙门等。尊号台亦称金銮殿，是努尔哈赤于天命元年(1616年）自称“复育列国英明皇帝”登台受贺之所。

沈阳故宫 世界遗产　仙人洞 国家级自然保护区　服务区　里程起迄点
凤凰山 国家级风景名胜区　元帅林 国家级森林、地质公园　出入口　收费站

清原满族自治县

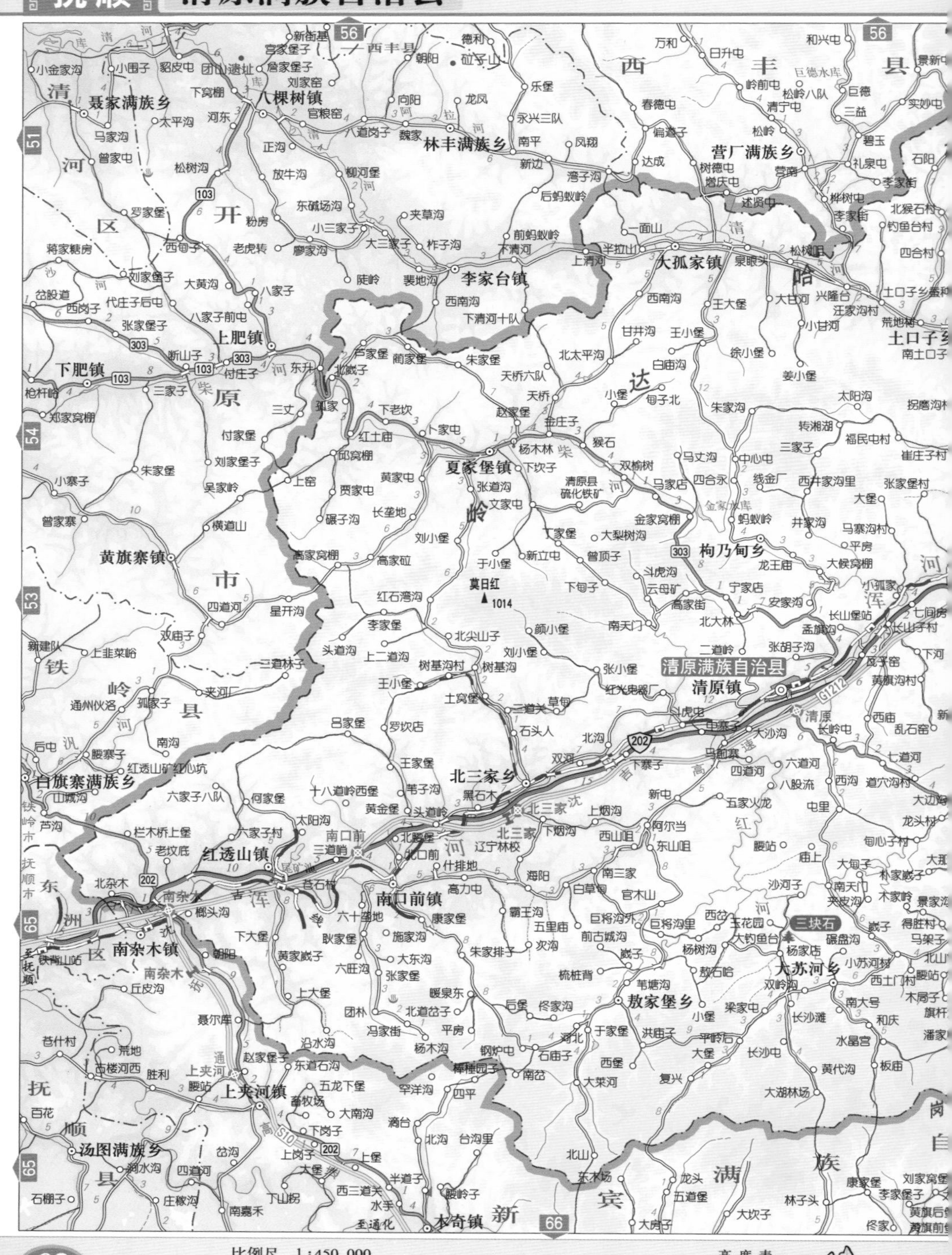

比例尺 1:450 000

4.5千米 0 4.5 9.0 13.5千米

高度表

0 50 100 200 300 400 500 600 800 1000 1200 1500米

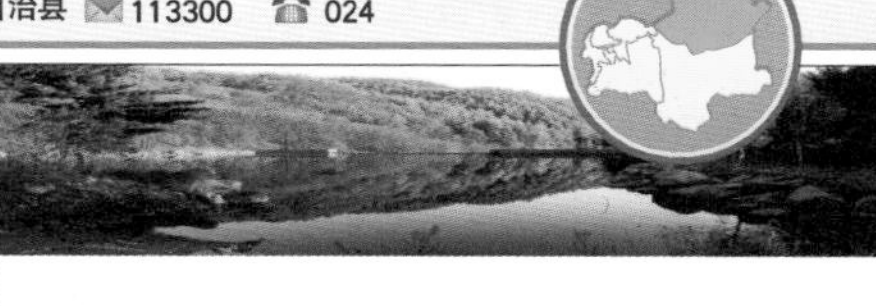

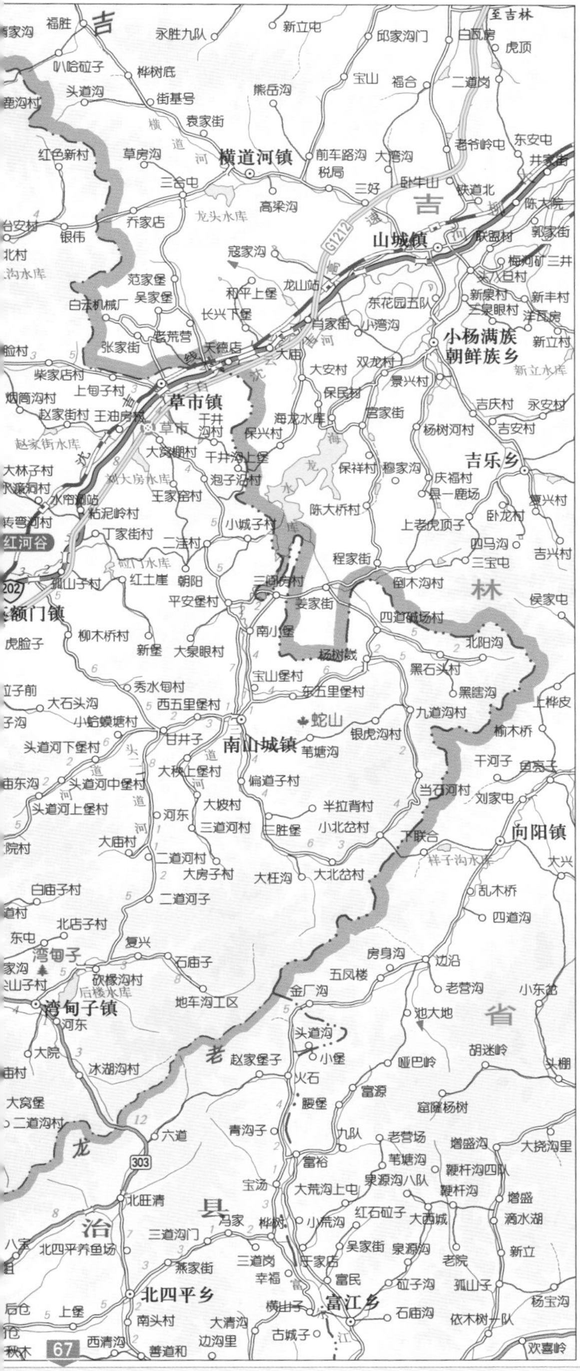

【地理位置】 位于抚顺市东北部，东与吉林省交界，北、西与铁岭市相连，南与抚顺县、新宾满族自治县为邻。

【人口面积】 人口34万，面积3921平方千米。

【历史沿革】 清代分属于奉天府的兴京厅、开原县。1925年从兴京、开原、柳河、海龙、铁岭等5县析出建立清源县。1928年因与山西省清源县重名，故将清源之“源”字删去水旁，改称清原。1989年6月29日，经国务院批准，撤销清原县，建立清原满族自治县，仍属抚顺市。

【地　　形】 全县均为山区，地势东南高、西北低，低山丘陵与河谷交错。

【最高山峰】 莫日红，海拔1014米。

【主要河流】 浑河、清河、柴河、红河。

【湖泊水库】 赵家街水库、刘大房水库、后楼水库等。

【交　　通】 沈吉铁路、沈吉高速与202国道并行由县境西南至东北横穿过境，303省道蜿蜒境内，与202国道相会在县城。

【资　　源】 农业主要生产高粱，玉米、稻谷、大豆、谷子，还有荞麦、糜子、小豆等杂粮。矿藏资源丰富有金、铜、铁、铅和硅石、钾长石、石灰石、水晶、石膏等。森林覆盖率较高。是辽宁省用材林基地和水资源保护区。

【风景名胜】 红河谷国家级森林公园、湾甸子森林公园、蛇山自然保护区。

【土特产品】 山里红、山梨、山葡萄、猕猴桃等山果和蕨菜、蘑菇、刺嫩芽等山野菜及人参、黄柏、苍术等药材。

【景点介绍】 **湾甸子森林公园** 位于清原满族自治县东南部湾甸子镇境内，距县城33千米，为省级森林公园，沿清新公路（303省道）南行可直达园内。公园总面积82400平方千米，其中水域面积1400平方千米，主要景点有：（1）清朝努尔哈赤题名的滚马岭浑河源头，面积3510平方千米。这里山高林密，沟壑纵横，常年溪水淙淙，清澈见底。山上密布红松针阔混交实验林，本省第二大河流——浑河发源于此。（2）瞭望塔园，内有瞭望塔两座，一个座落于境内海拔1001.2米高的二顶子山山顶，塔呈六角形，高9层，26.4米，建于1984年；另一个座落在海拔634米高的后楼山顶，塔呈六角形，塔高6层，24米，建于1989年。（3）后楼水库渡假村有水上乐园、湖滨浴场、垂钓区、野餐区、服务部等。（4）狩猎场位于森林公园地车沟营林区内，海拔800米，地势较高，群山环抱。（5）滑雪场位于境内二顶子山东南侧至小千字号狩猎区沟口的沟谷地带。

沈阳故宫 世界遗产　仙人洞 国家级自然保护区　服务区　里程起迄点
凤凰山 国家级风景名胜区　元帅林 国家级森林、地质公园　出入口　收费站

本溪水洞

【地理位置】 位于辽宁省东部，东与吉林省为邻，西与辽阳市接壤，南邻丹东市，北靠沈阳市、抚顺市。

【行政区划】 辖平山、溪湖、明山、南芬4区，本溪满族自治县、桓仁满族自治县。

【人口面积】 人口154万，面积8435平方千米。

【历史沿革】 1906年清政府设置本溪县，属奉天府，治所在本溪湖。1948年本溪解放，设置本溪市，属辽宁省。1959年桓仁、本溪县划为本溪市管辖

【地　　形】 全境为中低山地貌，在地图上为哑铃状狭长地域，其东西长18千米，南北宽87千米。

【最高山峰】 花脖山，海拔1336米。

【主要河流】 太子河、浑江。

【湖泊水库】 浑江水库、回龙山水库、观音阁水库、关门山水库。

【气　　候】 属中温带湿润气候，兼

比例尺 1:680 000

6.8千米 0 6.8 13.6 20.4千米

季风气候和山地气候。年均温为6℃至8℃。一月均温为-12℃～-15℃，七月均温为23℃～25℃，年均降水量为800至900毫米。无霜期130至150天。

【交　通】 沈丹高铁、沈丹、溪田、辽溪、通灌铁路通过，丹阜、辽中环线、永桓、鹤大高速公路和201、304国道过境。

【风景名胜】 本溪水洞风景名胜区、世界文化遗产高句丽王城（五女山山城），本溪、本溪环城、桓仁国家森林公园。

【自然保护区】 老秃顶子国家级自然保护区。

【景点介绍】 **本溪水洞** 位于本溪城区以东35千米处的太子河畔，为国家级重点风景名胜区，是数百万年前形成的大型石灰岩充水溶洞。洞口在峭壁下，洞体由水洞、旱洞、泻水洞组成，全长2500米，气温10～12℃左右，冬暖夏凉，四季如春。洞内河水曲折蜿蜒，“三峡”、“九湾”清澈见底，故名九曲银河。银河两岸，石笋林立，千姿百态，神趣盎然，沿河主要景点100余处，处处生情，神秘莫测，泛舟其中，如临仙境。

沈阳故宫 世界遗产　仙人洞 国家级自然保护区　服务区　里程起迄点
凤凰山 国家级风景名胜区　元帅林 国家级森林、地质公园　出入口　收费站

本溪城区

【地理位置】 本溪城区位于位于本溪市的西部，太子河从城市中心穿过。

【城市特色】 素称“煤铁之城”。本溪之名源于本溪湖，随着采煤、冶铁业的发展，在本溪柳塘一带烧窑制作陶器，故本溪湖又俗称“窑街”。

【主要河流】 太子河。

【交　　通】 市内交通方便，有公共汽车路线20余条，还有长途客运汽车、旅游专线，本溪火车站有通往全国各地的旅客列车，丹阜高速公路在城东经过。

【经　　济】 本溪是我国重要的钢铁基地之一，工业门类齐全，产品种类众多，已形成以钢铁、建材、化工为主体，机械、纺织、电力、电子、轻工、食品等工业共同发展的综合性工业体系。

【土特产品】 辽瓷、猕猴桃、辽砚、天女木兰花。

【景点介绍】 **望溪公园** 是建在市中心的一座大型综合性公园。园内亭台楼阁高低错落，奇花异草姹紫嫣红，连心桥飞架锁真情，天鹅湖荡漾水悠悠，情致优雅，是闹市中的一片绿洲。

本溪湖 位于溪湖区溪湖公园，为洞中小湖被囿于山口岩洞之中，水面不到15平方米，状如壶口。清同治八年定名“本溪湖”。洞口向东，上方刻有“辽东本溪湖”。洞内前半有石阶，后半则为满储清水的小湖，清澈见底，水从石缝涌出，潺潺南流，终年不断。本溪湖亦称“燕东胜境”，为东北十二景之一。本溪市即以此湖得名。

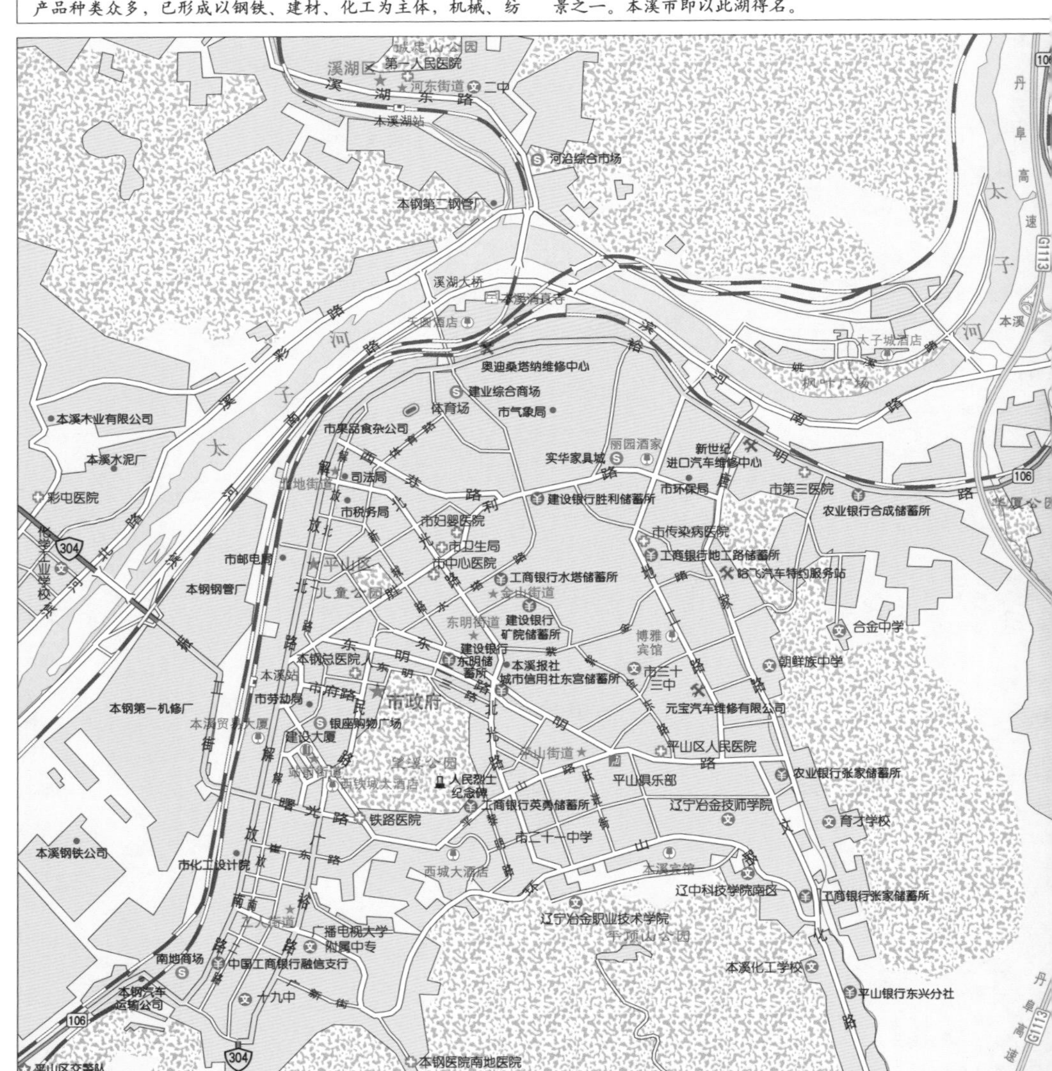

本溪市辖区

【地理位置】 本溪市辖区位于本溪市西部，东、南与本溪满族自治县为邻，西与辽阳市接壤，北靠沈阳市、抚顺市。包括平山、溪湖、明山、南芬4区。

【人口面积】 人口95万，面积1526平方千米。

【地　　形】 地处太子河南岸，地势东南高、西北低，细河由南入境北流入太子河。

【交　　通】 沈丹高铁、沈丹、辽溪铁路过境，丹阜、辽中环线高速公路相交，304国道纵贯南北，106、305、304省道纵横境内。

【土特产品】 人参、细辛、党参、鹿茸、山野菜和黑木耳。

【风景名胜】 本溪环城国家森林公园、本溪湖、慈航寺、东风湖旅游度假村。

【景点介绍】 **东风湖旅游度假村** 位于溪湖区，距市区8千米，度假村群山叠嶂、绿水缠绕、空气清新。水库宛如一块碧玉镶嵌于群山之中，伟岸壮观，美不胜收。度假村以夏季水上乐园、冬季冰雪大世界吸引游人，已成为本溪最佳旅游去处之一。

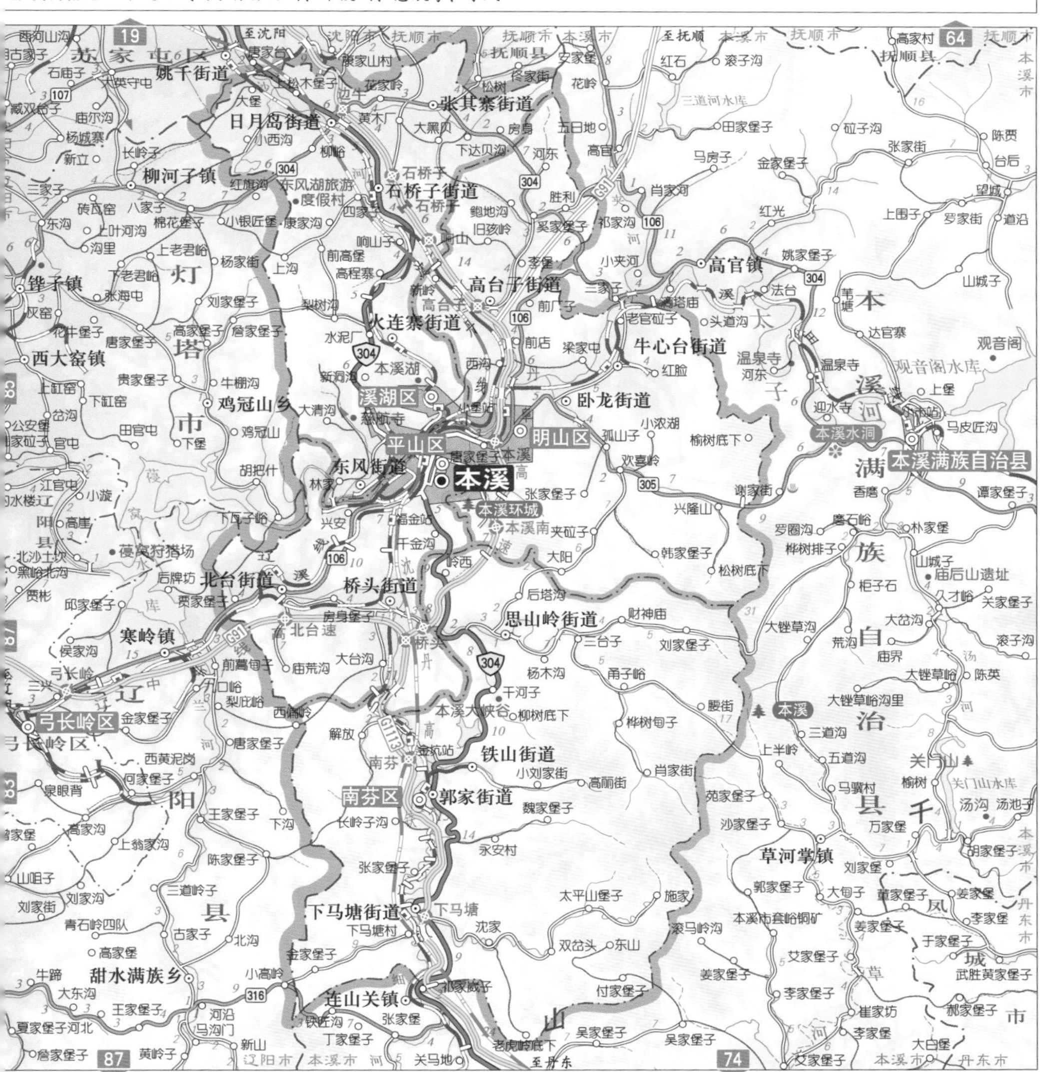

本溪 本溪满族自治县

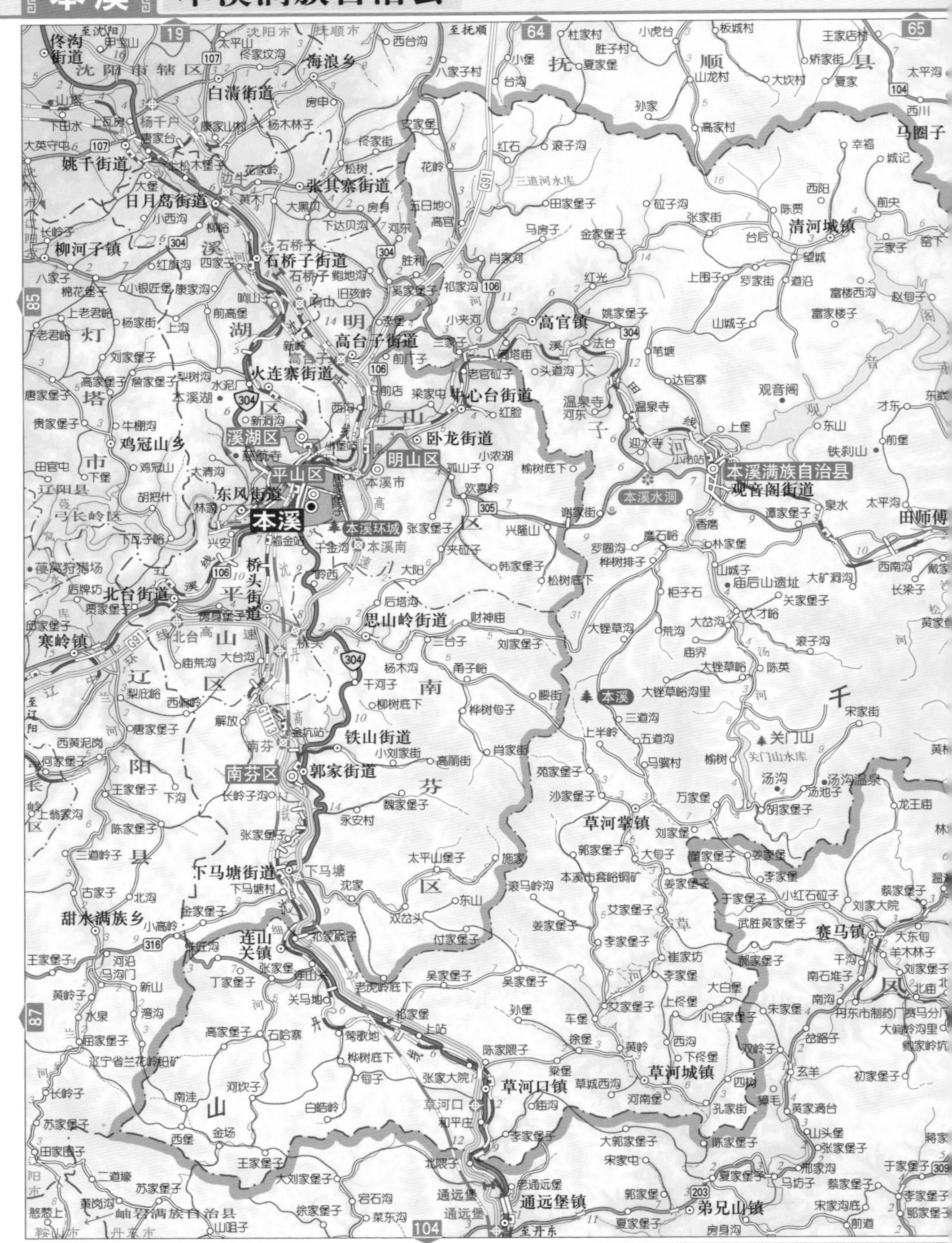

比例尺 1:500 000

5.0千米 0 5.0 10.0 15.0千米

高度表

0 50 100 200 300 400 500 600 800 1000 1200 1500米

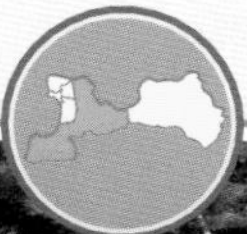

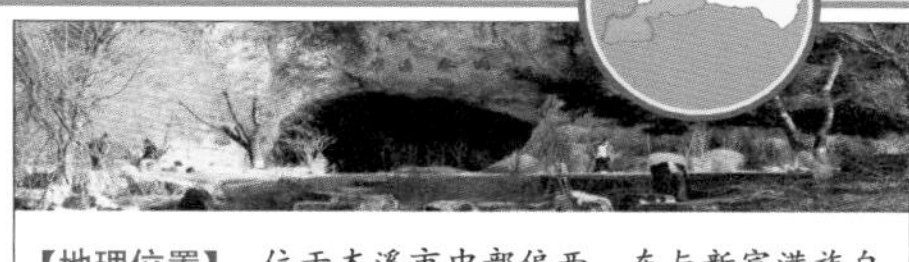

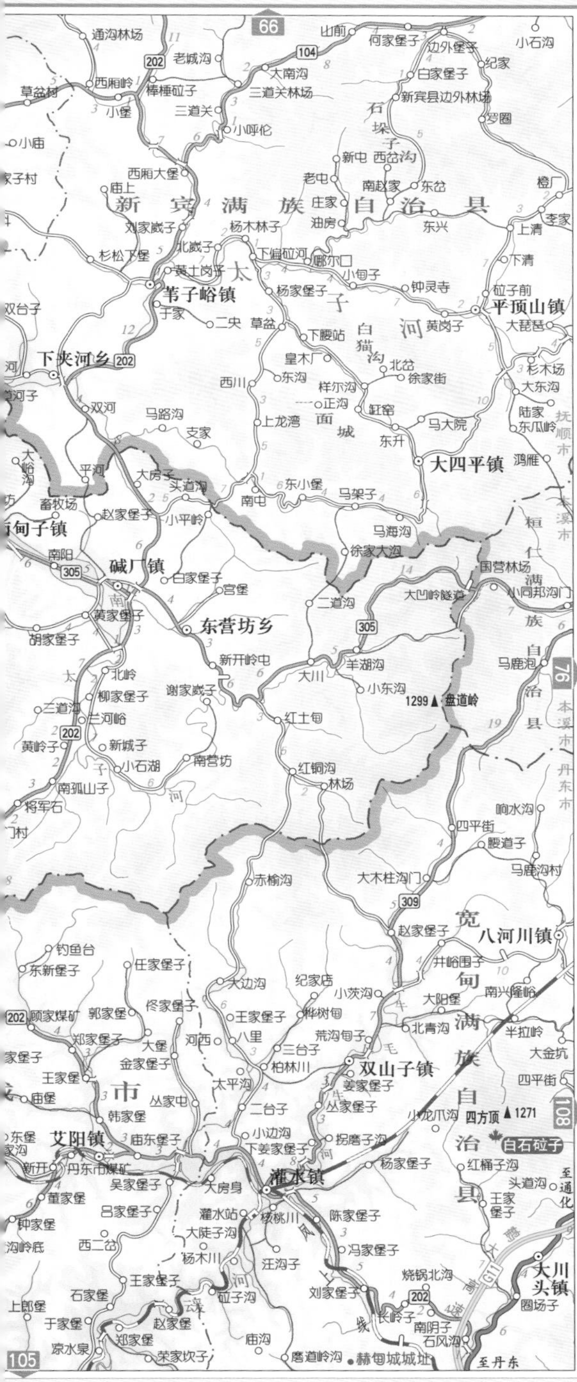

【地理位置】 位于本溪市中部偏西，东与新宾满族自治县、桓仁满族自治县为邻，西与辽阳市、本溪市辖区接壤，东南与丹东市相连，东北与抚顺市接境。

【人口面积】 人口29万，面积3362平方千米。

【历史沿革】 因驻地有本溪湖而得名。1949年属辽宁省，1952年撤销本溪县并入本溪市，1956年市、县分治，县属市辖，1989年改置本溪满族自治县。

【地　　形】 境内山峦起伏，沟壑交错，千山山脉从东北向西南斜贯，山间多盆地和河流谷地。

【最高山峰】 盘道岭，海拔1299米。

【主要河流】 太子河、草河、细河、汤河。

【湖泊水库】 观音阁水库、关门山水库、三道河水库。

【交　　通】 沈丹高铁、溪田、沈丹铁路经过本县，丹阜高速公路、304国道在西南部过境，106、202、304、305省道与县乡公路连接成网。

【资　　源】 有煤、硫化铁、滑石、大理石、金、铜、铅、锌、硅石等矿产。有红松、柞树、冷云杉、落叶松、胡桃楸、水曲柳、黄波萝、紫椴、白榆、桦、杨等30多个树种。其中，刺楸、天女木兰属于稀有珍贵树种。农作物主要有玉米、高粱、水稻、大豆、花生等。

【风景名胜】 本溪水洞风景名胜区，本溪国家森林公园，观音阁、庙后山遗址、汤沟温泉。

【景点介绍】 **关门山森林公园** 位于本溪满族自治县境内，距市区48千米，因双峰对峙，一阔一窄，一大一小，其状如门，故称关门山。关门山素有“东北小黄山”之称，景色有五美：山美，山峰奇峭，拔地而起，峰顶松姿绰约，怪石林立，宛若天造地设的巨型盆景。水美，关门山水库碧波荡漾，两岸青山倒映，摇浆荡舟，其乐无穷。树美，关门山树木繁多，千枝竞秀，尤以枫林秋色而闻名。花美，天女木兰花和山杜鹃，漫山遍野，芬芳宜人。云美，云、山、水、雾浑然一体，分外妖娆。

本溪关门山

沈阳故宫 世界遗产　仙人洞 国家级自然保护区　服务区　里程起迄点

凤凰山 国家级风景名胜区　元帅林 国家级森林、地质公园　出入口　收费站

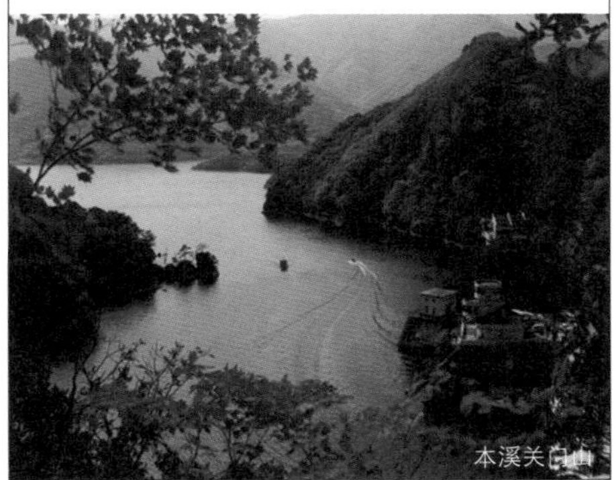

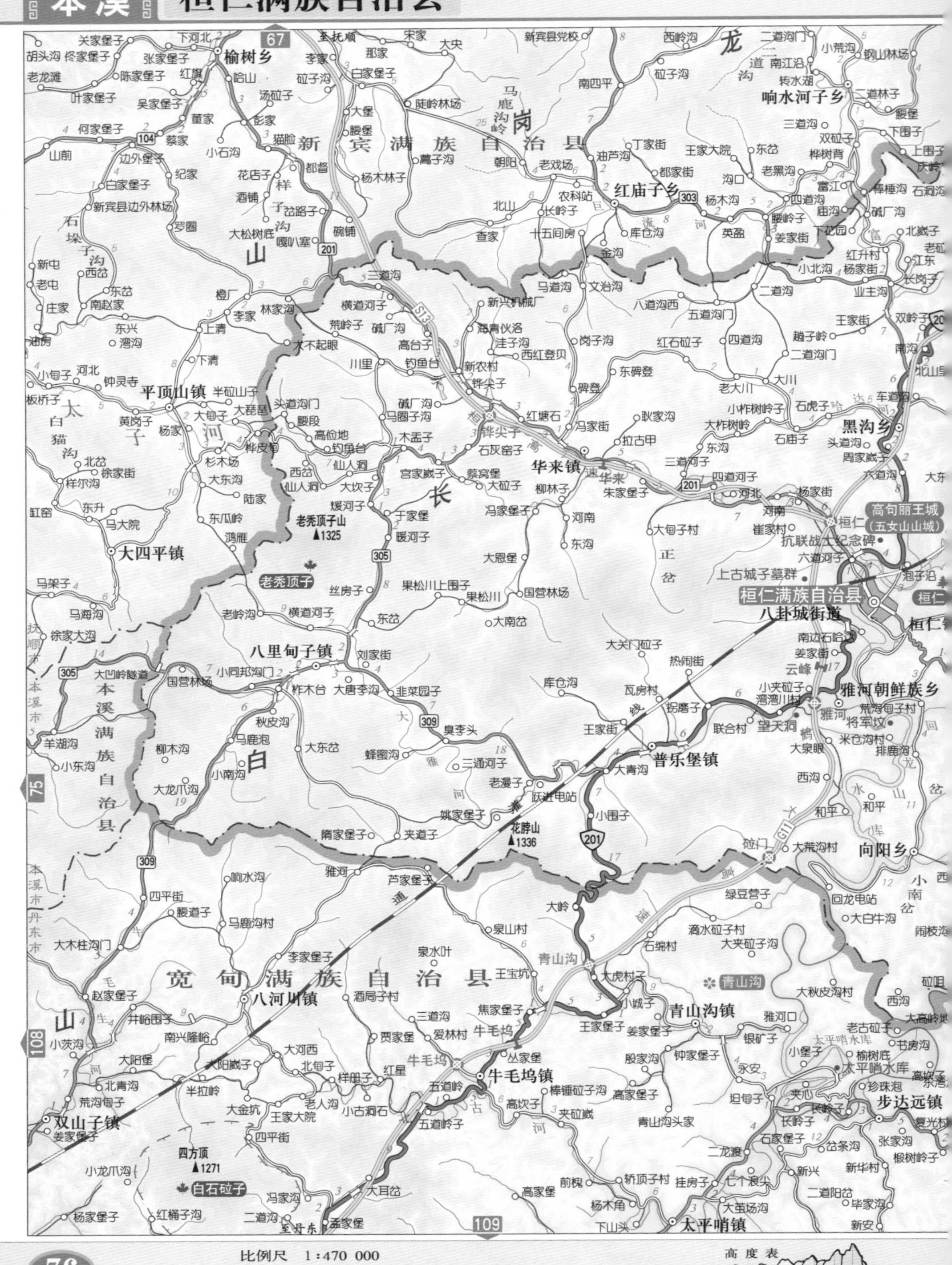

榆树乡
新宾满族自治县
红庙子乡
响水河子乡
平顶山镇
大四平镇
华来镇
黑沟乡
八里甸子镇
桓仁满族自治县
八卦城街道
雅河朝鲜族乡
普乐堡镇
向阳乡
宽甸满族自治县
八河川镇
青山沟镇
牛毛坞镇
双山子镇
太平哨镇
步达远镇
老秃顶子山 1325
花脖山 1336
四方顶 1271
老秃顶子
白石砬子
青山沟
高句丽王城（五女山山城）
抗联战士纪念碑
上古城子墓群
比例尺 1:470 000
高度表

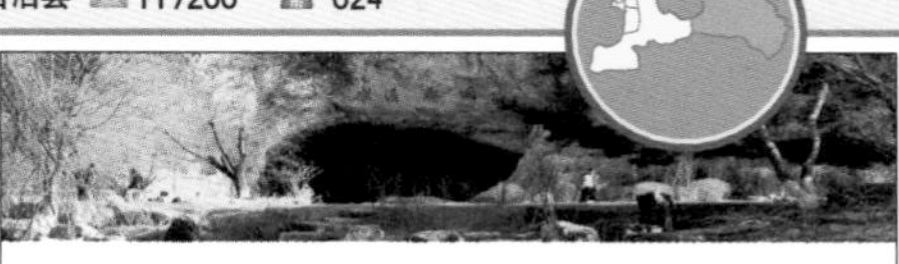

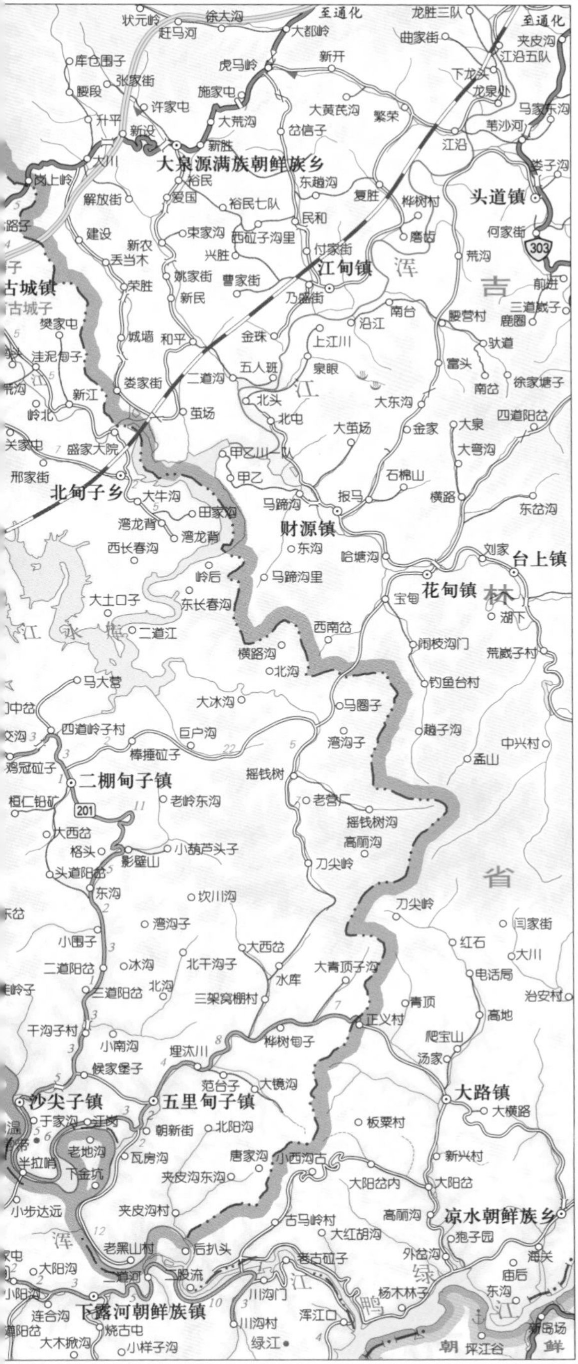

【地理位置】 位于本溪市东部，东与吉林省交界，西南与本溪满族自治县接壤，南与丹东市相连，北与抚顺市为邻。

【人口面积】 人口30万，面积3547平方千米。

【地　　形】 全境地势西北高、东南低，以低山丘陵为主，沿江河分布有带状平原。

【最高山峰】 花脖山，海拔1336米。

【主要河流】 浑江、哈达河、大雅河。

【湖泊水库】 浑江水库、回龙山水库。

【交　　通】 通灌铁路贯境。鹤大、永桓高速公路相接，201国道纵贯南北。

【资　　源】 农业主要产玉米、水稻、大豆、高粱等。盛产人参。矿藏资源有煤、铜、锌等。

【风景名胜】 桓仁国家森林公园、世界文化遗产高句丽王城（五女山山城）、老秃顶子国家级自然保护区。

【土特产品】 人参、细辛、鹿茸、灵芝、木耳、柞蚕、林蛙、刺嫩芽。

【景点介绍】 **老秃顶子** 国家级自然保护区，辽宁屋脊——老秃顶子山，气势磅礴，云海茫茫，多种珍稀动植物被列为国家级保护物种；还有“小桂林”、老虎洞沟、天后宫等自然人文景观。

高句丽王城（五女山山城） 位于桓仁城北8.5千米的浑江两岸，相传五女屯兵于此，故而得名。主峰海拔824米，山势险峻，江河环绕，风景怡人。山上有一座高句丽时期的山城，山城被列为国家重点文物保护单位。2004年7月1日，高句丽王城、王陵及贵族墓葬作为文化遗产列入《世界遗产名录》。

望天洞 位于雅河朝鲜族乡，已发现长度5000余米，洞内景观迷人，奇、特、险俱全，有石林、城墙、雪莲、冰川、喷泉、瀑布、暗河等。中科院专家称洞内的6000平方米大厅和上、中、下三层的万米迷宫为世界罕见。

桓仁五女山风光

沈阳故宫 世界遗产　仙人洞 国家级自然保护区　服务区　里程起迄点
凤凰山 国家级风景名胜区　元帅林 国家级森林、地质公园　出入口　收费站

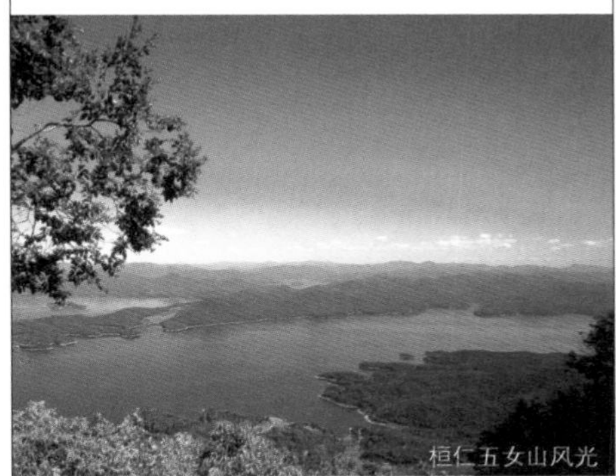

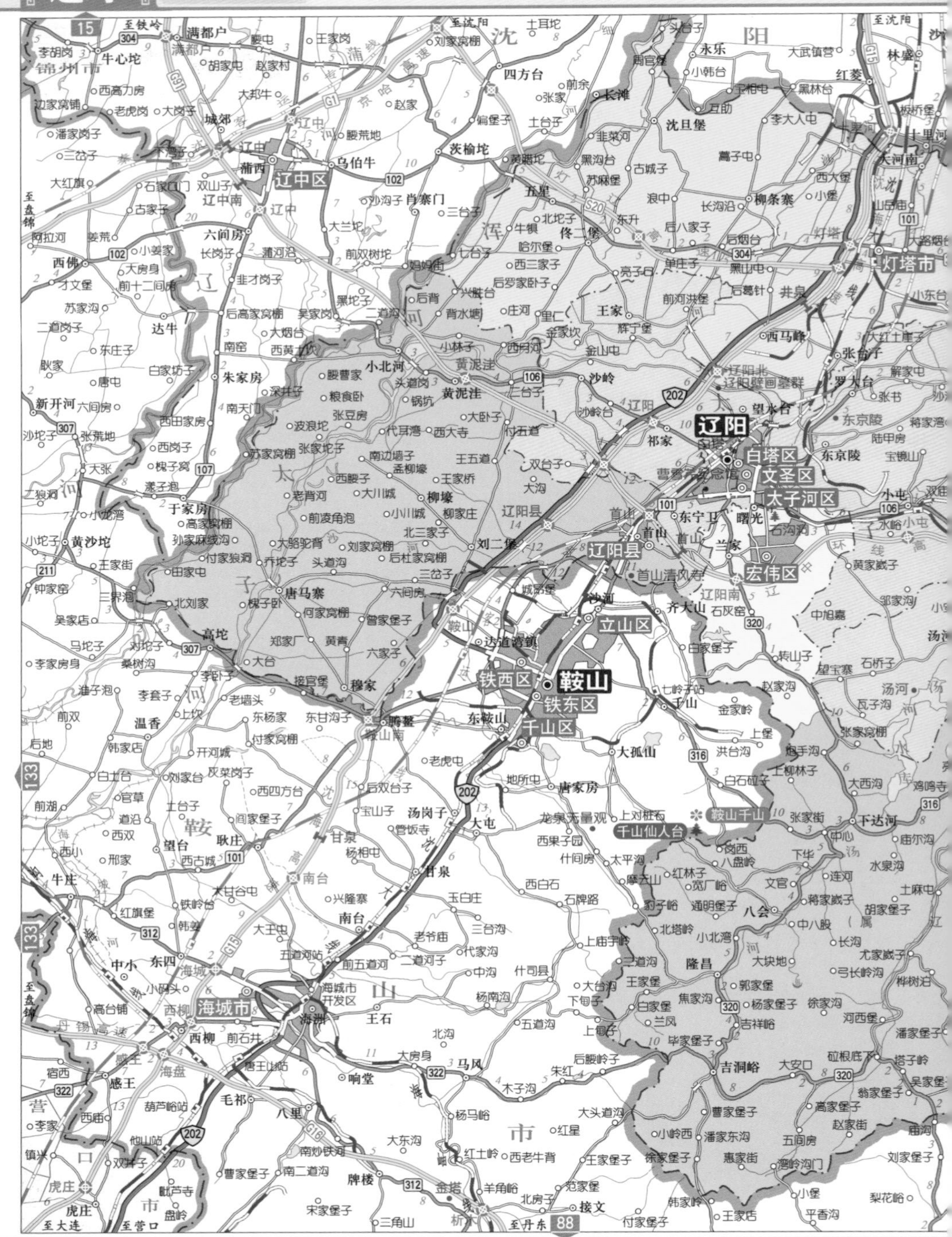

比例尺 1:560 000

5.6千米 0 5.6 11.2 16.8千米

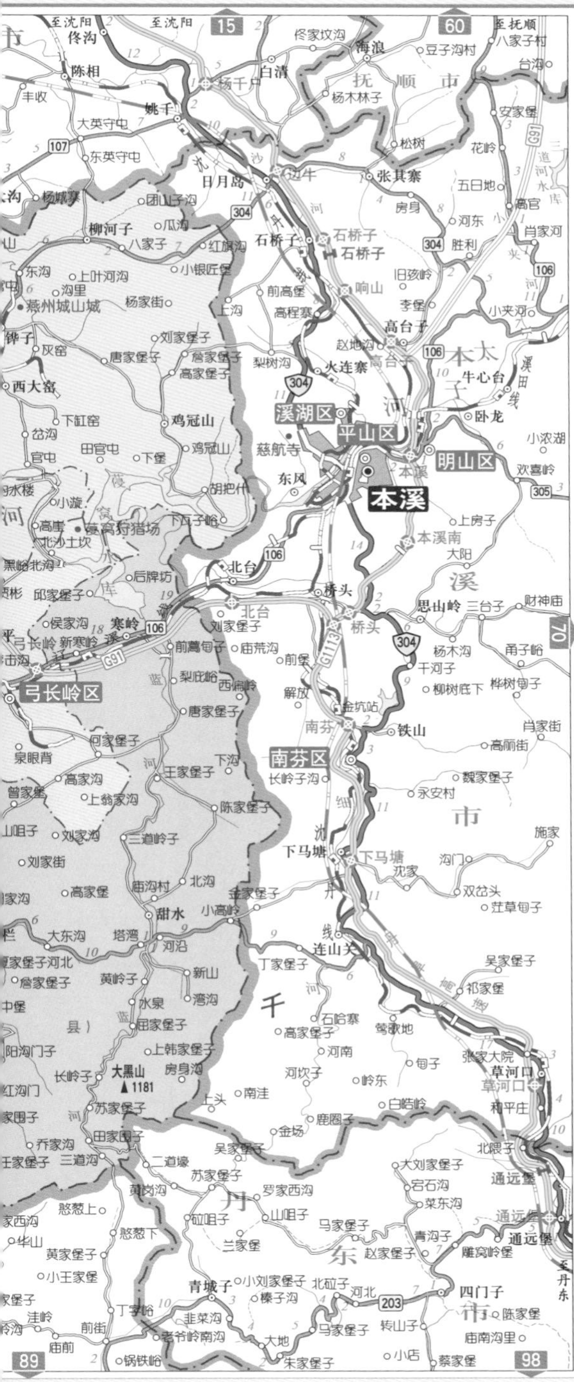

【地理位置】 辽阳市地处辽宁省中部，东临本溪市，南接鞍山市，西部、北部与沈阳市接壤。

【行政区划】 辖白塔、文圣、宏伟、弓长岭、太子河5区，灯塔市和辽阳县。

【人口面积】 人口183万，面积4741平方千米。

【地　　形】 辽阳属辽东低山丘陵与辽河平原过渡地带，呈东南高、西北低的地貌特征。

【最高山峰】 大黑山，海拔1181米。

【主要河流】 太子河、浑河、沙河、汤河。

【湖泊水库】 汤河水库、葠窝水库。

【气　　候】 属温带大陆性季风气候，四季分明。年均气温8℃～8.5℃，一月均温−7℃～−12℃，七月均温23℃～25℃，年均降水量700～800毫米，年无霜期160～165天。

【交　　通】 哈大客运专线过境，沈大、辽溪铁路接轨。沈海、灯辽、辽中环线高速公路相交。202国道贯穿南北。106、101、320省道纵横交错。

【资　　源】 农作物有玉米、水稻、高粱、大豆、蔬菜等。矿藏资源以煤为主，还有铁矿石、砂金、石油、天然气、水泥、灰岩、铅、锌、硅石、石膏、耐火粘土、石棉、磷矿等矿种。地下水储量丰富，其中太子河冲积扇地区储量尤其丰沛。

【风景名胜】 燕州城山城、汤河风景区、石洞沟、辽阳壁画墓群、东京陵等。

【土特产品】 “老世泰”糕点、梨干、塔糖。

【景点介绍】 **辽阳白塔** 位于白塔区白塔公园内，是一座8角13层实心密檐式砖塔，高达71米，逐层稍内收，近似辽塔，全塔由基座、塔身、塔顶三部分组成。塔基高大，雕刻着精美的图像花纹。塔顶安有铁刹杆，使深厚而凝重的塔体突出且挺拔、秀丽。该塔建于金大定年间，是金世宗完颜雍为其母贞懿皇后李氏所建，塔身八面都有佛龛，龛内有砖雕佛像，左右有胁侍，上有宝盖和飞天。各层悬有风铃、铜镜，具有较高的艺术水平。虽经历代修补，仍保持初建时的风貌，为辽阳城市的象征，现开辟为白塔公园。

辽阳白塔

沈阳故宫 世界遗产　仙人洞 国家级自然保护区　服务区　里程起讫点
凤凰山 国家级风景名胜区　元帅林 国家级森林、地质公园　出入口　收费站

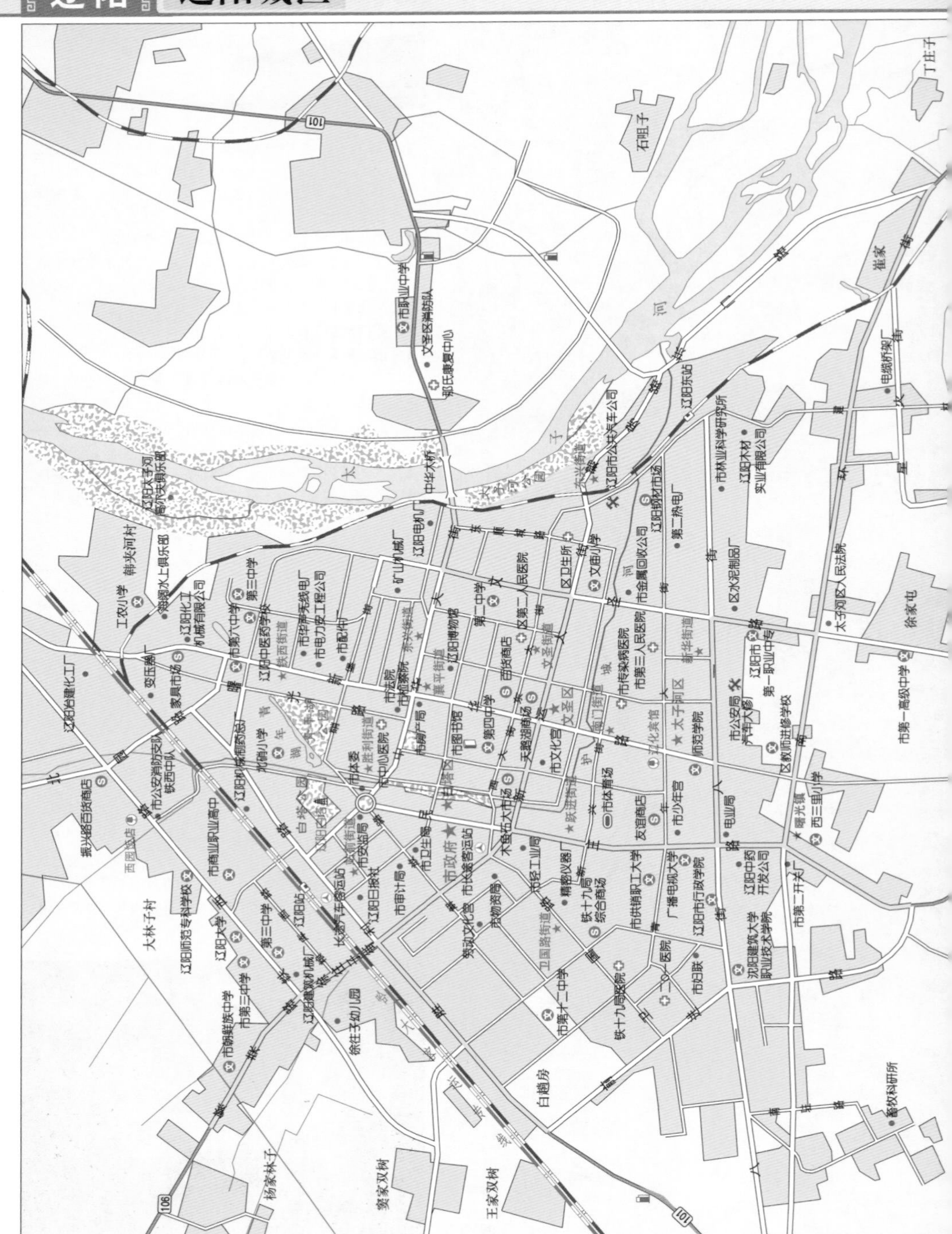

大打白孤
联运路
中央路
伟
区人民法院
国府酒楼
府前街
星际酒店
健
辽阳酿酒总厂
供销公司总库
辽阳政法学院
辽化第五中学
学
荣
光
路
辽化金兴化工厂
西
方家屯
南八里庄
仙鹤湖
中国人民保险公司
辽化高级中学
光华街
院
环
辽化印刷厂
四合
光华路邮政支局
青年公园
健康
辽阳石油化工高等专科学校
路
朝阳
长征街道
宏伟区
辽化科技馆
东
兰家镇
辽化塑料厂
康
辽化商场
辽阳石油化纤公司
大洼
辽化技校
路
区计生和卫生局
兰家工商所
小区
辽化第一小学
辽化二招
辽化纤维一厂
石厂峪
单家堡
谭家堡
化工集团职工医院
市十九中学
后三块石
320
大
辽化密封件厂
工
农
街

【地理位置】 辽阳城区位于辽阳市中部。

【城市特色】 东北地区重要的石油化工城市和辽南旅游胜地。

【历史沿革】 辽阳是一座历史悠久的文化古城，有着2400多年的历史。古称襄平，从公元前3世纪到公元17世纪中叶，这里一直是中国东北地区政治、经济、文化中心和交通枢纽。战国时期辽阳属燕国，是辽东郡首府。公元前284年，燕国大将秦开率军北上东进，破东胡抵辽河流域，其后修筑了自造阳至襄平间的长城，“置上谷、鱼阳、右北平、辽西、辽东郡以拒胡”。辽东郡治所在襄平，是为辽阳地区行政建置之始。

【主要河流】 太子河、护城河。

【交　　通】 市内交通方便，有数十条公共汽车路线，还有通往省内外的长途客运汽车，辽阳火车站有通往全国各地的旅客列车，沈海高速从城区西北经过。

【经　　济】 辽阳是一个新兴的工业城市，已初步形成了以化工、化纤、建材、服装、冶金、机械、电子、农副产品深加工等产业为主，其他产业为辅的产业结构。

【风景名胜】 太子河公园、白塔公园。

【景点介绍】 广佑寺　始建于汉代，明初被兵火焚毁，明洪武十六年（公元1383年）复建之后称白塔寺。明永乐六年（公元1408年）因发现广佑寺书碑，将该寺复称广佑寺。占地达6.1万平方米，成为东北地区最大的佛教寺院之一和佛教活动中心。康熙廿一年（公元1682年），清帝康熙东巡途经辽阳，亲临广佑寺，并赋诗《广佑寺》一首。二十世纪初，由于沙俄修筑铁路，强行开辟辽阳铁路附属地，加之日俄战争破坏，使千年古刹被毁。现广佑寺遗址存于白塔公园内。

广佑寺

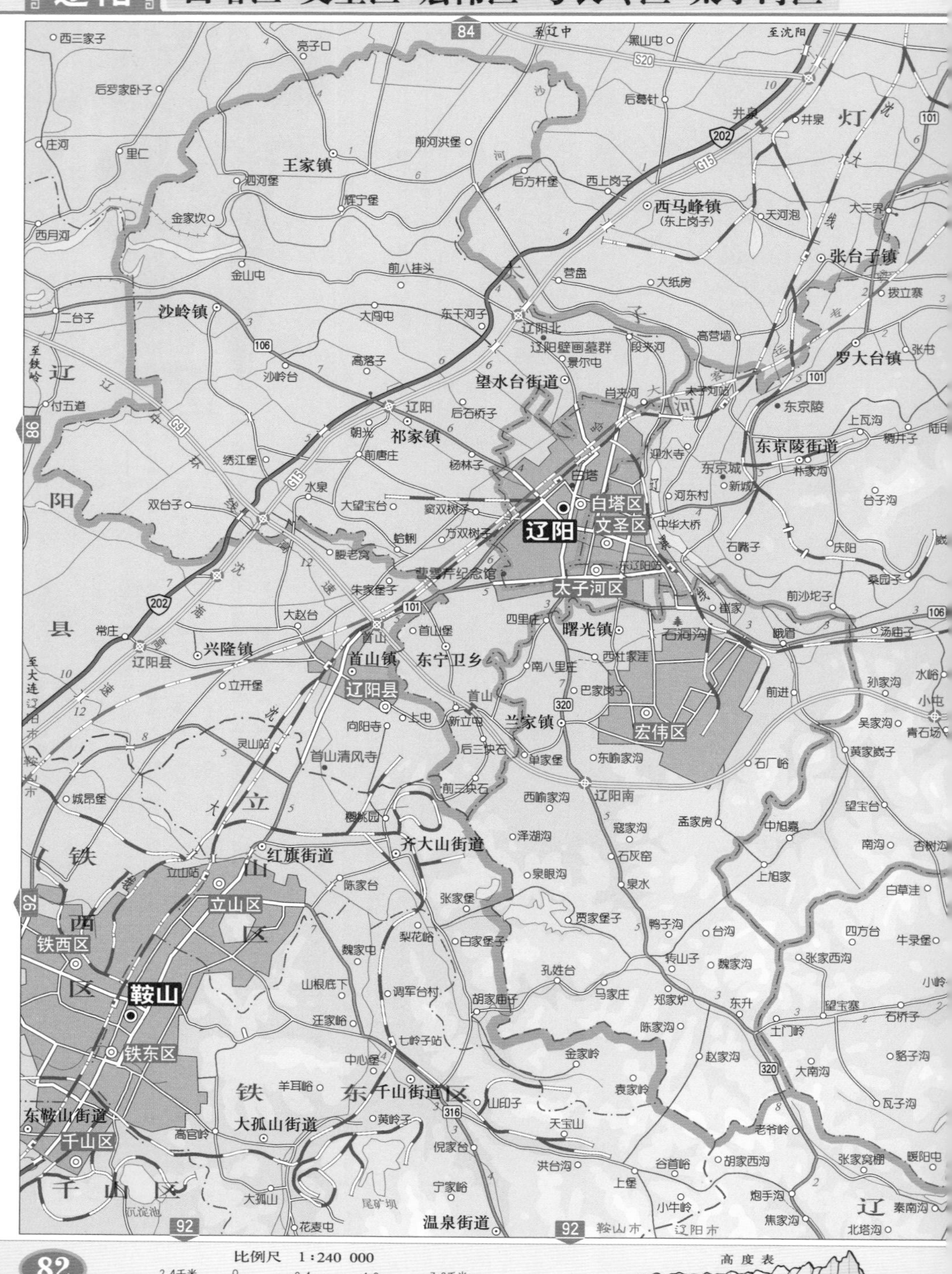
84
至辽中
黑山屯
至沈阳
S20
西三家子
亮子口
后罗家卧子
后葛针
井泉
灯
101
202
庄河
里仁
前河洪堡
王家镇
后方杆堡
西上岗子
G15
四河堡
辉宁堡
西马峰镇
(东上岗子)
天河泡
大三界
金家坎
西月河
张台子镇
前八挂头
营盘
大纸房
拨立寨
金山屯
二台子
沙岭镇
大闫屯
东千河子
辽阳北
辽阳壁画墓群
段夹河
高营墙
罗大台镇
张书
106
高落子
景尔屯
至铁岭
辽
沙岭台
望水台街道
太子河站
东京陵
付五道
辽阳
后石桥子
肖夹河
上瓦沟
98
朝光
祁家镇
东京陵街道
稍井子
纱江堡
前唐庄
杨林子
迎水寺
东京城
朴家沟
白塔
新城
阳
水泉
双台子
大望宝台
白塔区
河东村
台子沟
窦双树子
辽阳
文圣区
中华大桥
蛤蜊
方双树子
石嘴子
庆阳
腰老窝
东辽阳站
曹雪芹纪念馆
桑园子
朱家堡子
太子河区
前沙坨子
202
101
崔家
106
县
常庄
大赵台
四里庄
首山
首山堡
曙光镇
石洞沟
峨眉
汤庙子
兴隆镇
辽阳县
首山镇
东宁卫乡
西杜家洼
至大连
南八里庄
水峪
孙家沟
立开堡
辽阳县
巴家岗子
前进
首山
320
小屯
向阳寺
上屯
新立屯
兰家镇
宏伟区
吴家沟
青石场
灵山站
后三块石
黄家崴子
首山清风寺
单家堡
东喻家沟
石厂峪
前三块石
西喻家沟
辽阳南
城昂堡
望宝台
立
樱桃园
孟家房
中旭嘉
铁
红旗街道
齐大山街道
泽湖沟
寇家沟
南沟
杏树沟
石灰窑
山
泉眼沟
上旭家
立山站
陈家台
泉水
白草洼
92
西
立山区
张家堡
贾家堡子
区
鸭子沟
台沟
四方台
牛录堡
铁西区
梨花峪
白家堡子
魏家屯
砖山子
魏家沟
张家西沟
区
山根底下
孔姓台
小岭
鞍山
调军台村
胡家庙子
马家庄
郑家炉
东升
望宝寨
汪家峪
陈家沟
土门岭
石桥子
铁东区
七岭子站
中心堡
金家岭
赵家沟
貉子沟
320
大南沟
铁
羊耳峪
东
千山街道
区
山印子
袁家岭
瓦子沟
东鞍山街道
316
黄岭子
天宝山
大孤山街道
高官岭
老爷岭
千山区
倪家台
胡家西沟
张家窝棚
暖阳屯
洪台沟
谷首峪
千
山
区
宁家峪
上堡
炮手沟
尾矿坝
大孤山
小牛岭
辽
秦南沟
沉淀池
92
花麦屯
温泉街道
92
鞍山市
辽阳市
焦家沟
北塔沟
比例尺 1:240 000
2.4千米 0 2.4 4.8 7.2千米
高度表
0 50 100 200 300 400 500 600 800 1000 1200 1500米

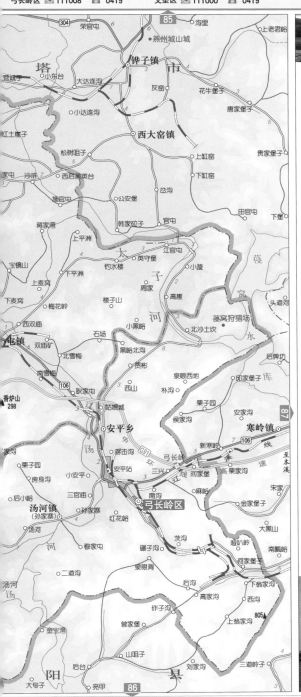

辽阳市辖区

【地理位置】 位于辽阳市中部，东南和西接辽阳县，南连鞍山市，北面与灯塔市相邻。市辖区包括白塔、文圣、宏伟、弓长岭、太子河5区。

【人口面积】 人口75万，面积633平方千米。

【地　　形】 辽阳属辽东低山丘陵与辽河平原过渡地带，呈东南高、西北低的地貌特征。

【主要河流】 太子河。

【湖泊水库】 汤河水库。

【交　　通】 沈大、辽溪铁路接轨，哈大客运专线和沈海、辽中环线高速公路、202国道过境，101、106、320省道以市区为中心，呈放射状。

【风景名胜】 白塔、辽阳壁画墓群、汤河景区、东京陵、石洞沟、葠窝狩猎场。

【土特产品】 山楂、南国梨。

【景点介绍】 **辽阳汉壁画墓群** 位于辽阳市北部棒台子、三道壕、北园一带。二十世纪初发现，为东汉末年和汉魏之际的石室壁画墓，墓主均为当时割据辽东的公孙氏政权的显贵。

墓内的壁画直接绘在墓室石壁上，内容以表现墓主经历和生活的题材为主。分布规律是：墓门两侧为门卒和门犬；前室多绘场面巨大的百戏和乐舞；后室和回廊绘墓主车骑出行图；后回廊一般绘乐舞百戏、门阙、宅院以及属吏；耳室和小室则绘墓主宴饮和庖厨；各室顶部绘流云。壁画构图严谨，形象生动，色彩鲜艳。是了解当时辽东地区贵族豪门的经济、文化、生活等方面的珍贵材料。是全国重点文物保护单位。

东京陵 位于辽阳市东郊太子河东3.5千米的阳鲁山下，该陵是清太祖努尔哈赤迁都辽阳后，于后金天命九年（1624年）修建的。现当地人称之为太子坟。这里原葬有努尔哈赤的景祖、显祖及皇后、皇弟、皇子，但在顺治年间，清廷又将这些陵墓迁葬回故土赫图阿拉附近的永陵，仅存努尔哈赤的兄弟舒尔哈奇、穆尔哈奇、雅尔哈奇、巴雅喇及努尔哈赤的长子褚英、穆尔哈奇的儿子大尔差。东京陵初建之时规模较小，后经清朝后代皇帝的扩建才成为今日规模。陵园主要建筑有：山门、碑亭、陵墓，是辽阳旅游胜地之一。

东京陵穆尔哈奇陵园

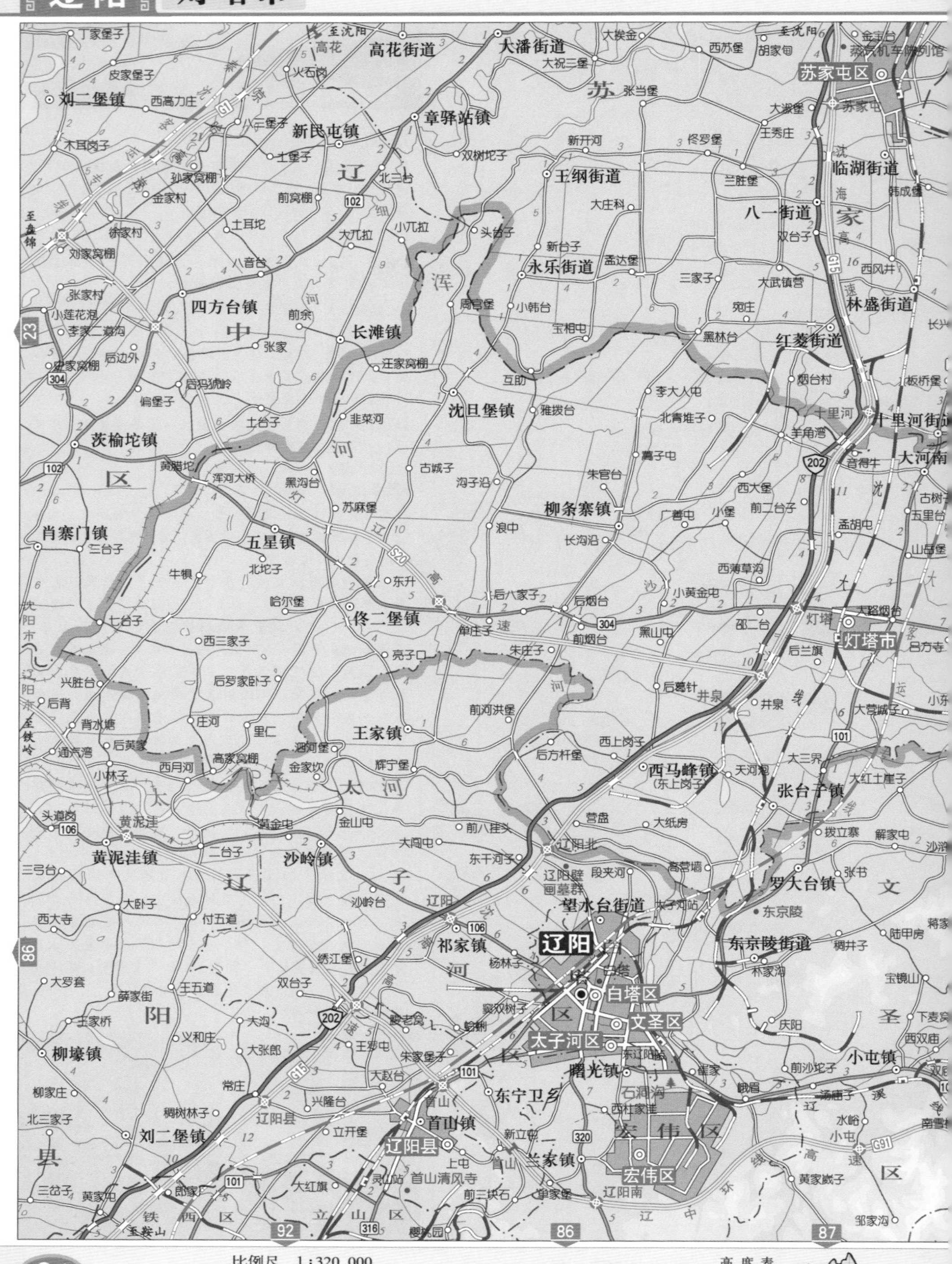

比例尺 1:320 000

3.2千米 0 3.2 6.4 9.6千米

高度表

0 50 100 200 300 400 500 600 800 1000 1200 1500米

【地理位置】 位于辽阳市北部，东与本溪市为邻，西、北与沈阳市接壤，南靠辽阳市辖区。

【人口面积】 人口51万，面积1313平方千米。

【地　　形】 地势东南高、西北低，东部为群山丘陵，中西部为浑河、太子河等冲积平原。

【主要河流】 太子河、浑河、沙河。

【湖泊水库】 葠窝水库。

【交　　通】 哈大客运专线、沈大铁路、沈海高速、202国道、101省道并行纵贯南北，304省道横穿东西，灯辽与沈海高速相接。

【资　　源】 农业盛产水稻、玉米、高粱、大豆、烟叶等。是全国商品粮基地。淡水养殖业发达，以鲤鱼为主。矿产资源有煤、铁、大理石、石油、石灰石等。

【风景名胜】 燕州城山城。

【景点介绍】 **李兆麟故居** 李兆麟是著名的抗日将领，1910年生于灯塔市铧子镇后屯村。1931年"九·一八"事变后，赴北平（今北京）参加救国运动，1932年入党，1946年3月遭国民党反动派杀害时年仅36岁。安葬在哈尔滨松花江畔的一座公园里，命名兆麟公园，以示纪念。李兆麟故居为辽宁省红色旅游景点。

燕州城山城 坐落在西大窑镇城门口村东石城山上的燕州城，依山临水、峭壁屹立、雄风犹存。山城呈不规则方形，用石块建筑，分外城和内城。外城东、西、北面城墙顺山势起伏砌筑，并砌有马面及护城短墙。南面利用悬崖作墙，崖下是太子河外城，周长2500米。内城筑于外城东南角，长45米，宽35米，城内有蓄水池。山顶有瞭望台，俗称"点将台"，是明代建筑，为全城最高点，现城内仍存有"石城风安保国寺"碑首一截，该城现为省级文物保护单位。

燕州城

沈阳故宫 世界遗产　仙人洞 国家级自然保护区　服务区　里程起迄点
凤凰山 国家级风景名胜区　元帅林 国家级森林、地质公园　出入口　收费站

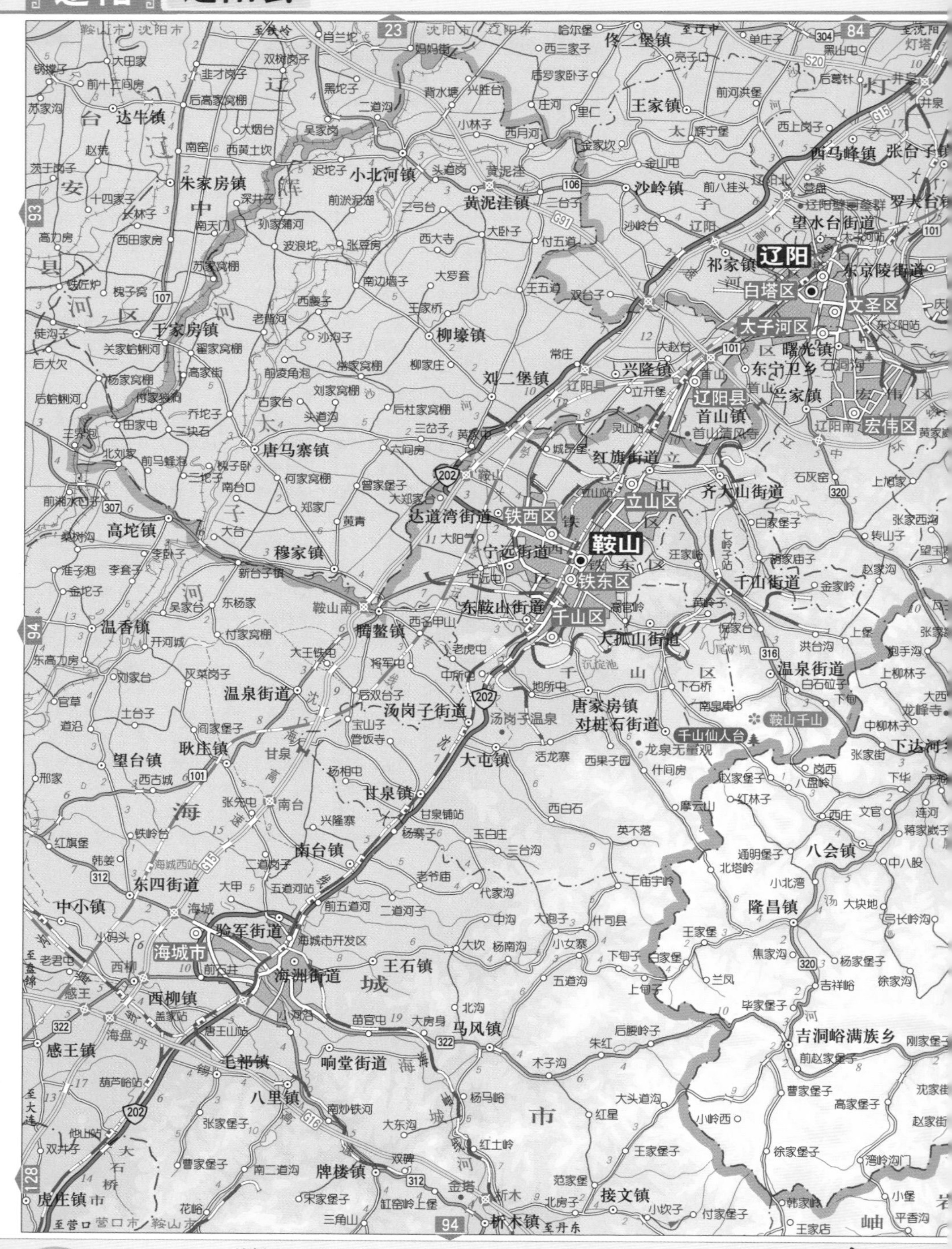

比例尺 1:450 000

4.5千米 0 4.5 9.0 13.5千米

高度表

0 50 100 200 300 400 500 600 800 1000 1200 1500米

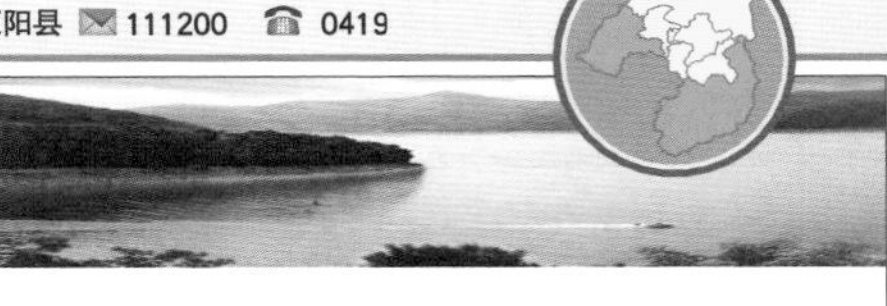

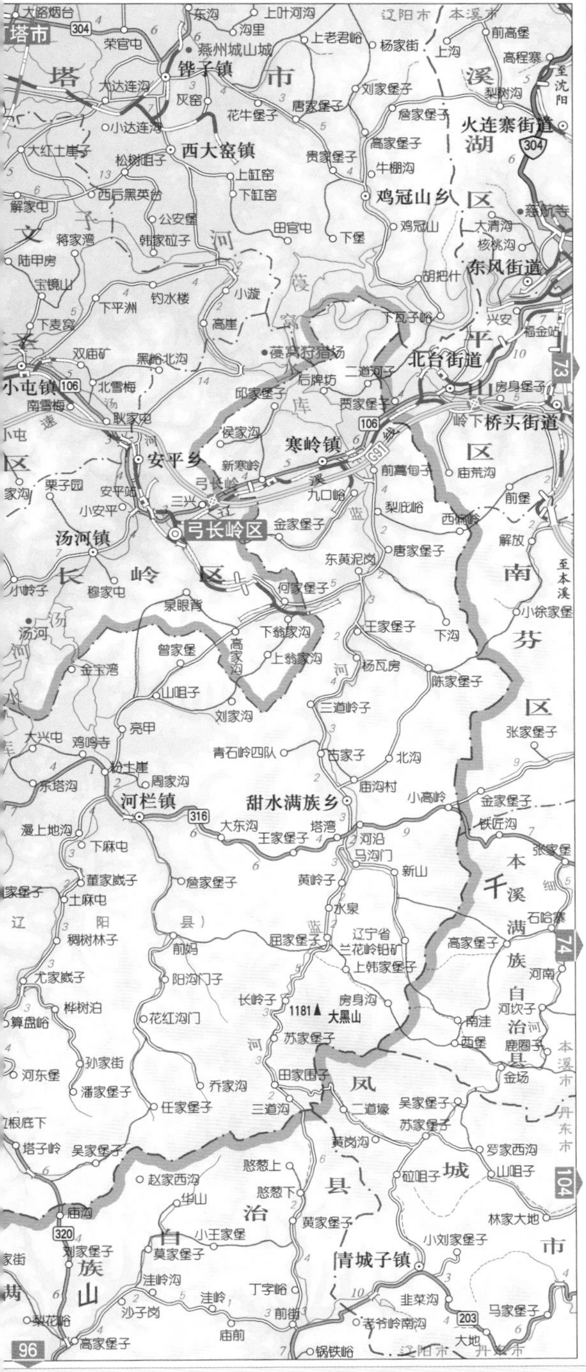

【地理位置】 辽阳市辖区将本县分割成西部和东南部。东南部与本溪、丹东、鞍山市相邻，西部与沈阳、鞍山市接壤。

【人口面积】 人口57万，面积2795平方千米。

【历史沿革】 辽阳县始称于汉。1949年新中国建立后，属辽东省辽阳县。1968年8月市县合并称辽阳市，郊区成立沙岭、兰家、灯塔3个区。1978年5月并沙岭、兰家为首山区。1980年4月15日首山区恢复“辽阳县”称。为辽阳市辖县，县政府驻地首山镇。

【地　　形】 地势东南高、西北低，高差较大，东南部属辽东山地，西北部为辽河冲积平原一部分。

【最高山峰】 大黑山，海拔1181米。

【主要河流】 太子河、浑河、汤河、蓝河。

【交　　通】 哈大客运专线、沈大铁路、沈海、辽中环线高速公路、202国道和106、316、320省道纵横境内。

【资　　源】 农作物有玉米、水稻、高梁、大豆、蔬菜等。矿藏资源丰富，有石油、铁、铜、铅、钴、金、稀土、滑石、萤石、菱镁矿等。其石油开采属于辽河油田开发区之一，铁矿为鞍钢铁矿开采区。

【风景名胜】 首山清风寺、龙峰寺。

【土特产品】 辽红山楂、南果梨、杏梅、红砂板栗。

【景点介绍】 **首山清风寺** 位于辽阳县首山镇内，辽阳、鞍山两市之间，地理位置优越，交通便利。首山为千山第一山，是一座历史名山，有唐王李世民驻跸山的美誉。幽静的清风寺，雨季溪水潺潺，夏季花木繁茂，苍松翠柏绿四季，玉栏朱楣壁生辉。殿窗掩映，钟磬悠扬，处处玲珑剔透，画栋雕梁。可称“窗开风轻楼群小，帘卷车缓烟雾茫”，如同隔绝尘世的仙境。有着首山樵唱、清风古刹、文殊寺与首山八景等天然美景。整个建筑布局结构疏密适度，斗拱疏朗巧妙精湛，朱栏画栋古朴浑厚，风景优美别有天地，为辽阳地区唯一保存完好的一座古庙，清末改为学堂，1955年改鞍山市第四职工疗养院，以后又做过农场、养鸡场、学校、收容所等，现为省级文物保护单位。

龙峰寺 位于辽阳县下达河乡。始建于唐贞观年间，距今已有1300余年历史，历经沧桑屡有兴废，明清二代均有修缮，毁于文革初期，1996年以来，历时六年重建，又展现出往日的雄姿和繁华。龙峰山风景区规划占地20平方千米，景区自然风景优美，山清水秀，奇石异树比比皆是。四季景色美不胜收，民间传说优美动人。由于地域广阔和特有的区位优势，吸引八方游客前来观光览胜。

沈阳故宫 世界遗产　仙人洞 国家级自然保护区　服务区　里程起迄点
凤凰山 国家级风景名胜区　元帅林 国家级森林、地质公园　出入口　收费站

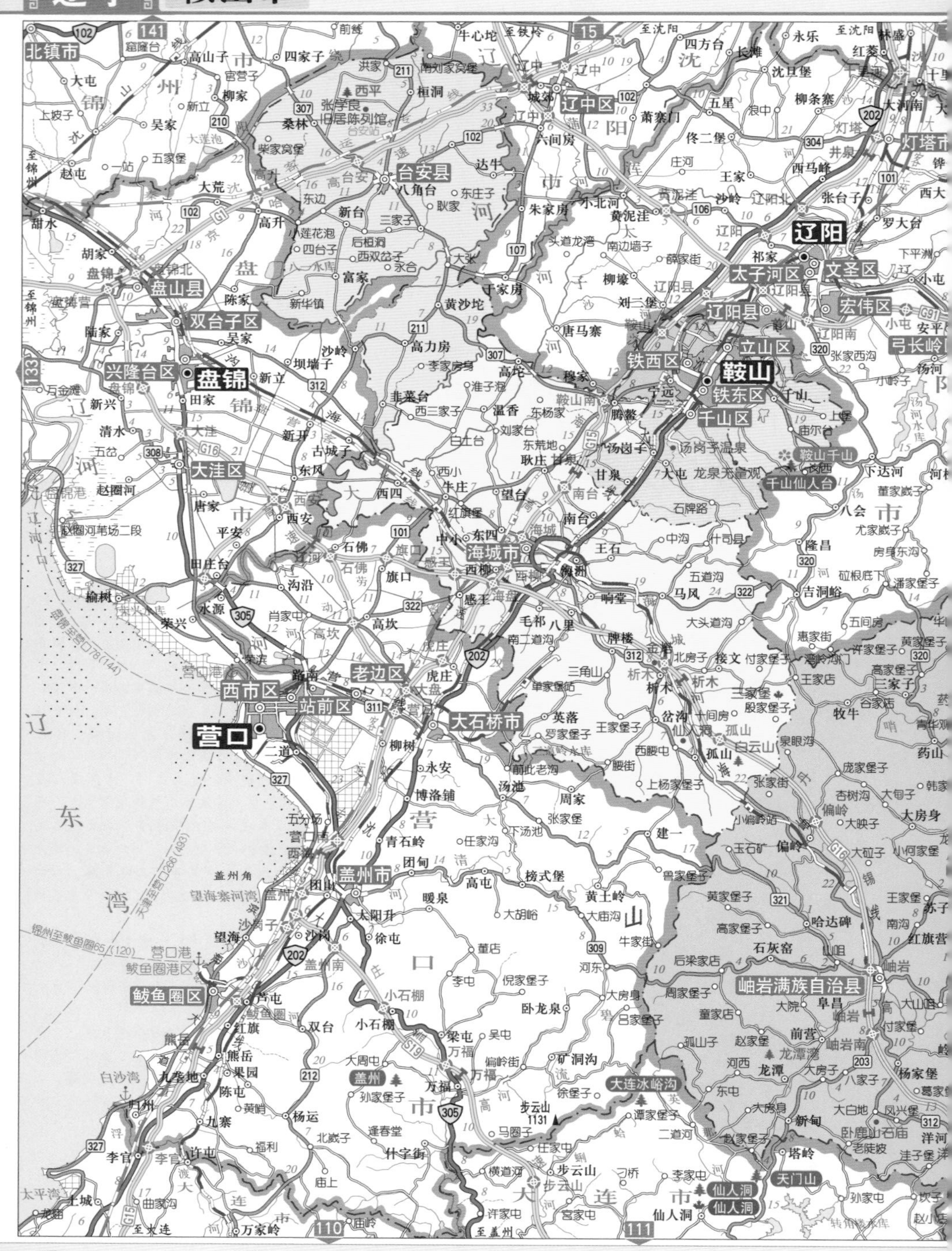

比例尺 1:1 000 000

10.0千米 0 10.0 20.0 30.0千米

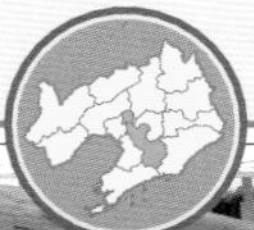

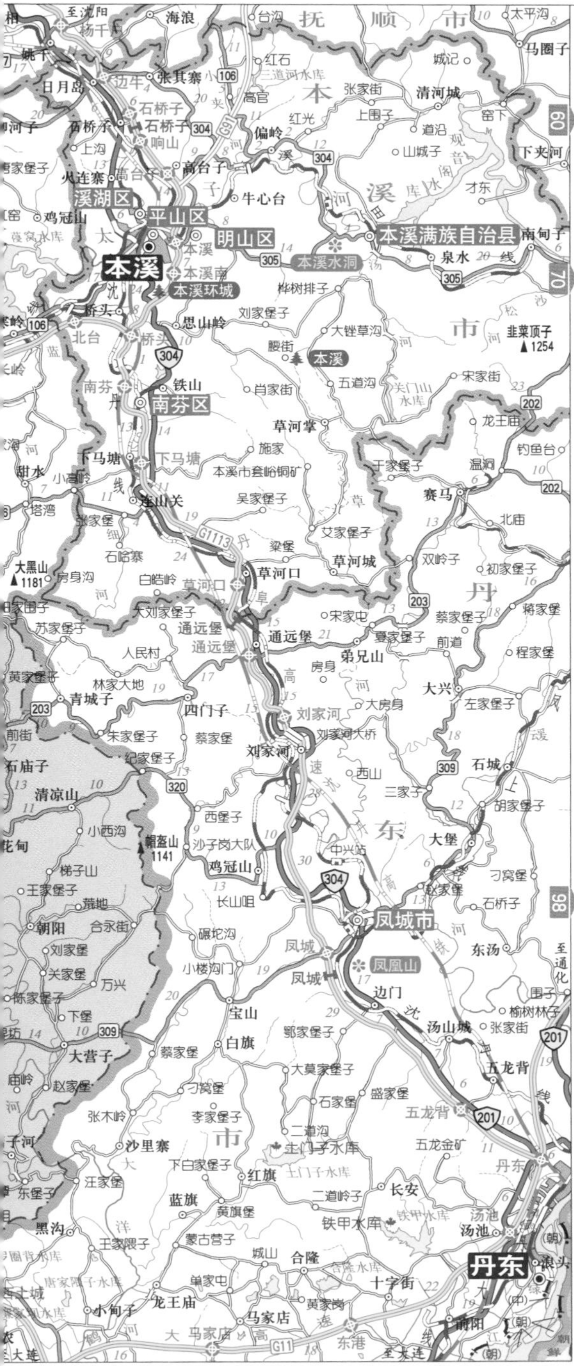

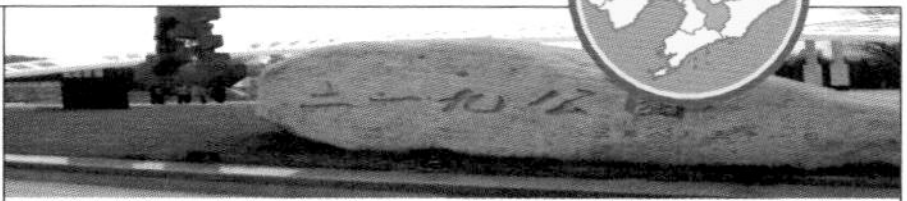

【地理位置】 位于辽宁省中部，东北与辽阳市毗邻，北接沈阳市、锦州市，西与营口市、盘锦市相连，南与大连市接壤，东靠丹东市。

【行政区划】 辖铁东、铁西、立山、千山4区，海城市，台安县和岫岩满族自治县。

【人口面积】 人口353万，面积9249平方千米。

【历史沿革】 战国属于燕国辽东郡，南北朝之际为高句丽所割据，唐高宗总章元年（668年）收归唐朝统辖，在今东北地区实行道、府、州制，分属河北道安东都府辽城州都督府、安市州和河北道燕州辽西县，亚闾守捉城。明代隶属辽东郡指挥使司辽中卫、海州卫、广宁卫、盖州卫。清代隶属于奉天府辽阳州、海城县、锦州府镇安县和盖平县、奉天行省东边道。1953年为中央直辖市。1954年为省辖市，隶属辽宁省。

【地　　形】 本市西北及中部为平原地区，其余地区为丘陵地貌。

【最高山峰】 帽盔山，海拔1141米。

【主要河流】 辽河、浑河、太子河、绕阳河等。

【气　　候】 属于暖温带大陆性季风气候，四季分明，年平均气温7.5℃～9℃之间，一月平均气温-10℃～-11℃，7月平均气温23℃～25℃，年平均降水量为600～900毫米，无霜期140～170天。

【交　　通】 哈大、盘营客运专线、沈大、沟海、海岫铁路和沈海、丹锡、京哈高速公路过境，202国道贯通全市。

【风景名胜】 千山风景名胜区、千山仙人台国家森林公园、汤岗子温泉、西平森林公园、三家堡自然保护区。

【土特产品】 小白皮本酥、美味酱芥丝、枫叶肉干、肉枣、耿庄大蒜、感王韭菜、南果梨。

【景点介绍】 **鞍山千山** 古称积翠山，又名千华山、千顶山、千朵莲花山。位于辽宁省鞍山市东南17千米，总面积44平方千米，为国家级风景名胜区。它南临渤海，北邻长白山，群峰拔地，万笏朝天，以峰秀、石俏、谷幽、庙古、佛高、松奇、花盛而著称，具有景点密集、步移景异的特点。千山不仅有秀美的自然景观，还有丰富的人文景观，共有名胜古迹、景点300余处。

鞍山千山

沈阳故宫 世界遗产　　仙人洞 国家级自然保护区　　服务区　　里程起迄点

凤凰山 国家级风景名胜区　　元帅林 国家级森林、地质公园　　出入口　　收费站

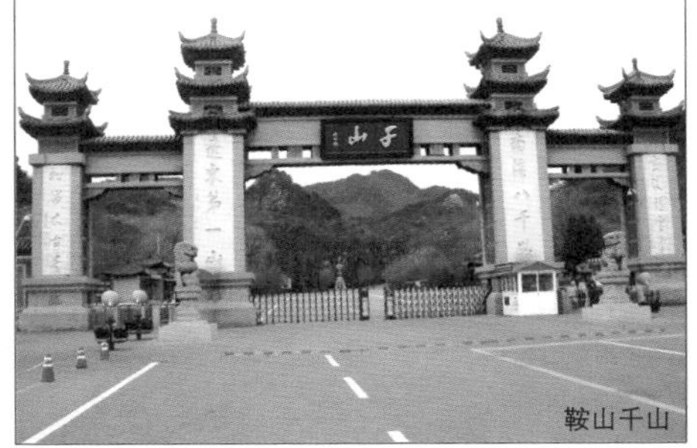

红期
小营盘
大营盘渣砖厂
大营盘
营盘耐火材料厂
矿渣公司
矿渣水泥厂
三冶品公司机动车间
沈海高速
101
李三台子
沉淀池
三炼钢冶金加工厂
鞍钢半连续轧板厂
耐火材料公司
鞍钢综合利用公司机修厂
西部机械厂
鞍钢机械制造公司
吴三台
鞍钢木材加工厂
材料储运总库
鞍钢第一初轧厂
市除尘专用设备厂
炼铁厂
鞍山市装饰布总厂
安达汽车修理厂
鞍山大寓集团
鞍钢第二炼铁厂
友好商行
202
市纸板厂
建设银行兴钢储蓄所
异型钢管厂
友好街道
楼外楼大酒店
市建筑器材铸造厂
鞍钢科技馆
鞍钢钢铁总公司
庄稼院酒店
宋兰台子市场信用社
三十四中
市环保设备工业公司
鞍钢设计研究院
鞍钢生产监测中心
共和街道
德氏集团
市衡器厂
中国银行北山储蓄所
鞍钢广播电视大学
八家子街道
鞍钢公司环保研究所
市总工会
鹏达钣金汽车修配厂
鞍钢铁西医院
鞍钢集团
恒达汽修汽配分部
永乐街道
铁西区
振宏汽车修理厂
鞍山职工大学
和平街道
经贸中心
新城街道
民族大厦
鞍钢技术中心
杨心园酒楼
大力蛇餐
铁西广场
站前街道
人民公园
鞍山市世达模板厂
鞍山静电技术研究设计院
铁西区文化宫
铁西区供电局
中国银行群利储蓄所
建设银行鑫城储蓄所
亚光大厦
鞍百大厦
六五中学
市长途客运公司
永乐公园
市公共汽车修理分公司
繁荣街道
鞍山大厦
友谊汽车修理厂
鞍山站
长途汽车站
鞍钢科技馆
宁远医院社区门诊部
中国银行民主路储蓄所
铁西区体委
市府广场
聚源汽车修理厂
传染病院
交通银行第一储蓄所
新陶官街道
市政府
宁远医院
市第五医院
市中心医院
宝得中学
铁西门诊部
铁东区
信用社南地号储蓄所
建设银行大陆分理处
输王府酒店
保龄球馆
市轮胎翻新厂
天宝汽车修理厂
市水利局
市交通局
市第二医院
鞍山市财经学
三十八中
市纺织器材厂
鞍山钢铁学院
富祥酒楼
南华街道
鞍山电大
山南街道
建设银行建华储蓄所
海江酒店
鞍山第一制药厂
奋博汽车修理厂
蓝天医院
鞍钢党校
经济开发区涂漆带钢厂
鞍山市通达汽车修配厂
解放街道
市气象局
市体育中心
市康华医院
新华书店
金海园大酒店
大众汽车
木材公司制材厂
鞍山特约维修站
市教师进修学院
鞍山化纤毛纺织总厂
中驰汽车修配厂
长大商店
市公安交通警察支队
绿园小区
新安商场
商业技校
豪华汽车修配厂
长大医院
市纤维板厂
区电控设备厂
拖拉机配件厂
鑫森汽车修理厂
市公安局林业公安处
市社会福利院
市师范学院
千山区
市华冶动力设备有限公司
卫华国球馆
市公用事业技术学校
建设银行康乐储蓄所
工商银行东鞍山储蓄所
前峪村
南三环路

【地理位置】　鞍山城区位于鞍山市的中北部，沙河的西南部。

【城市特色】　鞍山是中国钢铁工业的摇篮，素有“钢都”之称。她璀璨辉煌，充满自豪，拥有中国最大钢铁联合企业、世界第一玉佛、全国名胜千山、亚洲著名温泉、中华宝玉之乡。

【主要河流】　沙河。

【交　　通】　市内交通方便，有公共汽车路线50多条，还有长途客运汽车旅游专线等。鞍山火车站有通往全国各地的特快、快速、直快、普快列车。102国道和101、306省道通往市区。

【经　　济】　鞍山是我国大型钢铁生产基地。鞍钢拥有采矿、选矿、炼焦、炼铁、炼钢、轧钢等主体工业部门，同时机械、电子化工、建材、轻纺、食品等工业也发展迅速。

【风景名胜】　东山风景区、二一九公园、玉佛苑。

【土特产品】　小白皮本酥、美味酱芥丝、枫叶肉干、肉枣、耿庄大蒜、感王韭菜、南果梨。

【景点介绍】　**玉佛苑风景区**　位于鞍山市区东部，占地4万平方米，三面环山，一面临水，背倚风光秀丽的东山风景区，由玉佛阁、玉带桥、三洞式山门、荷花池、花果岛等各具特色、风格迥异的建筑组成，互相映衬，相得益彰。主体建筑玉佛阁，阁内巨大玉佛由7色岫岩玉琢成，正面为5.2米高的释迦牟尼像，背面为渡海观音，普陀隐现于观音后，堪称稀世珍宝，于1977年荣登吉尼斯世界之最。

二一九公园　是全省为数不多的真山真水公园之一，位于市中心东部，建于1950年，以1948年2月19日鞍山解放日而命名。公园总面积78公顷，有温室花房、儿童活动区、花卉观赏培育区、动物观赏区和水上活动区等。

二一九公园

鞍山市辖区

【地理位置】 位于鞍山市中北部，西南部与海城市相连，其余三面与辽阳市相邻。

【人口面积】 人口153万，面积791平方千米。

【地　　形】 中部、西北部为平原，南部低山与东南丘陵将市区环绕其中。

【主要河流】 沙河。

【最高山峰】 千山，海拔为708米。

【交　　通】 境内有哈大客运专线、沈大铁路、沈海高速公路、202国道、101省道、316省道贯通全市。

【风景名胜】 鞍山千山风景名胜区、千山仙人台国家森林公园、汤岗子温泉、玉佛苑、龙泉无量观等。

【土特产品】 小白皮本酥、南果梨、枫叶肉干、肉枣。

【景点介绍】 汤岗子温泉 位于鞍山市南沈大铁路汤岗子车站旁。是东北地区著名的温泉之一。泉水的利用历史久远金天会八年（1130年），太宗曾赴此温汤。辽、金时在此附近设有汤池县，县当以泉得名。据温泉附近明崇祯三年（1630年）所立“奶奶庙碑”所记，鞍山汤池，自古为辽东的“名池秀峰之域”。温泉所在现已辟为温泉疗养院。共有温泉十八穴。泉水从地下花岗石岩缝中涌出，水温在57℃至65℃之间，最高可达72℃，富含对人体有益的多种矿物质元素。汤岗子温泉还拥有亚洲独一无二的天然热矿泥，它是由几亿年前的火山灰经温泉水滋养等理化作用而形成的。

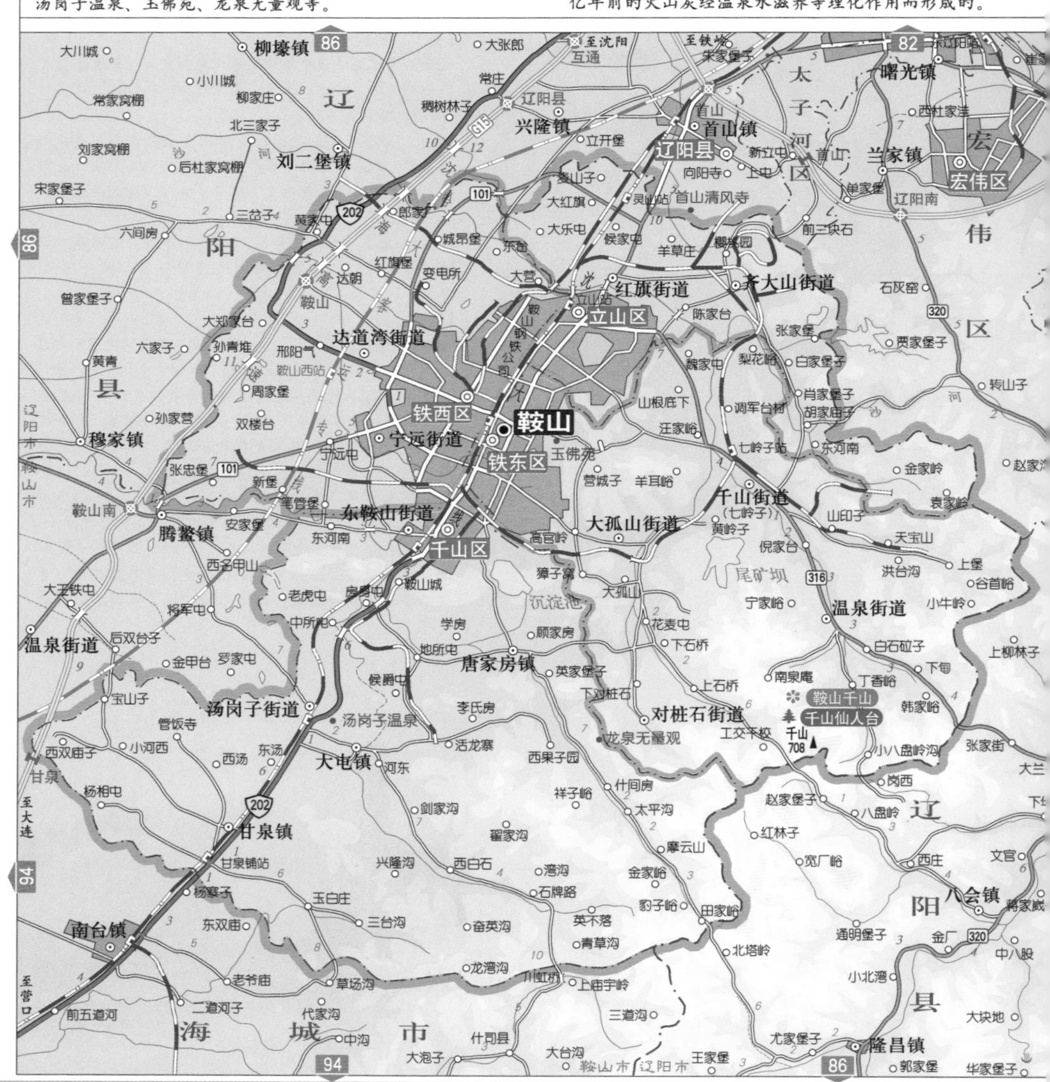

比例尺 1:290 000

2.9千米 0 2.9 5.8 8.7千米

高度表

0 50 100 200 300 400 500 600 800 1000 1200 1500米

台安县

【地理位置】 位于鞍山市西北端、辽河三角洲腹地。东与沈阳市、辽阳市为邻，南与海城市相连，西北与盘锦市、锦州市相接。

【人口面积】 人口38万，面积1393平方千米。

【历史沿革】 台安县历史悠久，早在西汉时曾有过县的建制，名曰险渎，其遗址在今新开河镇李家窑村孙城子屯，当时险渎县属幽所襄平，在今辽阳市。1913年设治，定名台安县，1976年归鞍山市管辖至今。

【地　　形】 地处辽河平原下游，地势平坦，北高南低。

【主要河流】 辽河、浑河、绕阳河。

【交　　通】 秦沈客运专线、京哈高速公路平行过境，102、211、307省道构成县内的主干交通网。

【风景名胜】 张学良旧居陈列馆、西平森林公园。

【景点介绍】 **西平森林公园** 位于台安县西北部，距县城19千米，是省级森林公园，也是省级自然保护区。园内有100多种木本植物，多种野生动物。景色怡人，空气清新。

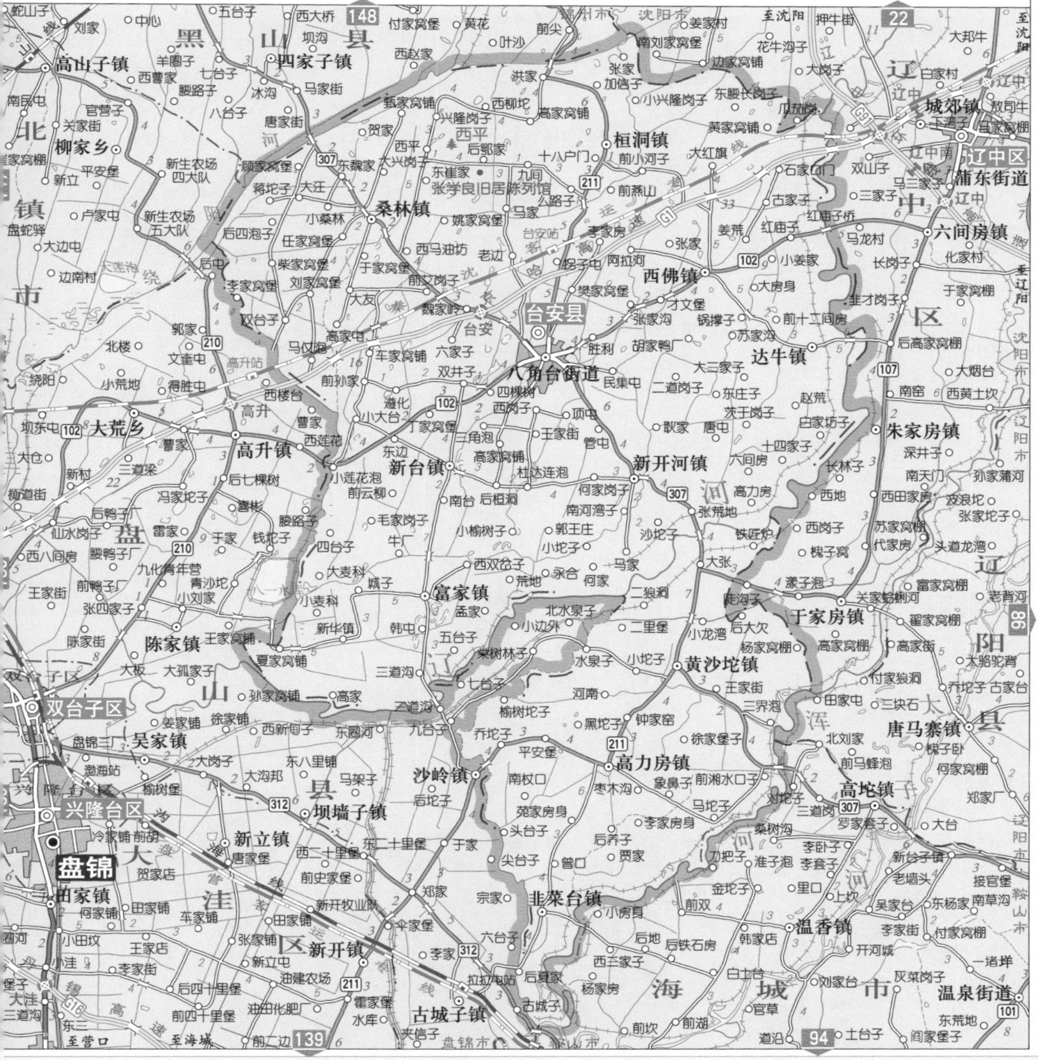

沈阳故宫 世界遗产　仙人洞 国家级自然保护区
凤凰山 国家级风景名胜区　元帅林 国家级森林、地质公园

比例尺 1:45万
4.5千米 0 4.5 9.0 13.5千米

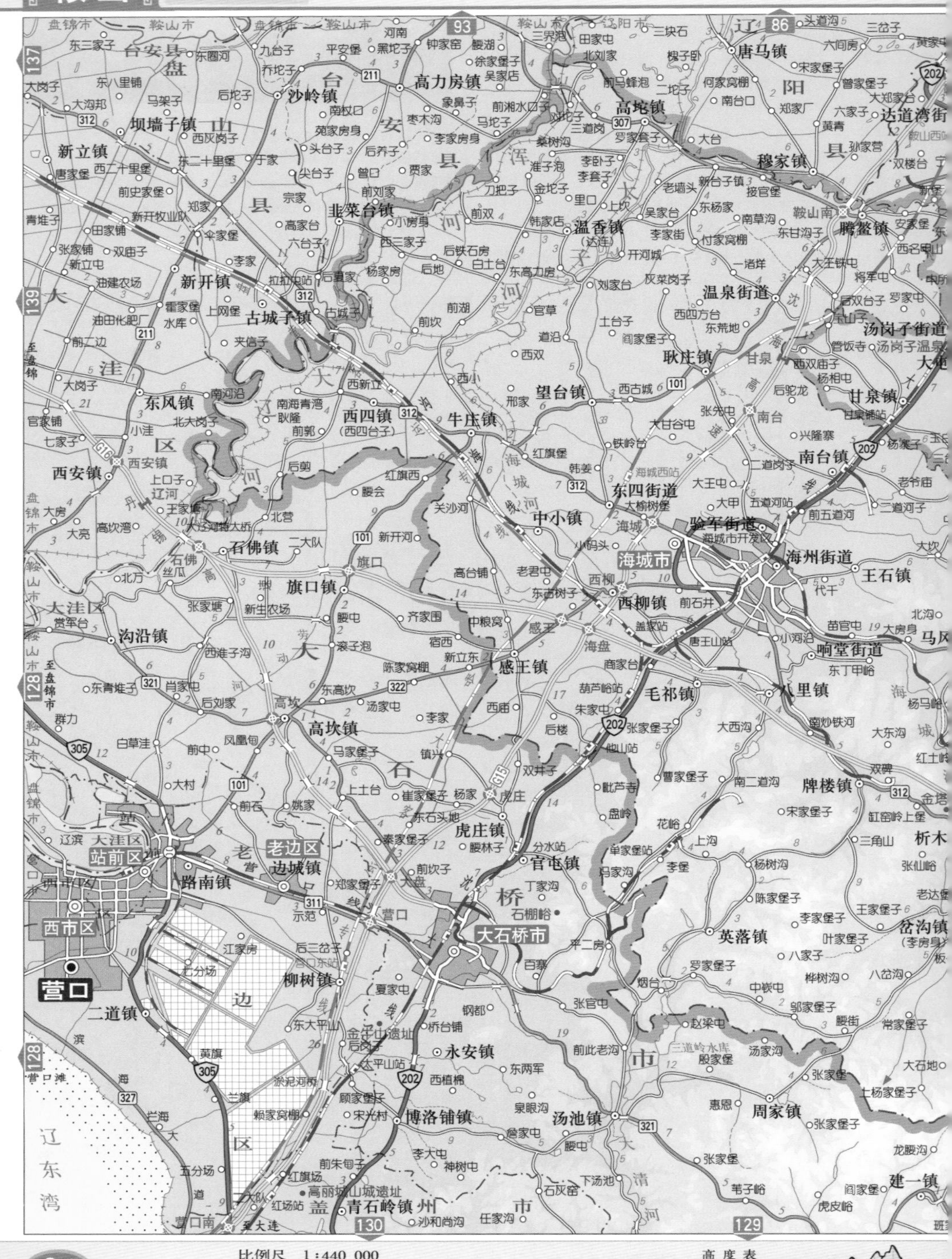

比例尺 1:440 000

4.4千米 0 4.4 8.8 13.2千米

高度表

150 100 50 20 10 0 50 100 200 300 400 500 600 800 1000 1200 1500米

【地理位置】 位于鞍山市中部，东北与鞍山市辖区、辽阳市相邻，西与营口市接壤，北与盘锦市、台安县相接。

【人口面积】 人口110万，面积2566平方千米。

【历史沿革】 1945年抗日战争胜利后，成立了海城县民主政府，隶属辽南行政公署第二专署管辖；1948年10月31日全境解放，海城县划归辽宁省第一行政专员公署；1959年1月，划归鞍山市管辖；1965年12月归辽南专署，1968年12月划归营口市，1973年1月划归鞍山市。1985年1月撤县建市，仍属鞍山市。

【地　　形】 地势东南高、西北低，东部为山地丘陵，西部为平原。

【主要河流】 浑河、太子河、大辽河、海城河。

【湖泊水库】 三道岭水库。

【交　　通】 哈大客运专线、沈大铁路纵贯南北，盘营与哈大客运专线相接，沟海、海岫铁路连通东西。沈海、丹锡高速公路相交，202国道和101、312省道境内纵横。

【资　　源】 农业发达，素有“辽南粮仓”之称。主产高粱、玉米、水稻、谷子、大豆等，盛产苹果、南果梨、大蒜。矿产资源有煤、铁、铜、铅、锌、金、大理石、长石等。其中滑石和镁石的储量居世界前列，有“镁乡”之称。

【风景名胜】 三家堡自然保护区、白云山森林公园、金塔、仙人洞遗址等。

【土特产品】 南果梨、香水梨、苹果、石雕。

【景点介绍】 **白云山森林公园** 位于海城市孤山镇松蛇子村、蟒沟村、秦家堡子村和孤山村山林交界处，距海城市区约45千米。景区总面积38.3平方千米，分为8个景区，200多个景点，有大小山峰400余座。景区内奇峰怪石，林木茂盛，乔灌丛杂，古木幽深，是度假休闲的好去处。

析木城石棚 位于海城市析木镇姑嫂石村，是新石器时代晚期和青铜时代早期的墓葬建筑。石棚原有两座，俗称姑石和嫂石，现仅姑石保存完好。用6块大石板支筑，远眺如长方形石几。盖石长宽各5米多，4块壁石长宽均在2米以上。建筑史家认为石棚是中国现存最早的地上建筑之一，是中国乃至世界古代建筑史上的一大奇观。

沈阳故宫 世界遗产　仙人洞 国家级自然保护区　服务区　里程起讫点
凤凰山 国家级风景名胜区　元帅林 国家级森林、地质公园　出入口　收费站

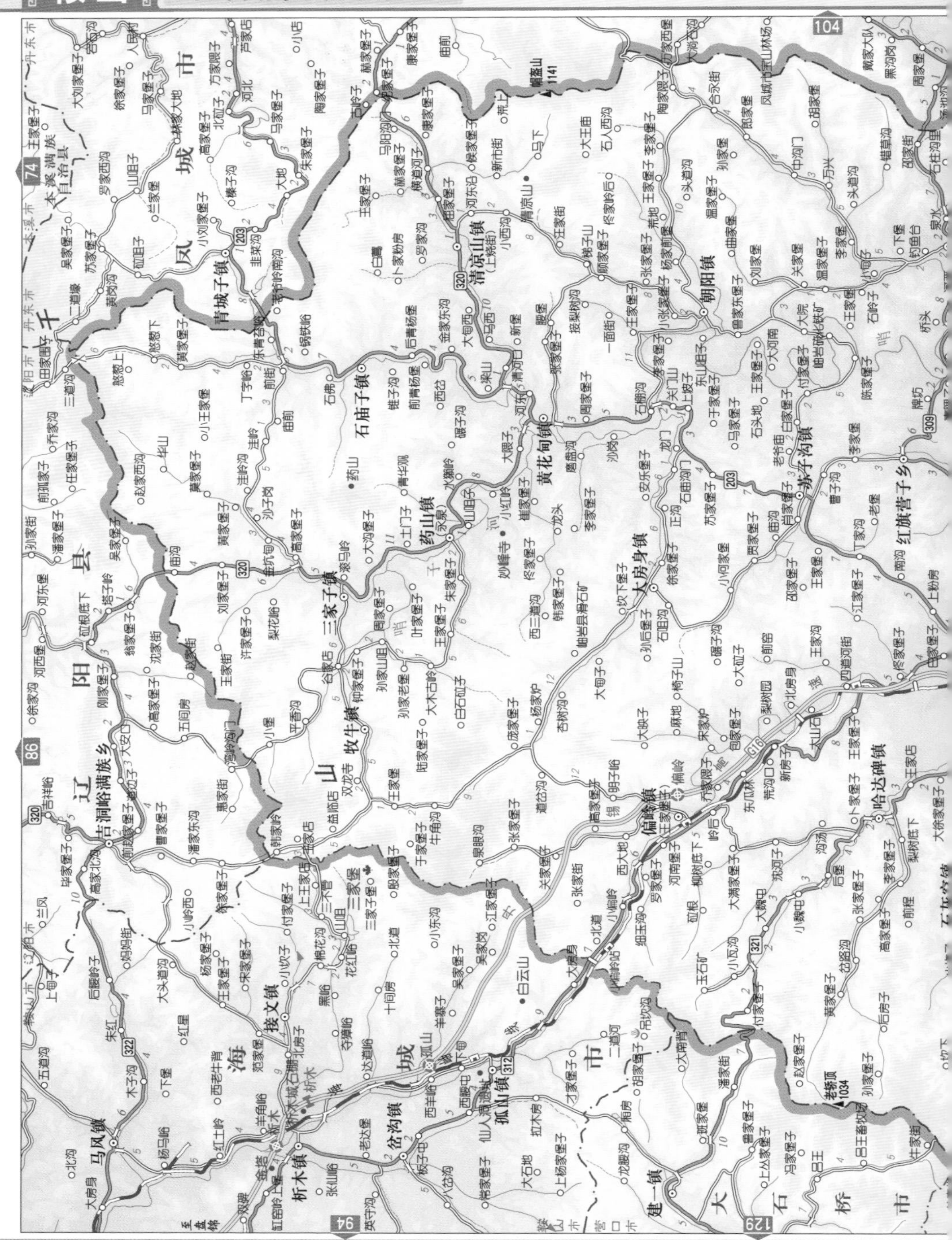

青城子镇
清凉山镇
朝阳镇
石庙子镇
黄花甸镇
药山镇
三家子镇
大房身镇
苏子沟镇
红旗营子乡
牧牛镇
吉洞峪满族乡
偏岭镇
哈达碑镇
接文镇
马风镇
析木镇
岔沟镇
孤山镇
建一镇
本溪满族自治县
凤城市
辽阳县
海城市
大石桥市
比例尺 1:440 000
高度表

【地理位置】 位于鞍山市东南部，辽东半岛的北部。东邻丹东市，北靠辽阳市，西与营口市及鞍山海城市相接。

【人口面积】 人口52万，面积4502平方千米。

【历史沿革】 1947年6月东北民主联军收复岫岩县，属辽南行署区第一专区。1954年8月属辽宁省。1985年1月撤销岫岩县，设立岫岩满族自治县，归丹东市管辖，1992年2月，改由鞍山市管辖。

药山

【地　　形】 县境内多山，地势北高南低，平均海拔79.6米。地形以山地、丘陵为主，间有小块冲积平原和盆地。

【最高山峰】 帽盔山，海拔1141米。

【主要河流】 哨子河、大洋河。

【湖泊水库】 罗圈背水库。

【交　　通】 海岫铁路的终点，丹锡高速过境，203、309、312、320、321省道以县城为中心呈放射状，四通八达。

【资　　源】 农业主产玉米、谷子、高粱和烟草等，已探明的矿产有玉石、菱镁石、滑石、金、铅、大理石、白粒岩等。岫岩玉，驰名中外，年产量2000吨；菱镁石，储量丰富，品位较高。菱镁石、玉石、大理石、滑石、花岗石、硅石量多而质好，有岫岩"六大宝石"之美誉。食用菌年接种量3000万盘，被中国食用菌协会授予"中国滑菇第一县"。年均放养柞蚕1.5万把，被誉为"中国柞蚕第一县"。

【风景名胜】 药山风景区、龙潭湾森林公园，清凉山风景区、妙峰寺、卧鹿山石庙。

【土特产品】 板栗、烟叶、人参、黄芪、五味子、蘑菇、榛子、柞蚕丝和玉雕。

【景点介绍】 **药山风景区** 药山系千山余脉，位于县境北部，为辽宁四大名山之一。药山历史悠久，始建于隋唐，兴盛于明清，是集佛、道两教于一山的宗教圣地。历代兴建有清华观、遥望洞、三清殿、灵官殿、佛爷殿、宝林寺、朝阳寺、观音阁、碧霞宫、龙王庙、关帝祠等诸多古刹，布局严谨，规模宏大，楼阁参差，碑碣林立，雄伟壮观。药山以盛产药材而得名，据不完全统计，有各种中草药材480多种。药山山势高峻，绵延10余千米，有大小奇峰40多座，总面积约50平方千米，由观沟、大寺沟、石花顶、南天门四个景区组成。主峰石花顶海拔888.8米。

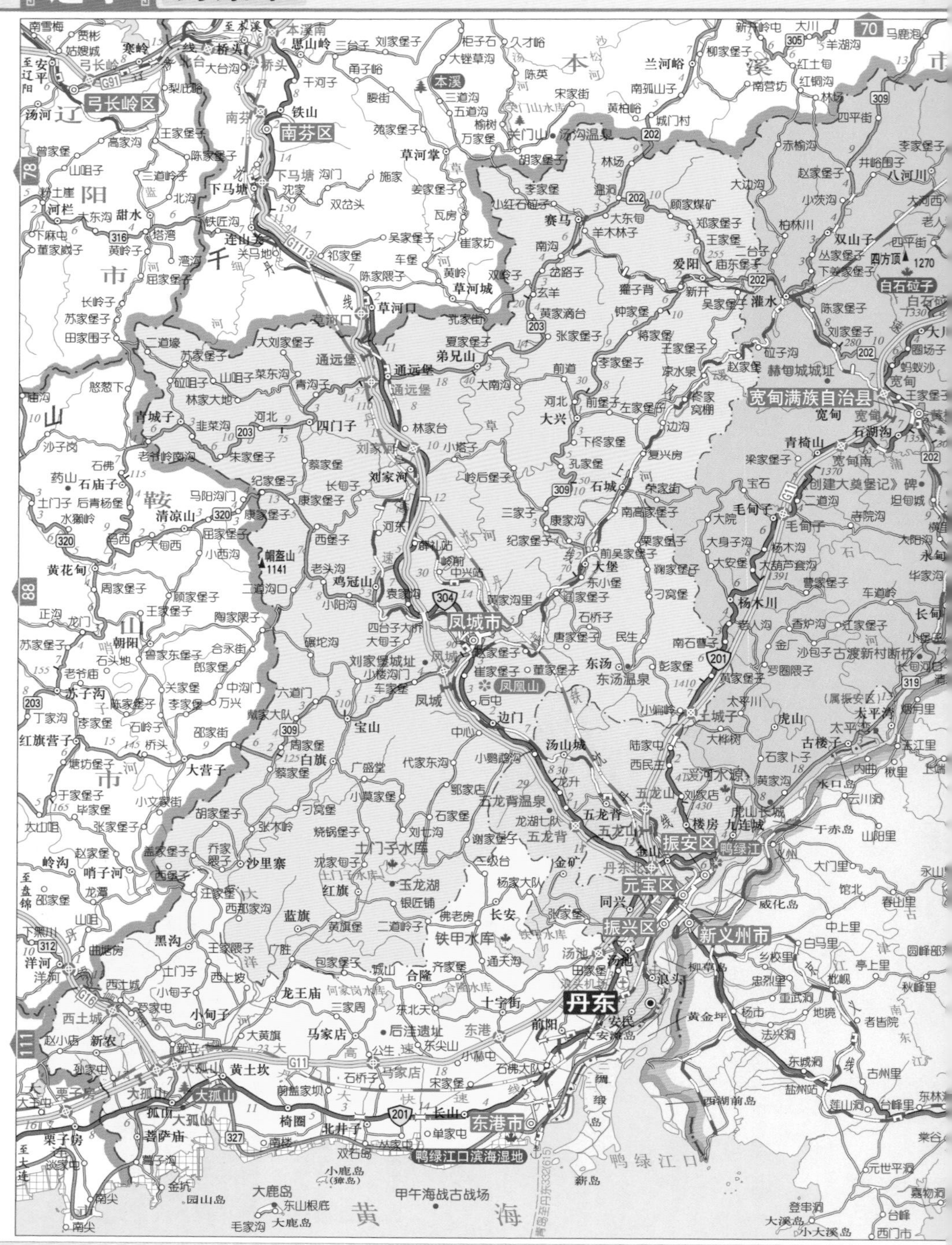

比例尺 1:910 000

9.1千米 0 9.1 18.2 27.3千米

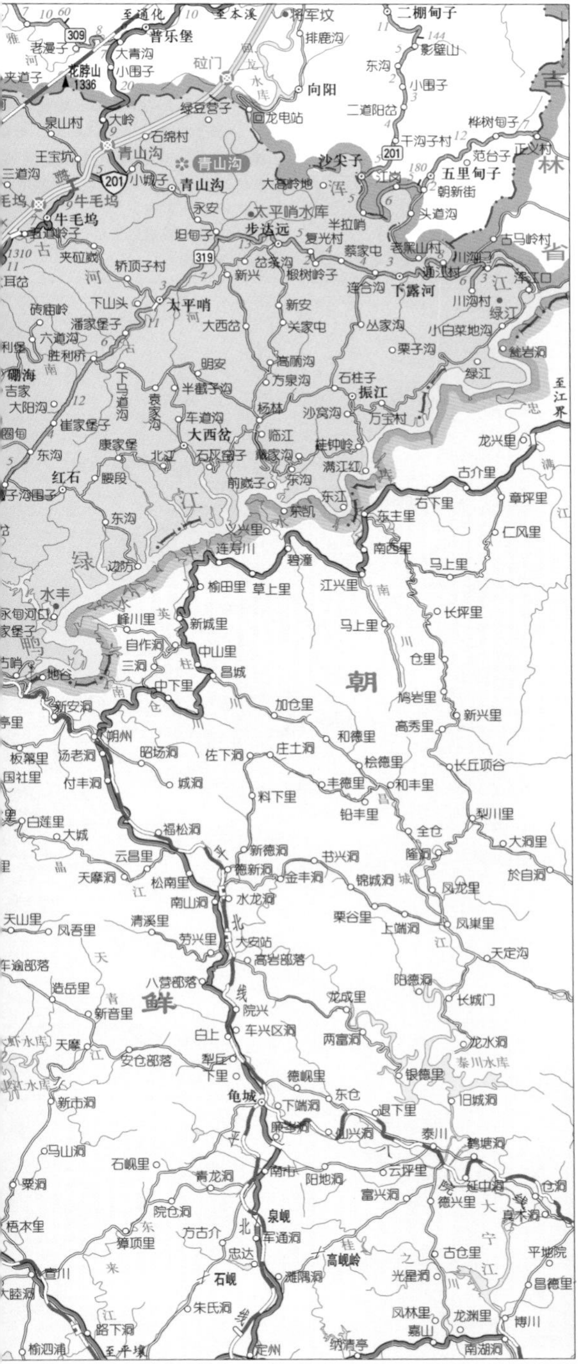

【地理位置】 东与朝鲜隔江相望，南临黄海，西界鞍山，西南与大连市毗邻，北与本溪市接壤。

【行政区划】 辖振兴、元宝、振安3区，凤城、东港2市和宽甸满族自治县。

【人口面积】 人口242万，面积15030平方千米。

【历史沿革】 西汉设西安平县、武茨县，唐总章元年置安东都护府，辽建宣州、开州、穆州和来远城，金属婆娑府路管辖，元时沿袭金制置婆娑府，明代隶属辽东都指挥使司。1876年清设立安东县，1937年成立安东市，1954年成为辽宁省省辖市，1965年安东市更名为丹东市，其含义是“红色东方之城”。

【气　　候】 属于湿润性暖温带季风型大陆气候，年平均气温6.5℃～8℃，1月平均气温-8℃～-13℃，7月平均气温22℃～23℃，全年平均降雨量900～1150毫米，无霜期140～170天。

【地　　形】 除东港沿海平原大部分属辽东山地丘陵外，其余为长白山脉或余脉的东南坡，地势由东北向西南逐渐降低。

【最高山峰】 花脖山，海拔1336米。

【主要河流】 鸭绿江、浑江、蒲石河、草河、瑷河。

【湖泊水库】 铁甲水库、水丰水库。

【交　　通】 丹大快速铁路、沈丹、丹前、丹宽铁路过境。其中沈丹铁路经丹东，跨越鸭绿江通往朝鲜。鹤大高速纵贯南北，与丹阜、丹锡高速相接。201、304国道交叉过境，202、203、319、309省道与县乡公路密集交织。丹东港拥有完善的配套设备，是客、货两用大港。浪头机场有通往全国主要大中城市的航班。

【风景名胜】 鸭绿江、凤凰山、青山沟风景名胜区，大鹿岛风景区，大孤山国家森林公园。

【自然保护区】 鸭绿江口滨海湿地、白石砬子国家级自然保护区。

【景点介绍】 **大鹿岛**　位于东港市孤山镇大鹿岛，距丹东市区75千米，为国家3A级旅游景区、大孤山省级风景名胜区的重要组成部分。景区环抱于黄海之中，气候温和湿润，绿化覆盖率达90%以上。风景区陆域面积6.6平方千米，由碧海万顷、银滩拾贝、海礁奇观、灯塔听海、休闲娱乐、芦苇湿地六大游览区共50多个自然、人文景点组成。

大鹿岛风光

丹东城区

抗美援朝纪念馆

【地理位置】 位于丹东市的东南部，辽东半岛经济开放区东南部鸭绿江与黄海的汇合处，处于东北亚经济圈的中心地带，东与朝鲜新义州市隔江相望。

【城市特色】 丹东市靠海临江，空气清新，风景绮丽，环境幽雅，银杏树成荫，杜鹃花满城，素有“北方江南”之美称，又是我国最大的边境城市。

【主要河流】 鸭绿江、大沙河。

【交　　通】 市内交通方便，有数十条公共汽车，还有长途客运汽车、旅游线车，丹东火车站有通往全国各地及鲜的旅客列车，浪头机场在城东14公处。丹阜、鹤大高速公路已建成通车

【经　　济】 丹东工业以轻工、纺丝绸、电子、机械等为主体，是我著名的柞蚕产地，柞丝绸生产基地和要的化纤生产基地。

【风景名胜】 鸭绿江大桥、锦江山公抗美援朝纪念馆。

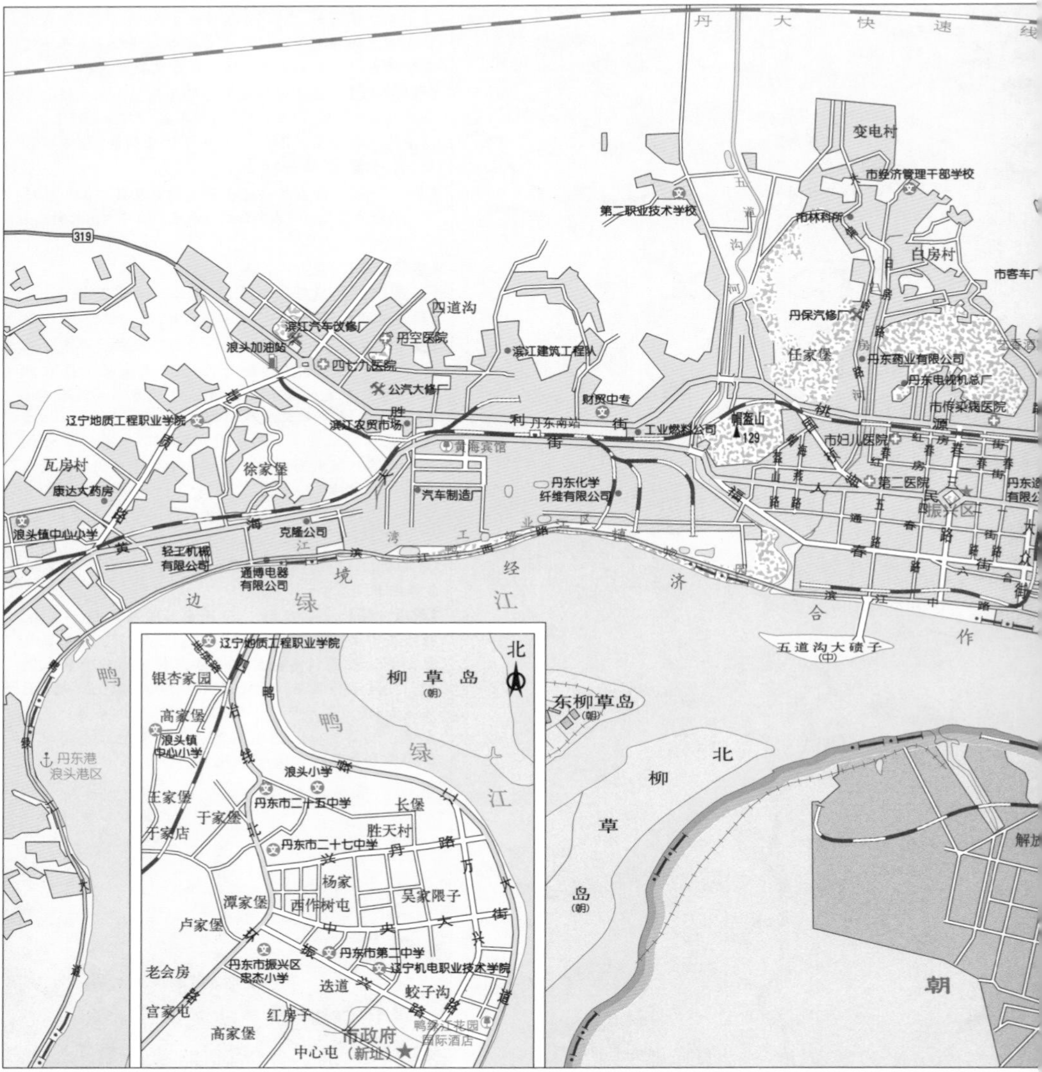

【土特产品】“丹东绿”大理石、草莓、柱参、文蛤、对虾等。

【景点介绍】**抗美援朝纪念馆**　位于锦江山西麓的英华山上，始建于1958年，扩建于1993年，是纪念抗美援朝战争而修建的一座现代化的纪念馆，为全国爱国主义教育基地之一。从英华山正面登上纪念馆会看到,每个大台阶宽10.25米，象征着志愿军1950年10月25日出国作战的日子,5个缓步台象征着朝鲜战场上5个重大战役,整个台阶由1014块阶石砌成,象征着志愿军战士在朝鲜战场上的1014个昼夜。53米高的纪念塔纪念着1953年的那场正义之战的胜利时间。馆区由纪念塔、陈列馆、全景画馆和志愿军总部地下指挥所等建筑和遗址组成。馆内展有大量珍贵实物及照片,利用现代科技手段建成的全景画馆,再现了“清川江畔围歼战”的壮烈战争场面。

锦江山公园　位于城区北面的锦江山中。整个公园依山势而建，园路蜿蜒，曲径通幽，葱郁秀美，恬静自然；园中亭台错落，绿树成荫，一年四季风景如画，是国内外广大游客来丹东必游之地，为东北八景之首。

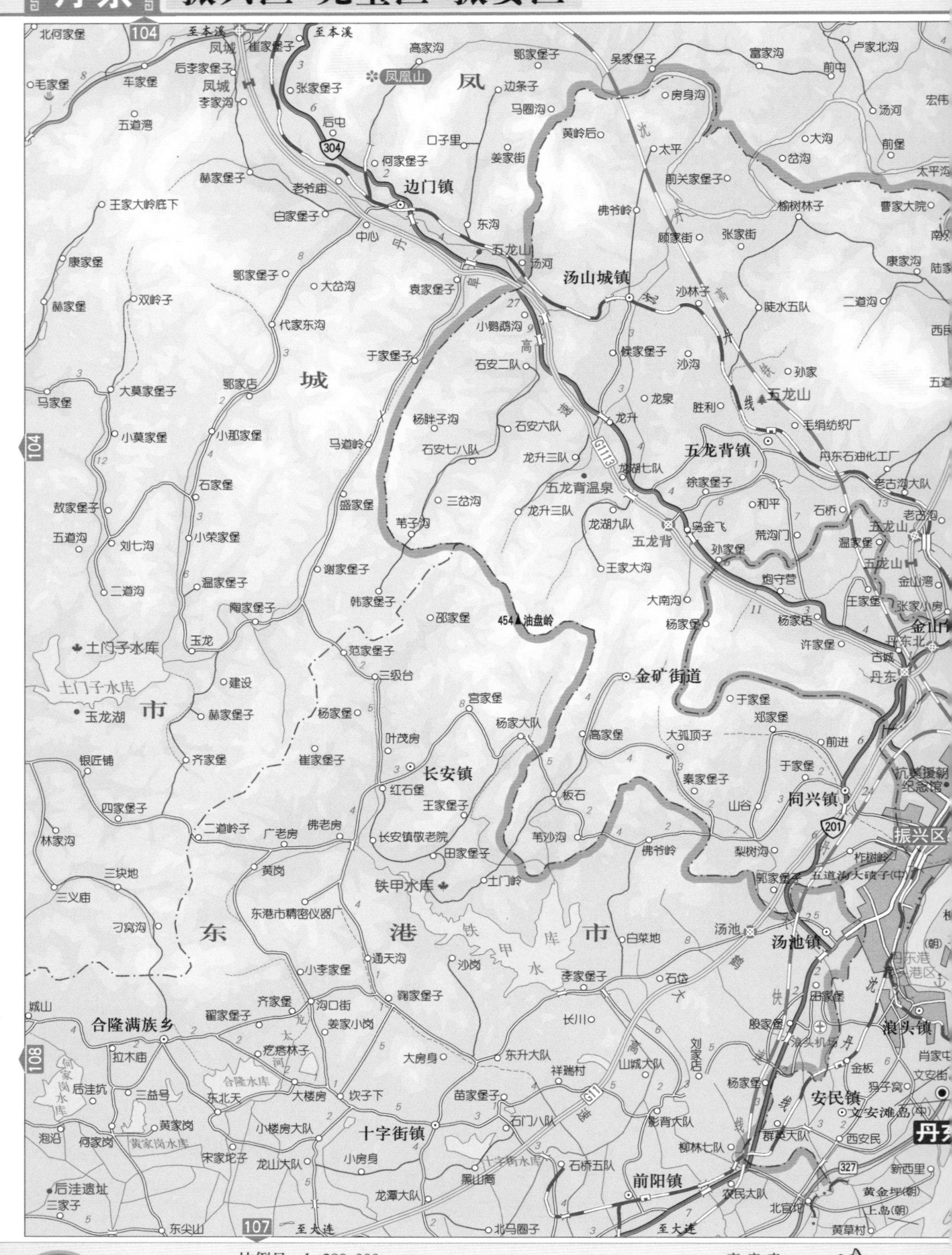

比例尺 1:280 000

2.8千米 0 2.8 5.6 8.4千米

高度表

0 50 100 200 300 400 500 600 800 1000 1200 1500米

丹东市辖区

【地理位置】 位于鸭绿江边，东与朝鲜新义州市隔江相望，西北面与凤城市接壤，西南临东港市，北依宽甸满族自治县。

【人口面积】 人口80万，面积830平方千米。

【地　　形】 地处鸭绿江边，为低山丘陵地貌。

【主要河流】 鸭绿江、叆河。

【交　　通】 沈丹高铁、丹大快速铁路过境，沈丹、丹大铁路城区接轨，沈丹铁路跨越鸭绿江通往朝鲜，丹阜、鹤大高速公路相连，201、304国道与319省道相会城区。鸭绿江口到浑江口航线上有丹东港和浪头港。浪头机场与国内主要大中城市通航。

【资　　源】 矿产资源有铅、锌、硼、煤、金、铁、高岭土、大理石、玉石等。其中硼矿石储量居全国之首。水资源得天独厚，境内有大小河流1000多条，水库54座。山林资源丰富，森林覆盖率53.9%。

【风景名胜】 鸭绿江风景名胜区、五龙背温泉、抗美援朝纪念馆、叆河尖古城、九连城。

【自然保护区】 叆河水源保护区。

【景点介绍】 **五龙背温泉** 位于市区西北郊。温泉四季喷涌，水质纯净，色泽淡绿，温度42℃～78℃。日出水总量约500千克，是一处疗养胜地。

鸭绿江风景名胜区 为国家级风景名胜区。山水相依，景色幽美，由水丰湖、太平湾、虎山、大桥、东港等5个景区100多个景点组成。鸭绿江是中朝两国的界河，发源于长白山南麓向南注入黄海，全长795千米。江上原有两座铁桥，一座于朝鲜战争中被美国飞机炸断，现辟为游览区和爱国主义教育基地。现存的一座属中朝两国共管的铁路、公路两用桥。

鸭绿江大桥

沈阳故宫 世界遗产　仙人洞 国家级自然保护区　服务区　里程起迄点
凤凰山 国家级风景名胜区　元帅林 国家级森林、地质公园　出入口　收费站

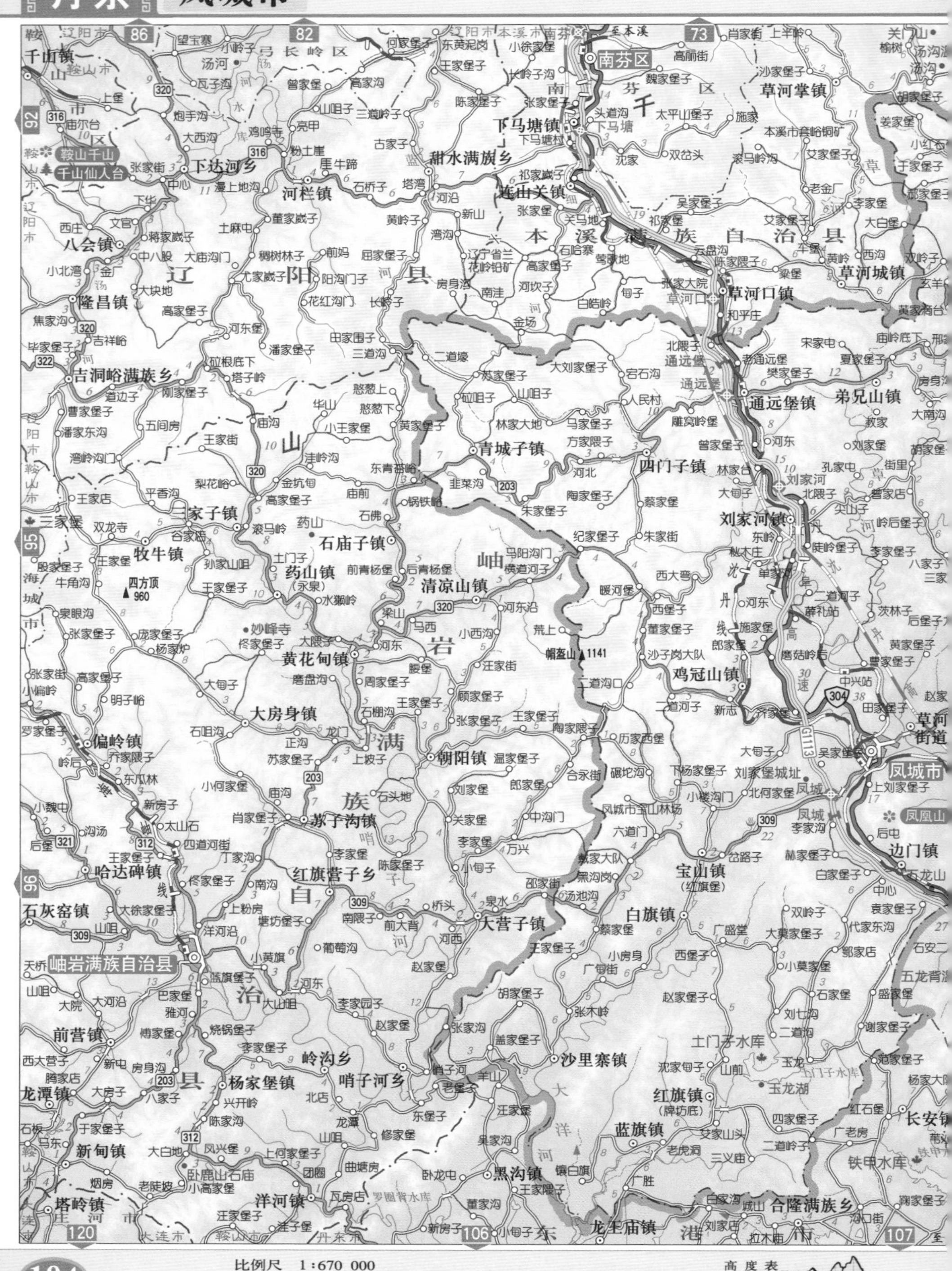

比例尺 1:670 000

6.7千米 0 6.7 13.4 20.1千米

高度表

0 50 100 200 300 400 500 600 800 1000 1200 1500米

【地理位置】 位于丹东市西北部，北依本溪市、辽阳市，东靠宽甸满族自治县，南接丹东市辖区、东港市，西邻鞍山市。

【人口面积】 人口58万，面积5518平方千米。

【地　　形】 地处辽东山地丘陵区，地势北高南低，西北多山地，南部多平原、谷地。

【最高山峰】 帽盔山，海拔1141米。

【主要河流】 草河、叆河。

【湖泊水库】 土门子水库。

【交　　通】 沈丹、凤上铁路相连，丹阜高速、304国道蜿蜒境内，鹤大高速，201国道在东南部过境，202、203、309省道与县乡公路连接成网。

【资　　源】 农业主要生产玉米、稻谷，兼产烟草、水果，盛产蚕茧。经济作物有人参、天麻、细辛、五味子、百合等药材，还是全省板栗、山楂、黄牛、绒山羊生产基地。矿藏有煤、铁、金、铅、锌、大理石、石灰石等，其中“丹东绿”大理石闻名国内外，黄金产量较大，有优质矿泉水和温泉。

【风景名胜】 玉龙湖、东汤温泉、凤凰山风景名胜区。

【自然保护区】 土门子水库流域保护区。

【土特产品】 天麻、蛤蚧、人参、烟叶。

【景点介绍】 **凤凰山风景名胜区** 位于凤城市区东南3千米处，东濒鸭绿江，与朝鲜隔江相望，为辽宁四大名山之一。属长白山余脉，最高峰海拔836.4米，面积216万平方米。凤凰山以“雄伟险峻、泉洞清幽、花木奇秀、怪石嶙峋、四时景异、趣味无穷”的自然之美而著称于世，是国家级风景名胜区。凤凰山景区分为西山、东山、庙沟和古城四大景区。山上现存古建筑以宫观庙宇为主。凤凰山有奇花异草及各种珍贵药材，有“天然植物园”的美誉。

凤凰山

东港市

大孤山

【地理位置】 位于丹东市西南部，北与凤城市、丹东市辖区相邻，西与鞍山市、大连市接壤，南临黄海，东依鸭绿江与朝鲜隔江相望。

【人口面积】 人口61万，面积2496平方千米。

【历史沿革】 1876年清廷析大东沟以东至瑷河地设置安东县。1937年设立安东市，从安东县中析出。1949年安东县属辽东省。1965年安东市更名为丹东市，安东县更名为东沟县。1993年6月撤销东沟县建立东港市，归丹东市辖至今。

【地　　形】 地处辽东半岛东翼丘陵地带，地形狭长，地势北高南低，北部为丘陵，中部为波状平原，南部为沿海滩涂。

【主要河流】 鸭绿江、大洋河。

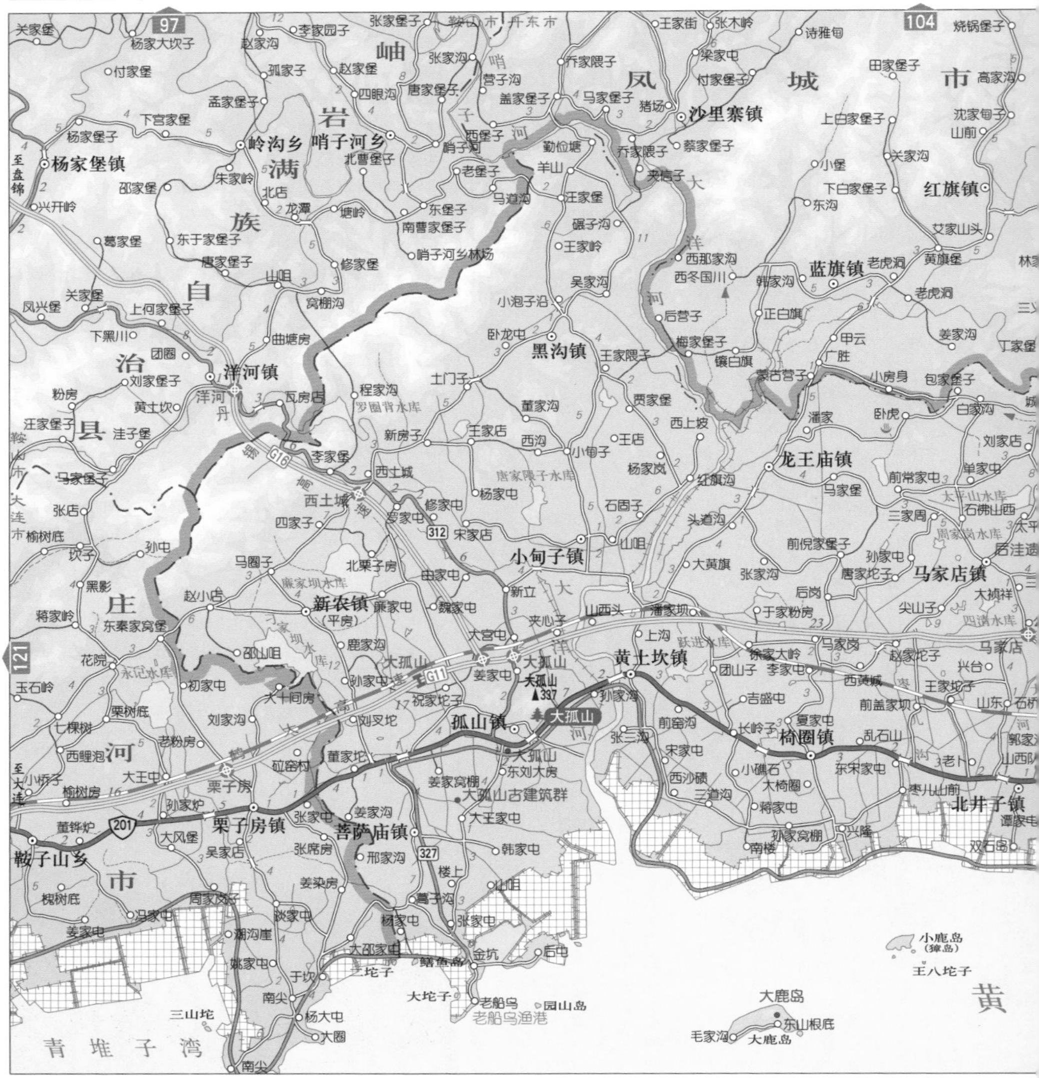

比例尺 1:380 000

3.8千米 0 3.8 7.6 11.4千米

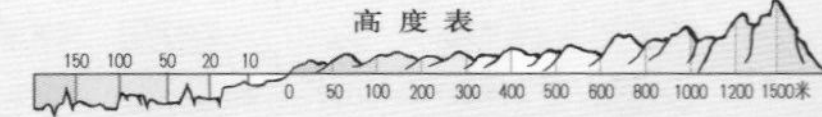

【湖泊水库】 铁甲水库、廉家坝水库。

【交　　通】 丹大快速铁路、沈丹铁路，鹤大、丹锡高速公路，201国道，312、327省道等道路穿过境内。丹东港的大东港区开设数十条航线。

【资　　源】 农业以产水稻为主，兼种玉米、大豆，淡水鱼产量居全国之首，对虾为主要出口创汇产品。矿藏资源有金、大理石、高岭土等。

【风景名胜】 大鹿岛风景区、大孤山国家森林公园。

【土特产品】 柞蚕、板栗、草莓、芦苇和孤山杏梅中外闻名。

【景点介绍】 **大孤山** 位于东港市西部孤山镇南，因山势峭拔突兀、孤峙海滨而得名，为国家3A级旅游景区、国家森林公园，是鸭绿江口滨海湿地国家级自然保护区和大孤山省级风景名胜区的组成部分。景区由大孤山古建筑群、小岛、大鹿岛风景区组成。古建筑群坐落于大孤山山腰，分山上、山下两部分，有殿宇楼阁，占地5000多平方米。孤山建筑始建于唐代，现存建筑多为清代所建。

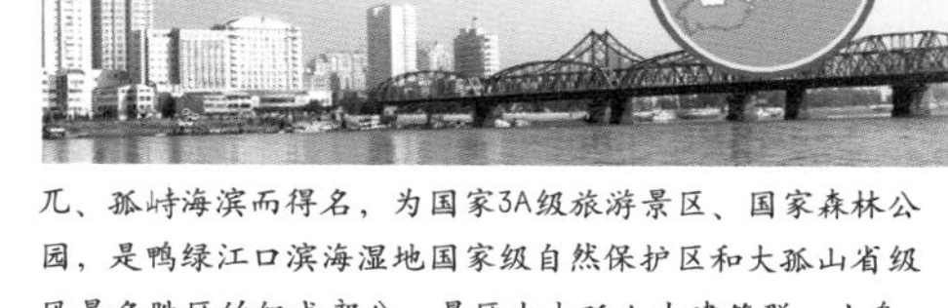

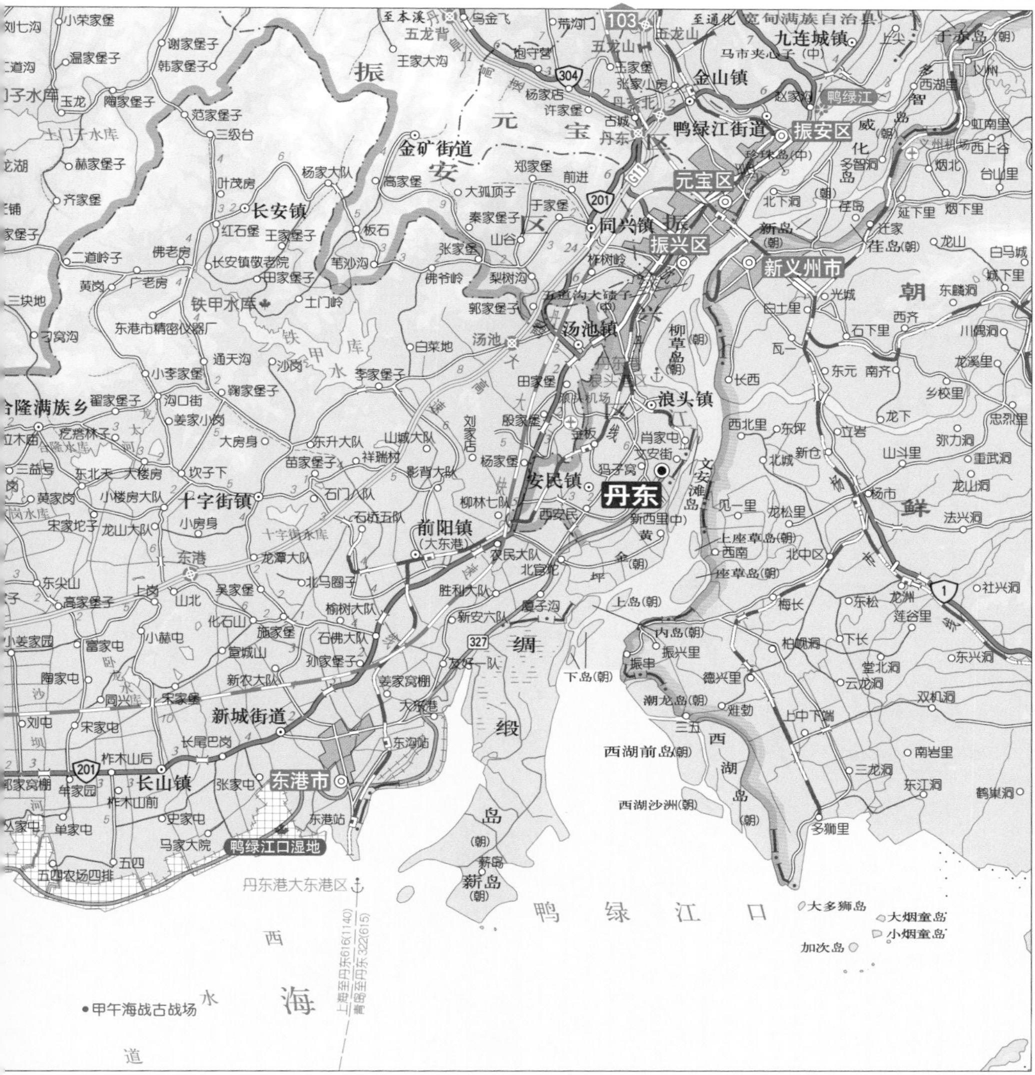

沈阳故宫 世界遗产　仙人洞 国家级自然保护区　服务区　里程起迄点

凤凰山 国家级风景名胜区　元帅林 国家级森林、地质公园　出入口　收费站

宽甸满族自治县

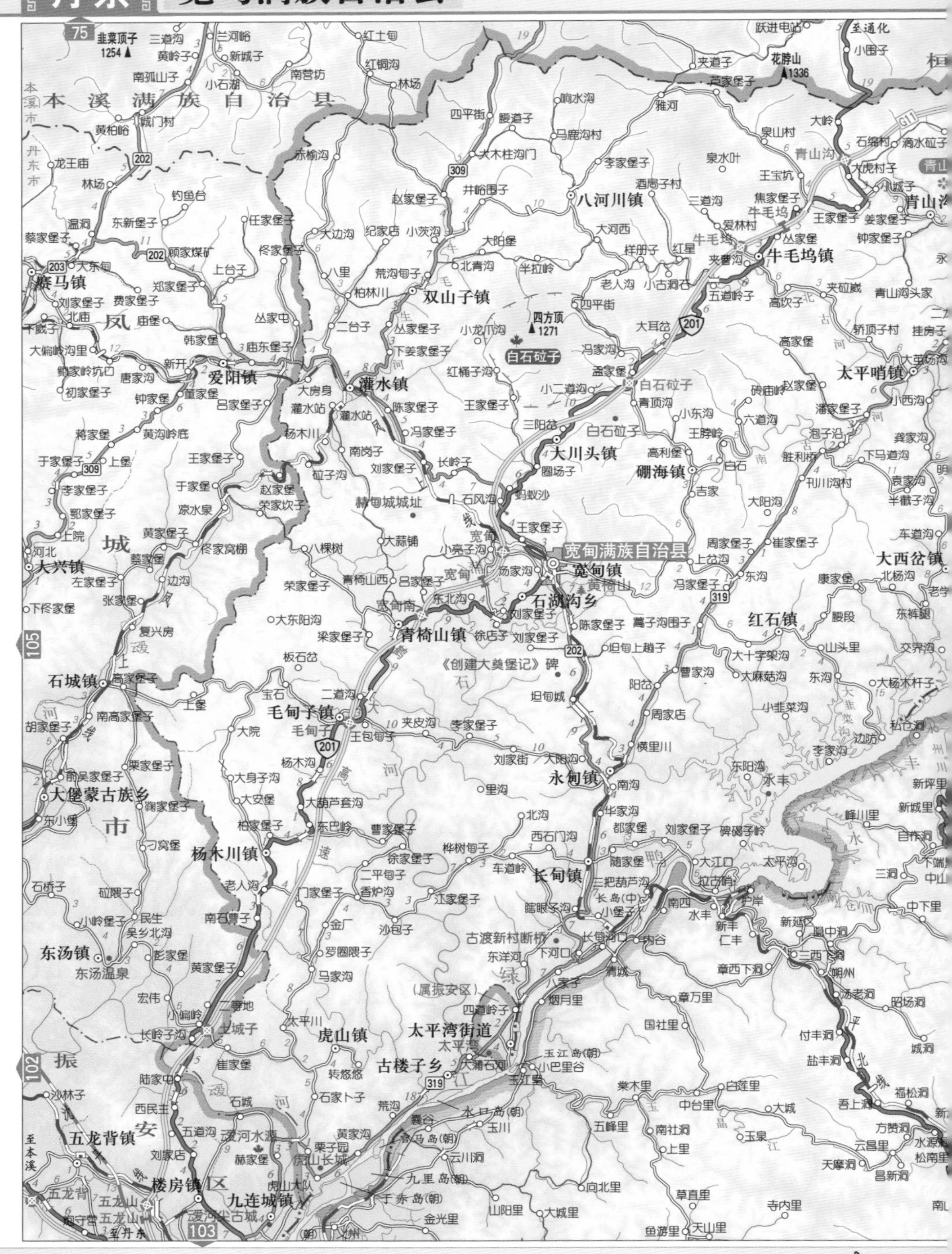

比例尺 1:600 000

6.0千米 0 6.0 12.0 18.0千米

高度表

0 50 100 200 300 400 500 600 800 1000 1200 1500米

【地理位置】 宽甸满族自治县位于丹东市东部，鸭绿江中下游，北接本溪市，西邻凤城市、振安区，东南依鸭绿江与朝鲜隔江相望。

【人口面积】 人口43万，面积6186平方千米。

【地　　形】 地处辽东山地丘陵区，间有大小不均的谷地和小平原，属长白山余脉，地势自西北向东南倾斜。

【最高山峰】 花脖山，海拔1336米。

【主要河流】 鸭绿江、浑江、蒲石河。

【湖泊水库】 太平哨水库。

【交　　通】 凤上铁路，鹤大高速，201国道和202、309、319省道穿越境内。鸭绿江可通航。

【资　　源】 农作物主要有玉米、大豆、水稻、谷子、烟叶和花生等。矿藏有硼、铁、铅、镁等，其中硼品位高，素有硼都之称。山间药材十分丰富，被称为“天然大药园”。

【风景名胜】 青山沟风景名胜区、水丰风景区、古渡新村断桥、太平湾风景区、虎山长城。

【自然保护区】 白石砬子国家级自然保护区。

【土特产品】 鸭绿江鲤鱼、黑木耳、柱参、板栗。

【景点介绍】 **青山沟风景名胜区** 位于县境北部山区，距宽甸县城70千米，距丹东市城区175千米。景区由青山湖、飞瀑涧、虎塘沟、中华满族风情园四大景区126个景点组成。景区面积149.8平方千米，其中水域面积23.3平方千米，有大小瀑布36条，由此构成了一幅天然美丽画卷。其中滴水砬子石壁横亘，断岩千尺，河流至此奔泻而下，瀑如匹练，故有“西有九寨沟，东有青山沟”之美誉。2002年5月，青山沟风景名胜区经国务院批准列入第四批国家级风景区名单。

青山沟

沈阳故宫 世界遗产　仙人洞 国家级自然保护区　服务区　里程起迄点
凤凰山 国家级风景名胜区　元帅林 国家级森林、地质公园　出入口　收费站

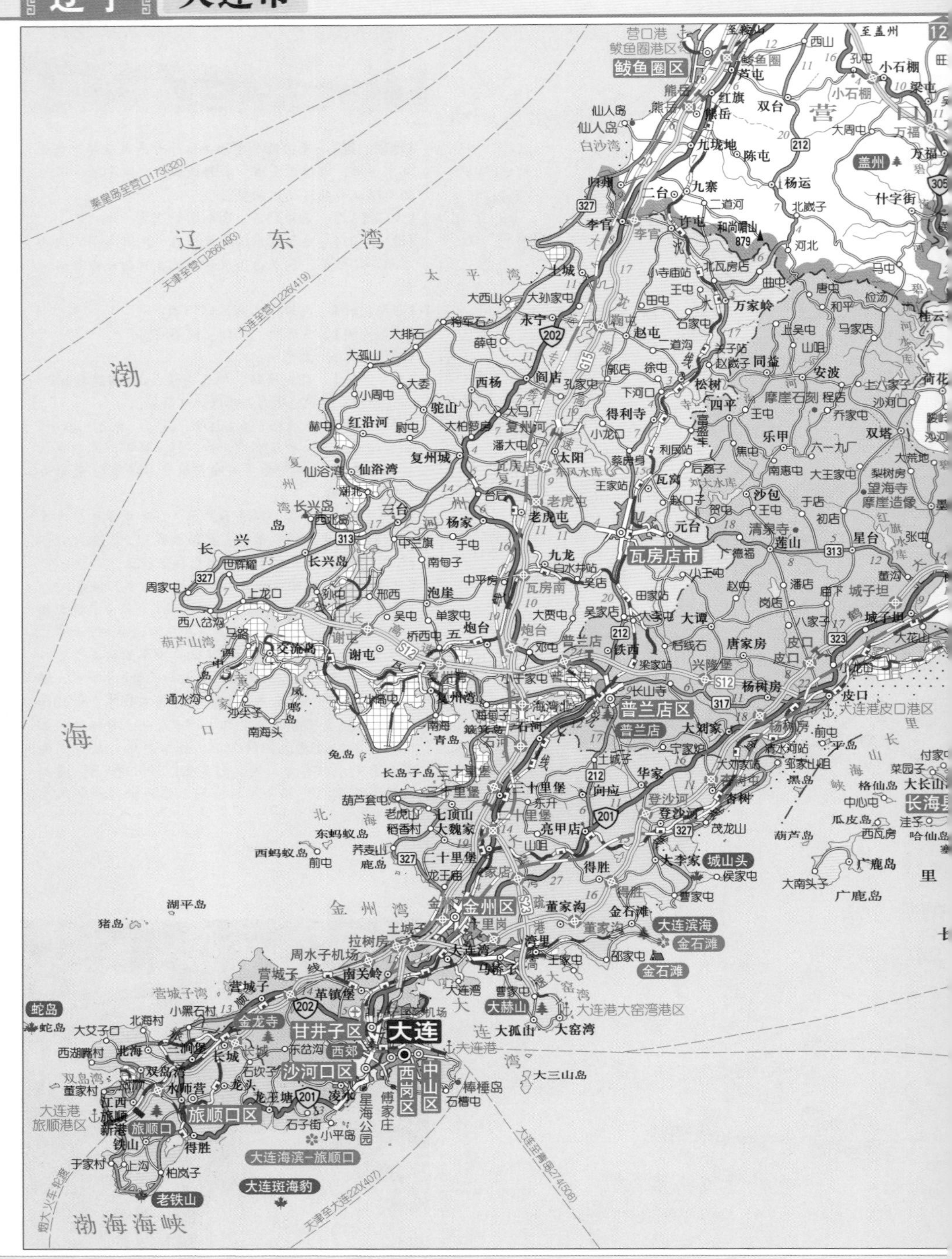

比例尺 1:1 000 000

【地理位置】 位于辽宁省南端，地处欧亚大陆东岸，辽东半岛最南端，东濒黄海，西临渤海，南与山东半岛隔海相望，北依辽阔的东北平原，是东北地区连通华北、华东以及世界各地的海上门户。

【行政区划】 辖西岗、中山、沙河口、甘井子、旅顺口、金州、普兰店7区，瓦房店、庄河2市和长海县。

【人口面积】 人口588万，面积13238平方千米。

【地　　形】 地势北高南低，三面环海。

【最高山峰】 步云山，海拔1131米。

【主要河流】 碧流河、英那河、庄河、复州河。

【湖泊水库】 碧流河水库、英那河水库、转角楼水库、朱家隈子水库。

【气　　候】 属于温带海洋性季风气候，年平均气温8℃～10℃之间，1月平均气温-4.5℃～-8℃，7月平均气温22℃～24℃。年平均降水量为600～800毫米，无霜期165～220天。

【交　　通】 哈大客运专线、丹大快速铁路的终点，沈大铁路与东北、华北铁路网相连；有沈海、鹤大、庄盖、皮长高速公路和201、202、305国道及省道；拥有周水子国际机场及大型国际港口——大连港。

【风景名胜】 大连海滨-旅顺口、金石滩风景名胜区，旅顺口、金龙寺、大连西郊、普兰店、长山群岛、仙人洞、银石滩、天门山国家森林公园，大连滨海、大连冰峪沟国家地质公园，城山头、蛇岛-老铁山、仙人洞、大连斑海豹国家级自然保护区，海洋珍稀生物自然保护区。

【景点介绍】 **金石滩** 位于大连市金州区东部，有一片奇特的海蚀地貌，沙滩广阔，晶莹细软，鹅卵石美如翡翠，闪闪发光，故得名金石滩。沿着绵延30多千米的海岸线，可以看到岩石在岁月的雕琢之后，似人物，似鸟兽，千姿百态，鬼斧神工。岩石景区分为玫瑰园、南秀园、龙宫奇景和鳌滩。玫瑰园景区是由百余块紫红色海礁岩组成的海滨石林，岩石上的海藻化石花纹千奇百怪。南秀园的岩石造型如苏州园林般精巧细致。进入龙宫景区犹如进入梦幻般的龙宫，扑朔迷离。在鳌滩景区，著名的"龟裂石"，五彩斑斓，晶莹剔透，酷似龟背，堪称大自然一绝。

金石滩

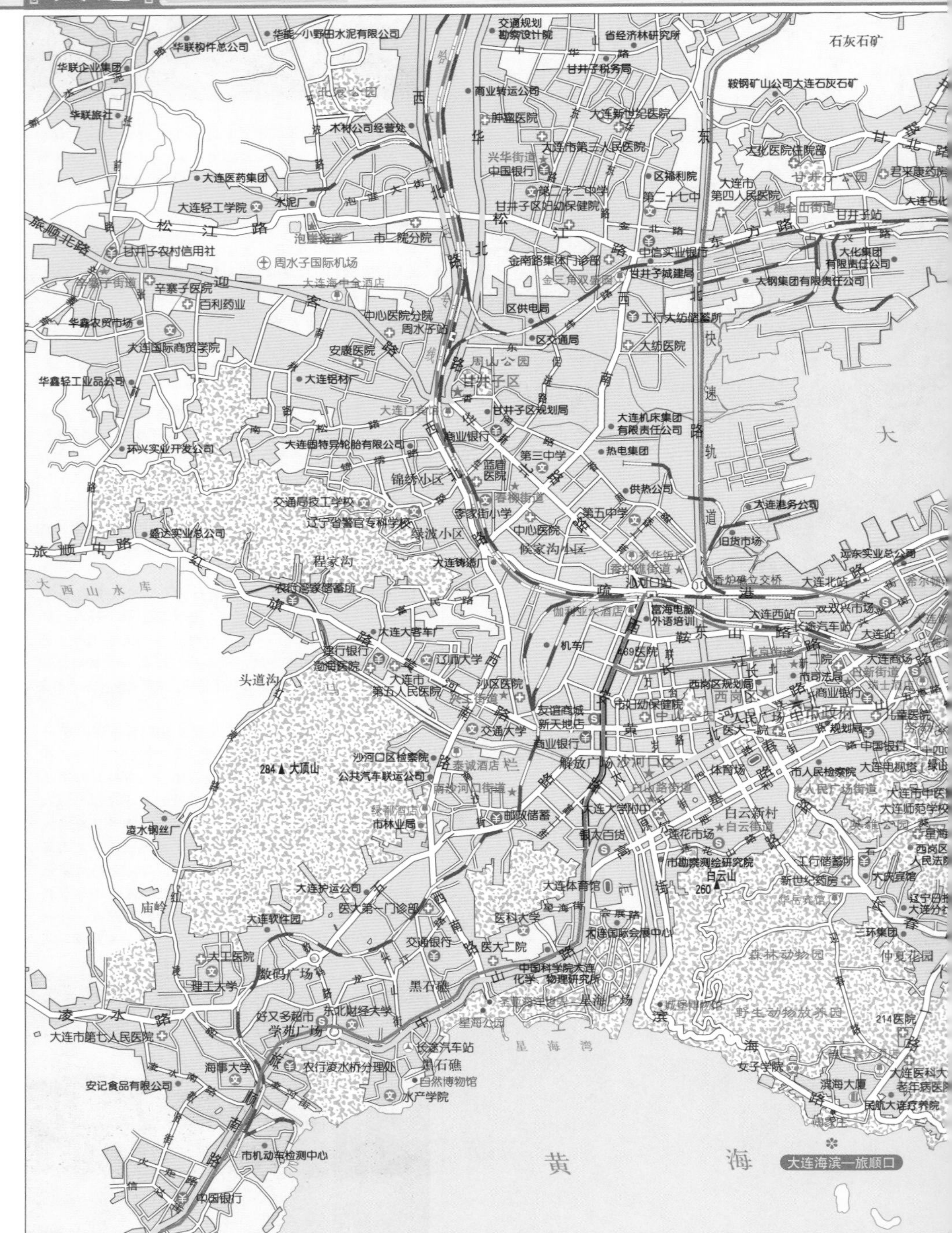

【地理位置】 大连城区地处辽东半岛南端，三面环海，一面临山，是一座山青水秀的国际型沿海开放城市。

【城市特色】 大连是我国重要的外贸口岸和海港城市、旅游胜地和国防要地，是东北地区经济中心之一，辽宁省第二大城市。大连依山傍海，交通便利，是东北的窗口，京津的门户，是中国最优良的港口，素有“足球城”，“时装城”和“田径之乡”的美誉。

【地　　形】 地势北高南低，三面环海。

【最高山峰】 大顶山，海拔284米。

【交　　通】 市内交通方便，有公共汽车路线50多条，还有轻轨、无轨电车、快轨火车，小公共汽车及长途客运汽车。大连火车站有通往全国各地的旅客列车，大连港每天有出港客轮。

【风景名胜】 老虎滩海洋公园、大连海滨－旅顺口风景名胜区、星海公园、东海公园，大连森林动物园、棒棰岛、圣亚海洋世界、城堡博物馆等。

【土特产品】 贝雕制品、海珍品、苹果。

【景点介绍】 **星海公园** 是大连市内年代最久远的海滨公园,旧称“星个浦公园”。公园沿岸有棋乐亭、望海亭、海岸亭等景点,观海胜地——东小山有一“探海洞”。海水浴场长800多米，沙滩松软平坦，海水清澈，被称为“消暑乐园”。园内海边设游船码头，有大型豪华游船和快艇，提供海上看大连风光的服务。

东海公园 由滨海路北段的山海共同组成。现代的海之韵广场、原始的丛林、路边的野槐树、巨幅的海岸岩壁、神奇的“怪坡”、曲折的“十八盘”，还有沿路两侧幽默精巧、匠心独具的雕塑小品，皆令人过目难忘，久久回味。

圣亚海洋世界 国家4A级旅游景区。位于沙河口区中山路，是一座情景式主题乐园，有集海洋景观与科普文化于一身的各种主题旅游项目。圣亚海洋世界彩线穿珠般地串起了鲨鱼岩洞、旅行者号潜水器、联合号海底工作站、舞鲨地带、海底城市（海底通道）、鲨鱼岛、白鲨、哈瓦那大道、梦幻海豚湾等一系列精彩景区。

东海公园

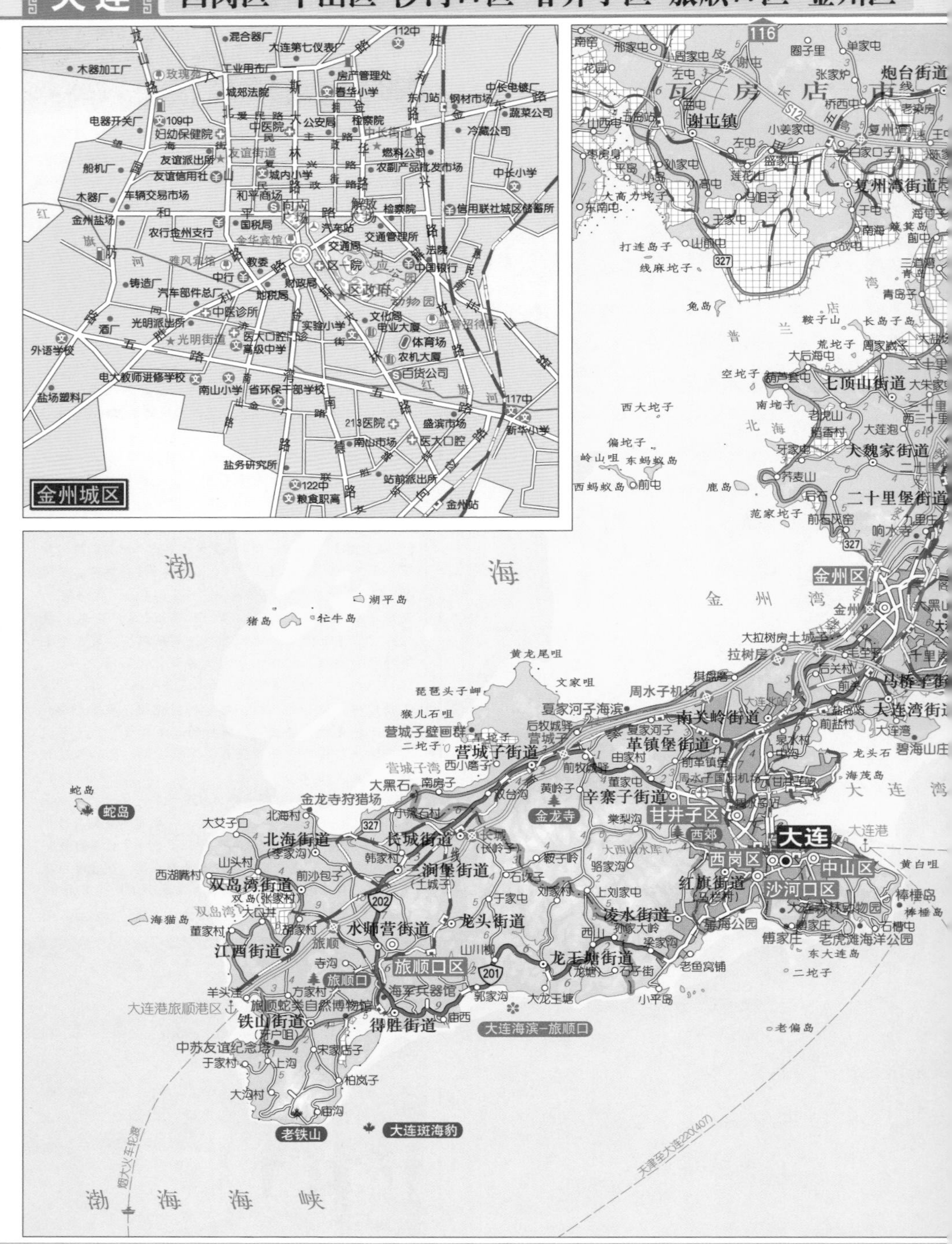

比例尺 1:530 000

5.3千米 0 5.3 10.6 15.9千米

高度表

150 100 50 20 10 0 50 100 200 300 400 500 600 800 1000 1200 1500米

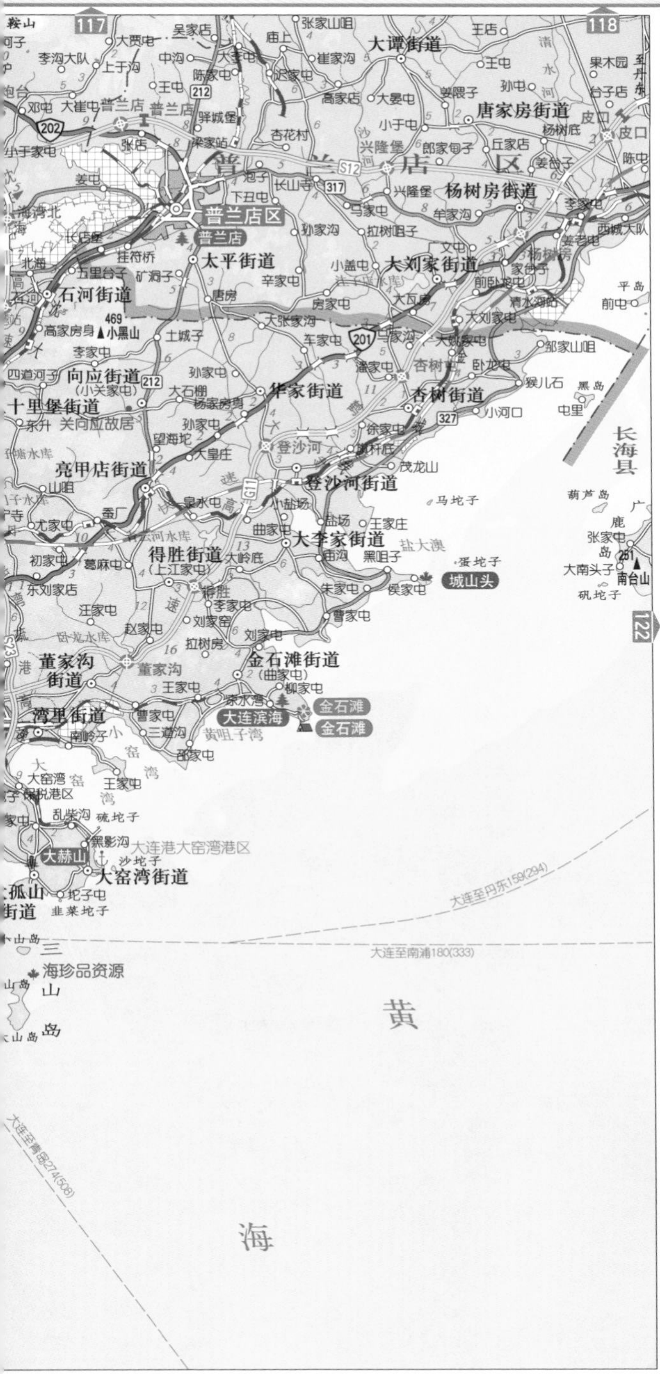

大连市辖区

【地理位置】 位于大连市西南部。东濒黄海，西临渤海，南隔渤海海峡与山东省相望，北与普兰店区交界。包括西岗区、中山区、沙河口区、甘井子区、旅顺口区、金州区6区。

【人口面积】 人口297万，面积2505平方千米。

【地　　形】 地势北高南低，三面环海。

【最高山峰】 大和尚山，海拔663米。

【湖泊水库】 大西山水库、青云河水库、卧龙水库、鸽子塘水库、石门子水库、洼子店水库。

【交　　通】 哈大客运专线、丹大快速铁路的终点。有沈大、旅顺铁路与东北、华北铁路网相连，201、202国道贯穿境内，有沈海、鹤大、大窑湾疏港高速公路及滨海大道，拥有周水子国际机场及大连港。

【资　　源】 农业主产玉米、水稻、花生和苹果。水产品有鱼近百种，还有海参、对虾、螃蟹、海蜇、藻类等。

【经　　济】 大连工业发达，已形成了以造船、机械、冶金、石油、化工、纺织、服装、电子、食品等门类的工业体系，尤其是服装远销50多个国家和地区，为国内服装名城。

【风景名胜】 大连海滨－旅顺口、金石滩风景名胜区、棒棰岛风景区，老虎滩海洋公园、旅顺口、西郊、大赫山、金龙寺国家森林公园，滨海国家地质公园，星海公园、大黑山景区。蛇岛－老铁山、大连斑海豹、城山头国家级自然保护区，海珍品资源自然保护区。

【景点介绍】 老虎滩海洋公园　位于大连南部海滨，以虎雕广场、极地馆、海兽馆闻名。在极地馆，游客可与北极熊、企鹅、极地白鲸和海象等动物为伴，欣赏它们精彩绝伦的演出。全馆共引进极地海洋动物11大类、153头(只)，其中多种是第一次登陆中国，来自南极和北极的“客人”们在这里做了邻居，真是“天涯若比邻”。此外还有3000多尾海洋鱼，游人置身360度的水下通道中，鱼儿好像伸手可及。

老虎滩海洋公园

沈阳故宫 世界遗产　仙人洞 国家级自然保护区　服务区　里程起迄点
凤凰山 国家级风景名胜区　元帅林 国家级森林、地质公园　出入口　收费站

比例尺 1:500 000

5.0千米 0 5.0 10.0 15.0千米

高度表

150 100 50 20 10 0 50 100 200 300 400 500 600 800 1000 1200 1500米

【地理位置】 地处辽东半岛中西部，东南与普兰店区相连，西濒渤海，北接营口市。

【人口面积】 人口100万，面积3791平方千米。

【地　　形】 地处辽东山地西缘近海地带，地势东北高、西南低，东北多低山丘陵，为千山余脉，西部沿海低平，海滩宽广，多海湾和岛屿。

【最高山峰】 高丽城，海拔741米。

【主要河流】 复州河、岚崮河。

【湖泊水库】 莲花泡水库、东风水库、八一水库。

【交　　通】 沈大、田五铁路接轨。哈大客运专线、沈海高速、202国道、212省道纵贯南北。皮长高速、滨海大道过境。

【资　　源】 农业以种植玉米、果树为主，还有水稻、大豆、花生、谷子、白薯和柞蚕等。尤以苹果闻名遐迩，品种之多，产量之高，味道之美，均居全国县区之首，素称“苹果之乡”。矿产有花岗岩、大理石、凝灰岩、粘土质页岩，海卵石、金刚石、金、银、铁、锡、铅、锌、粘土、煤、磷、陶土等，其中金刚石的储量居全国首位。工业有冶金、石油、化工、机械、纺织、食品、缝纫、皮革、造纸、建材等。

【风景名胜】 仙浴湾旅游度假区、永丰塔、龙潭山、龙王庙海滨度假区、长兴岛。

【景点介绍】 **龙潭山** 位于瓦房店市北得利寺镇。龙潭山巨石嶙峋、气势雄伟，自古是屯兵安寨之处，现仍保留山城一座。山中的龙王庙和庙前龙潭都有许多神奇动人的传说，如今龙潭犹存，四周青山绿树，景色幽美。

仙浴湾与长兴岛 位于瓦房店市西北渤海湾内。这里海面辽阔，细软的沙滩犹如金色的地毯，是大连著名浴场之一。由于这里海水清澈，滩地平整，特别适合大规模人群进行海水浴，已经建成的海上浴场服务设施和各种旅游景点星罗棋布，丰富多彩的海鲜品给海滨活动增加无穷乐趣。

复州城 位于瓦房店市复州城镇。为明代古城，虽然城墙已大部分无存，但城内外仍保留许多古迹，如横山书院，它是辽南历史上最大的书院，为繁荣辽南的文化曾经起过重要作用。城郊的永丰塔，是一座具有特色的辽代砖塔，“永丰夕照”为复州八景之一。

复州城

沈阳故宫 世界遗产　仙人洞 国家级自然保护区　服务区　里程起迄点
凤凰山 国家级风景名胜区　元帅林 国家级森林、地质公园　出入口　收费站

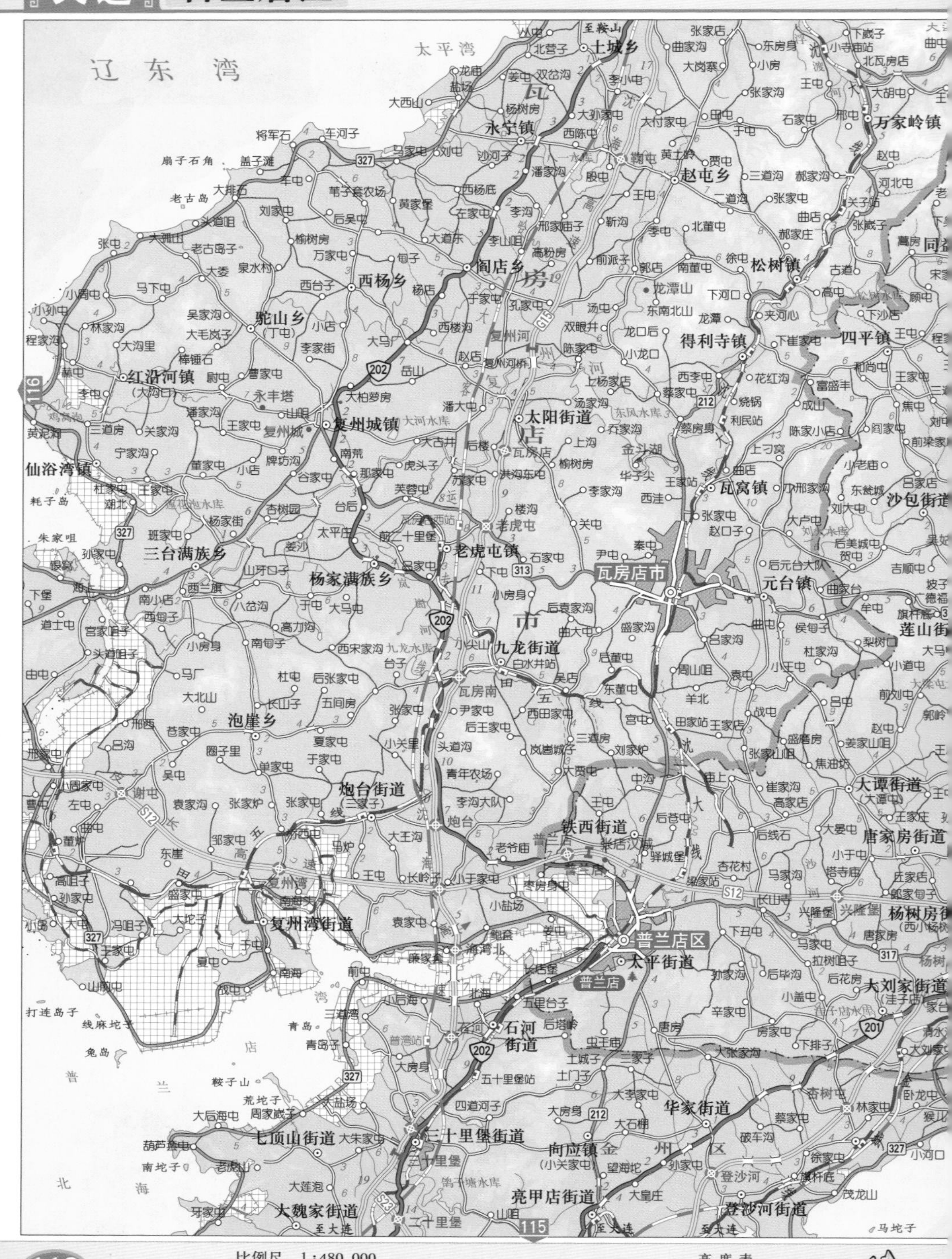

比例尺 1:480 000

4.8千米 0 4.8 9.6 14.4千米

高度表

150 100 50 20 10 0 50 100 200 300 400 500 600 800 1000 1200 1500米

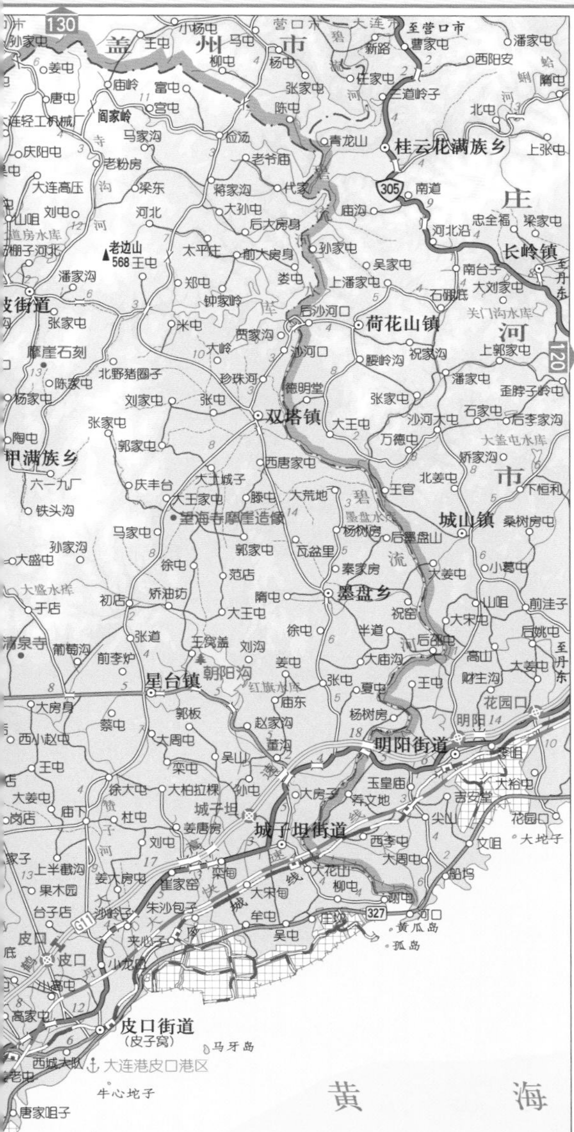

【地理位置】 位于辽东半岛中部，东南邻长海县，东连庄河市，南接金州区，西与瓦房店市相连，北邻营口市。

【人口面积】 人口93万，面积2923平方千米。

【地　　形】 地处辽东半岛低山丘陵地带，千山余脉横穿全境，地势北高南低，西高东低。

【最高山峰】 老边山，海拔568米。

【主要河流】 碧流河、沙河、清水河。

【湖泊水库】 碧流河水库、刘大水库。

【交　　通】 哈大客运专线、丹大快速铁路、沈大、金城铁路贯穿境内，201、202国道过境，皮长高速与沈海、鹤大高速相交。滨海大道蜿蜒海岸。

【资　　源】 农业主产玉米、稻谷、豆类、花生兼产肉、蛋、禽、水果、水产品。国光苹果和大虾是本市名产。金属矿藏有铁、硫化铁、铜、铅、铝、铀、金等；非金属矿有磷、萤石、重晶石、大理石等。还有优质的矿泉水和温泉。

【风景名胜】 吴姑城旅游风景区、环城森林公园、望海寺摩崖造像、清泉寺、张店汉城、普兰店国家森林公园。

【景点介绍】 **张店汉城** 位于普兰店城区以北张店村。城呈长方形，南北长500米，东西长300米。出土了汉代封泥、瓦当、铜印、货币及汉代马蹄金等数百件文物。

吴姑城 在大连市内的普兰店区属星台镇内有一石砌山城，人称吴姑城，城内有饮马湾、点将台等遗迹，并流传着许多动人的传说故事。城下有一保存完好的古刹—清泉寺。

清泉寺又被称作吴姑城庙。千年古刹清泉寺，建于唐贞观年间，庙宇坐西朝东，依山坡之势逐层递高，形成三升三降式的六座大殿，前后落差70米，建筑面积1700平方米，坐落于诸峰环抱之中。清泉寺历尽沧桑，多次增建和修缮，现在寺院保持完好，墙上壁画绘制精美，山水意境深邃，人物栩栩如生。享有“辽南第一寺”的盛誉，被列为大连重点文物保护单位，是著名的游览胜地。

吴姑城

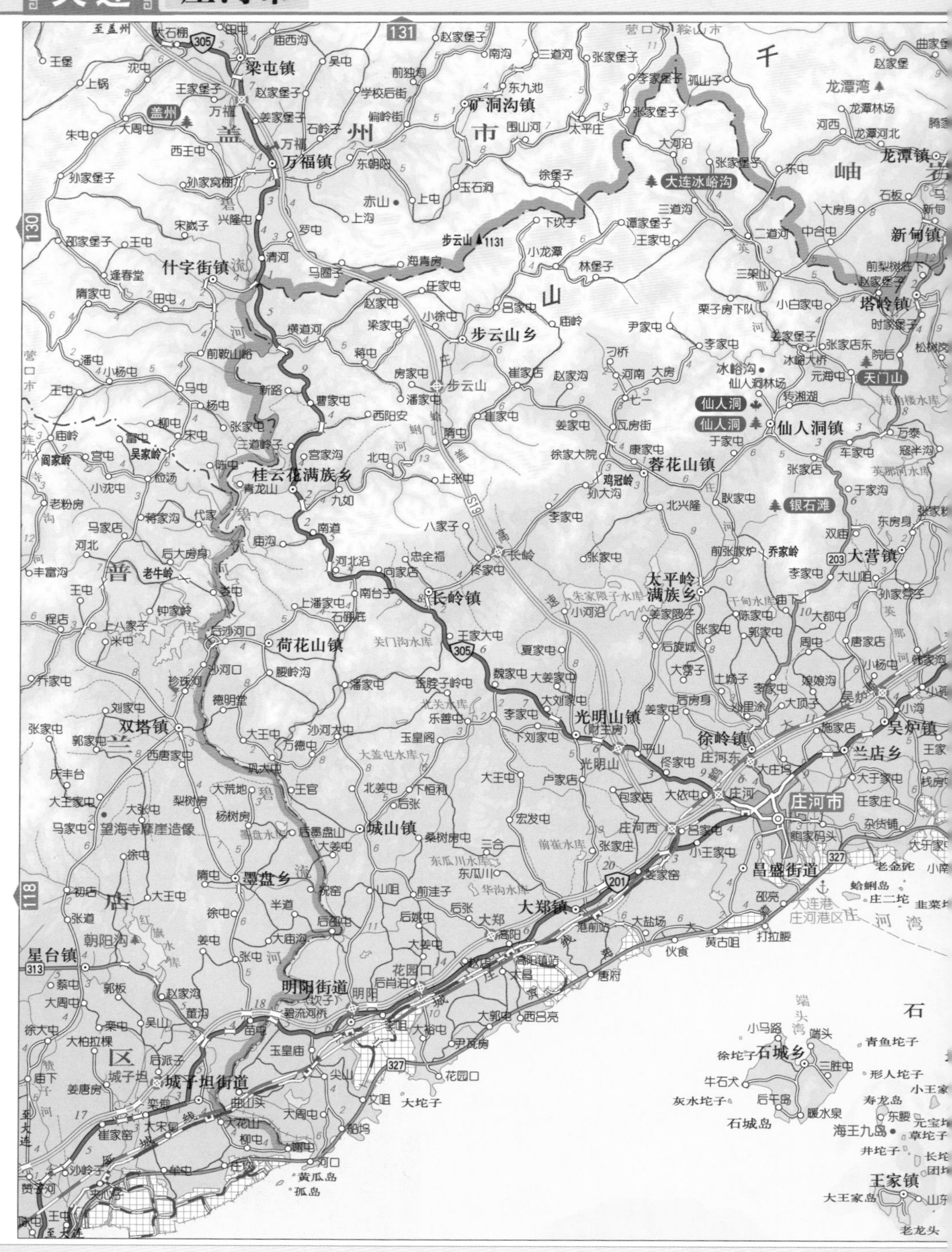

比例尺 1:490 000

高度表

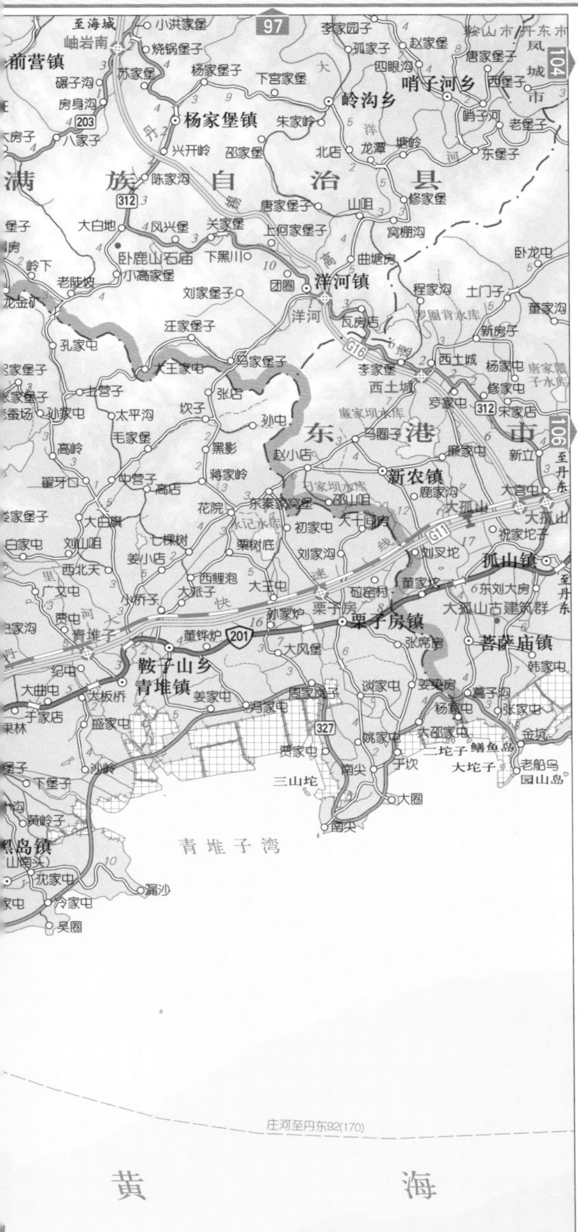

【地理位置】 位于辽东半岛东侧南部，大连市东北部，为大连市所辖北三市之一。东与丹东市接壤，西以碧流河与普兰店区为邻，北依群山与营口市、鞍山市相连，南濒黄海与长海县隔海相望。

【人口面积】 人口91万，面积3900平方千米。

【地　　形】 庄河市为低山丘陵区，属千山山脉南延部分，地势由南向北逐次升高。

【最高山峰】 步云山，海拔1131米。

【主要河流】 碧流河、英那河、庄河、湖里河、蛤蜊河。

【湖泊水库】 英那河水库、朱家隈子水库、转角楼水库。

【交　　通】 为城庄铁路终点，丹大快速铁路和201国道、鹤大高速平行过境，高速、国道与庄盖高速、305国道相接。滨海大道蜿蜒海岸。

【资　　源】 农业主产玉米、稻谷、豆类、蔬菜等，兼产禽、蛋、鱼。盛产优质苹果。地下矿产丰富，有硅石、金、铜、铅、铁等。

【风景名胜】 海洋乐园海滨渡假村，大连冰峪国家地质公园，仙人洞、天门山、银石滩国家森林公园，仙人洞国家级自然保护区。

【土特产品】 绒山羊、大骨鸡和柞蚕。

【景点介绍】 冰峪沟 位于庄河市城北40余千米的仙人洞镇一带。规划游览区面积为48平方千米，保护区面积为63平方千米。全区分为3个景区：凌云峰、英纳河、小峪河。

整个风景区山石奇秀、风光旖旎、景色万千。龙华山天台峰有自然石窟，俗称仙人洞，建有寺庙，并布有古树和龙泉井，环境幽静，充满神奇。

冰峪沟风景名胜区不仅山水奇秀，而且还是动植物繁盛的天地：百年古林、北方罕见的山花野卉多姿多彩。几年来这里修桥筑路，营建服务设施，每年都有许多海内外客人来此观光游览，冰峪沟景色被誉为“东北的桂林风光”。是以自然山水为主景的山岳型景区。

冰峪沟

沈阳故宫 世界遗产　仙人洞 国家级自然保护区　服务区　里程起迄点
凤凰山 国家级风景名胜区　元帅林 国家级森林、地质公园　出入口　收费站

【地理位置】 位于辽东半岛东南，黄海北部海域外长山群岛上，是东北地区唯一海岛县、全国唯一海岛边境县。

【人口面积】 人口7万，面积119平方千米。

【历史沿革】 1949年析金县长山列岛区置长山县。1953年以群岛深处大海之中，并取长山群岛首字命今名。

【地　　形】 县境由大小112个岛坨礁组成。岛上多山地丘陵，海岸曲折。东部和南部的海洋岛、獐子岛山势挺拔，崖壁峭立，海拔在百米以上。北部诸岛沿海一带比较低缓平坦，散布有小块平地。

【最高山峰】 哭娘顶，海拔368米。

【交　　通】 以大长山四块石港为中心的各岛间海上航线已形成联网，另有航线可达大连、丹东、天津、青岛、烟台、石岛、威海、连云港、广州及日本的长崎、福冈等。

【资　　源】 长海县坐落在我国的海洋岛渔场之中，有514万……海况条件良好的沿岸水域，各种鱼类、贝类、藻类等水生生物资源十分丰富。尤以盛产刺参、皱纹盘鲍、栉孔扇贝、对虾等海品而名扬海内外。

【经　　济】 工业以造船、修船、水产品加工、渔具加工业为主，有我国著名的北方渔场—海洋岛鱼场，极具渔业生产和发海洋产业优势。

【风景名胜】 长山群岛国家森林公园、长山群岛风景名胜区。

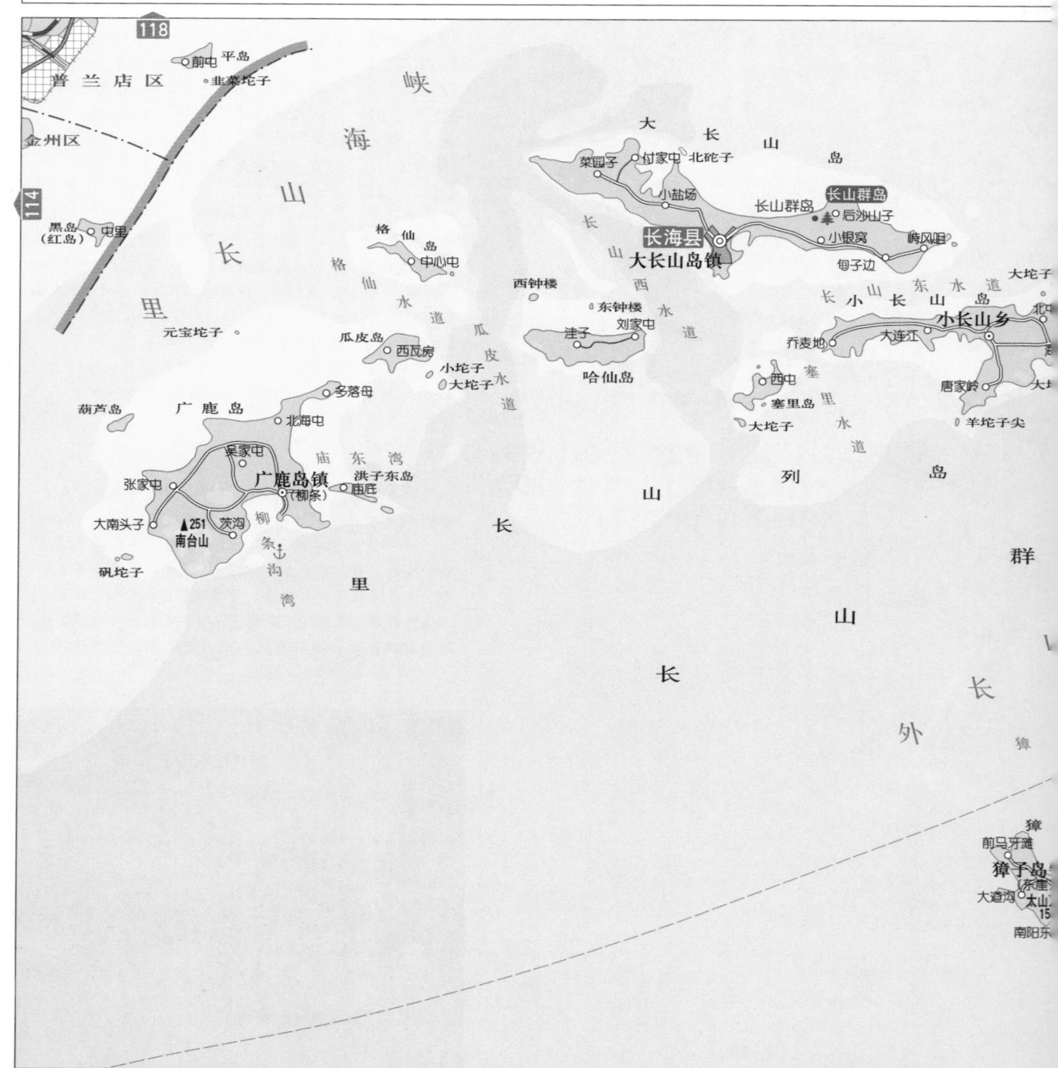

然保护区】 海洋珍稀生物自然保护区。

特产品】 鲍鱼、刺参、扇贝等海珍品，对虾、鲐鱼、鲨鱼、六线密鳞牡蛎、香螺等海产。

点介绍】 **长山群岛** 位于黄海北部。由112个礁岛组成，是我八大群岛之一。礁岛林立，峦峪起伏，林木茂盛，环境优美，候宜人，由于受海洋影响，具有明显的海洋性气候特征，是理的避暑之地。秀丽的岬角，曲折的海湾，奇异的礁石，金子的沙滩，海蚀地貌，仪态万千，构成了一幅异彩纷呈的海岛光；石城岛上的“海上山林”，王家岛的“黑白石”，小长山“狮子石”，大长山的“万年古帆”等60处自然景物及“海上日出”，“龙兵过海”，“珠子拜年”等奇观，为其他地区所未见。同时，这里有悠久的历史文化和众多的文物古迹；各种丰富的水产资源，素有“天然鱼仓”之美称。每年夏天这里游人如云，热闹非凡，是避暑、旅游、疗养的绝佳去处。

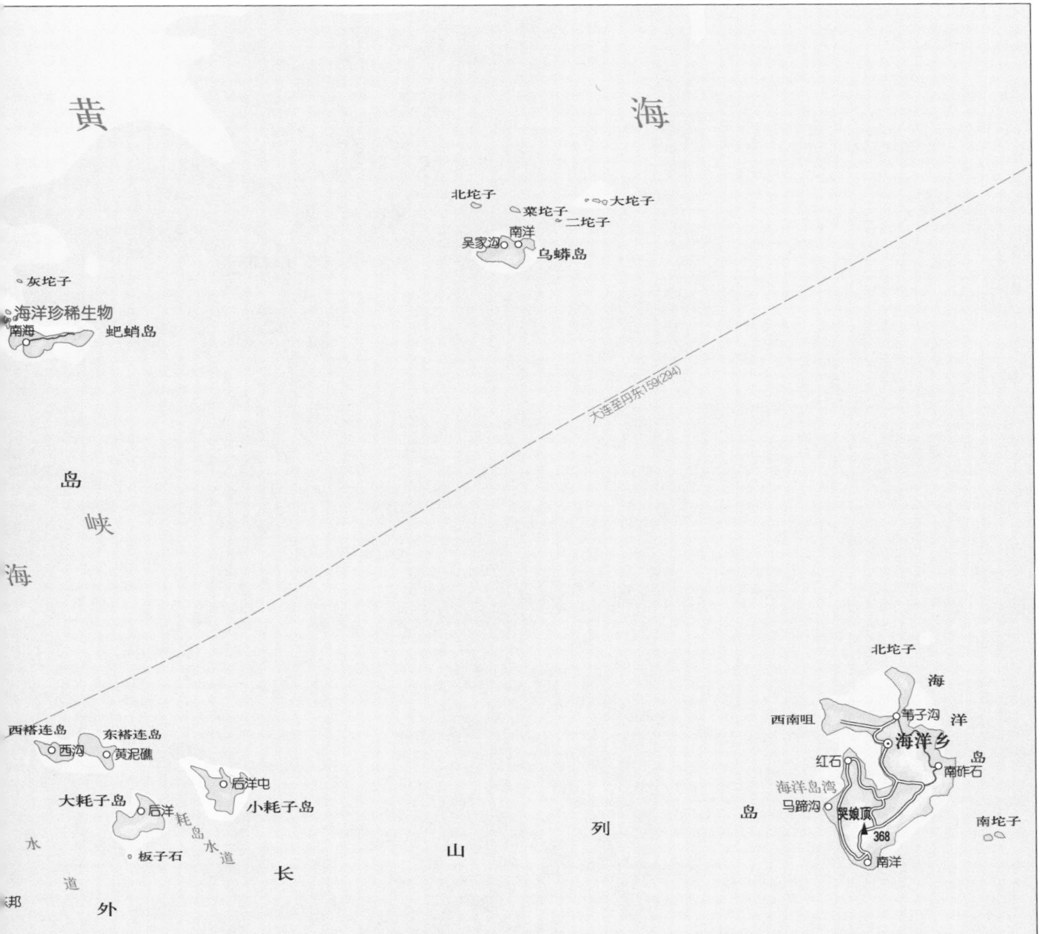

黄 海

北坨子 大坨子 菜坨子 二坨子 南洋 吴家沟 乌蟒岛

灰坨子 海洋珍稀生物 南海 蚆蛸岛

大连至丹东159(294)

岛 峡 海

北坨子 海 西南咀 笋子沟 洋 海洋乡 岛 红石 南砟石 海洋岛湾 马蹄沟 哭娘顶 368 南洋 南坨子

西褡连岛 西沟 东褡连岛 黄泥礁 后洋屯 大耗子岛 后洋 小耗子岛 耗岛水道 板子石 水道 外 长山列岛

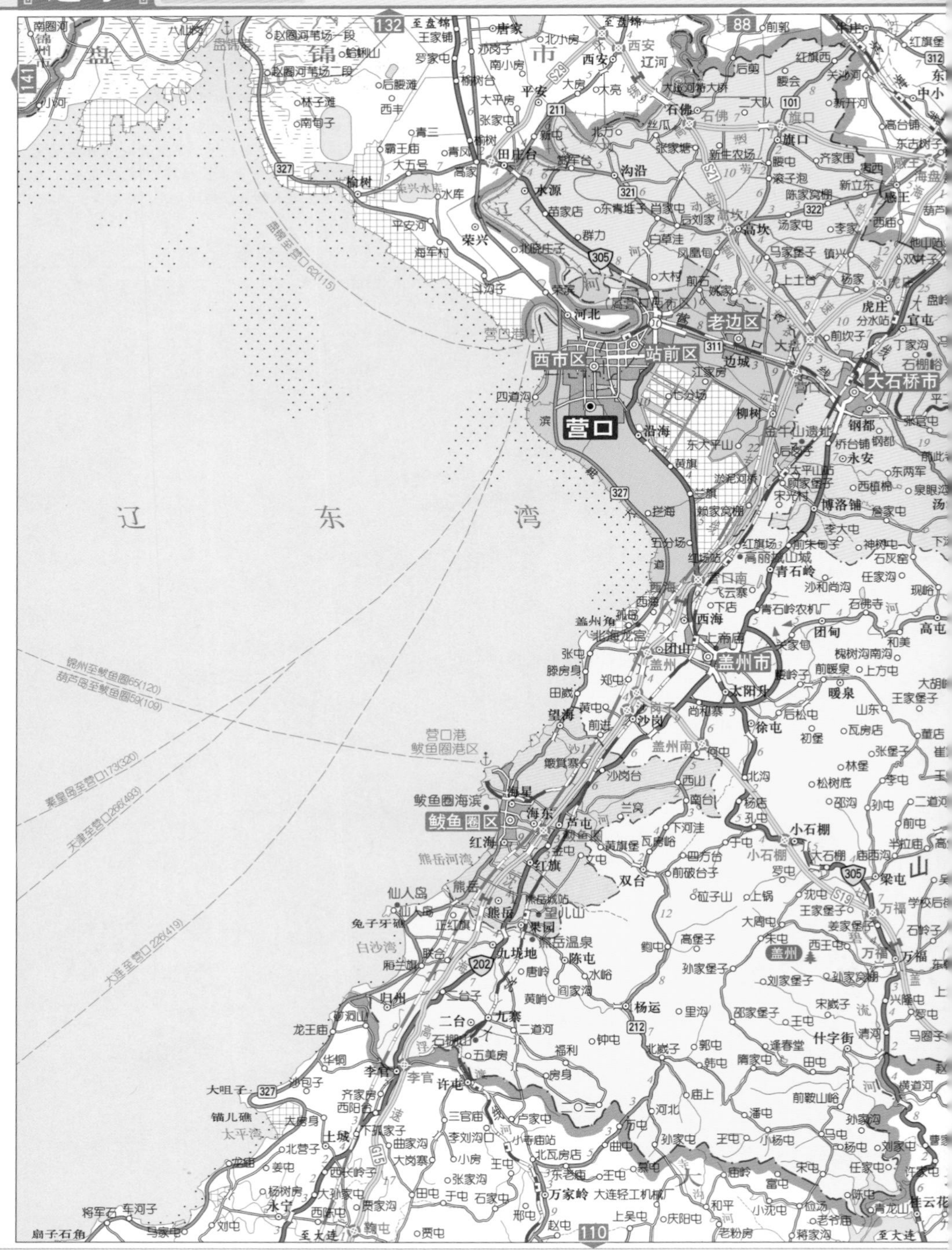

比例尺 1:640 000

6.4千米 0 6.4 12.8 19.2千米

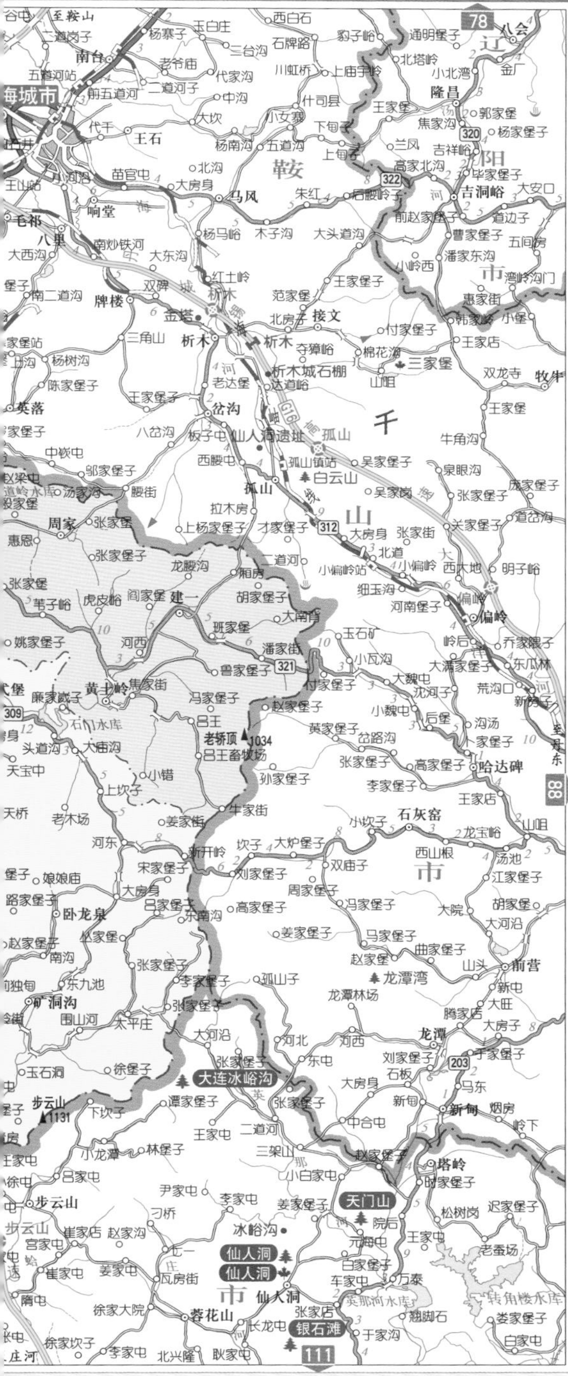

【地理位置】 位于辽宁省中部、辽东半岛西北部，西与锦州市、葫芦岛市隔海相望，北与盘锦市为邻，东与鞍山市接壤，南与大连市相连。

【行政区划】 辖站前、西市、鲅鱼圈、老边4区和大石桥、盖州2市。

【人口面积】 人口236万，面积4970平方千米。

【历史沿革】 营口是我国东北地区开埠最早的口岸城市。元代就是东北地区与关内沿海地区物资通惠的商埠。1861年被辟为通商口岸，1864年营口港正式对外通航，成为东北地区唯一的对外开放门户。1909年设营口直隶厅，之后逐渐发展为辽宁重要的海港城市。

【地　　形】 地势东高西低。东南部为千山山脉，中部为丘陵，西北部为辽河冲积平原和滨海平原。

【最高山峰】 步云山，海拔1131米。

【主要河流】 大辽河、大清河、碧流河。

【湖泊水库】 石门水库、三道岭水库。

【气　　候】 属于温带大陆性季风气候，年平均气温在8.5℃～11℃之间，1月平均气温-8.5℃～-11℃，7月平均气温24℃～25℃；年平均降雨量650～700毫米，无霜期165天。

【交　　通】 有哈大客运专线、沈大、营口铁路和沈海、丹锡、庄盖、盘营高速公路、202、305国道、滨海大道及101、212、309、321、322省道。营口港为我国的枢纽港之一。

【资　　源】 矿产资源丰富，以铁为主，大理石、白云岩、金、银、铜、铅均有开采，菱镁矿的储量约9亿吨，是世界四大菱镁矿之一。滑石矿的储量居全国之首。

【风景名胜】 赤山风景区、望儿山风景区、金牛山遗址、楞严禅寺、鲅鱼圈海滨、盖州国家森林公园。

【自然保护区】 仙人洞国家级自然保护区。

【土特产品】 辽东湾的海蛰、对虾、盖州苹果。

【景点介绍】 **金牛山遗址** 位于大石桥市永安乡西田屯村西侧，是东北地区发现最早的旧石器时代遗址，是国家级文物保护单位。从已发掘出的剑齿虎、肿骨鹿、大河狸等古生物群化石分析，这个洞穴主要堆积的时代为距今20～60万年间。洞内已发现烧灰、烧骨、打制石器等古人类活动遗迹。尤其是1984年10月在第六层发现一具猿人化石，共55块，包括完整的头骨、脊椎骨、肋骨、手脚趾骨、尺骨、髋骨等，其完整程度为世界人类学发现史上所罕见，此发现被评为1984年世界十大科技进展项目之一。

金牛山

沈阳故宫 世界遗产　仙人洞 国家级自然保护区　服务区　里程起迄点
凤凰山 国家级风景名胜区　元帅林 国家级森林、地质公园　出入口　收费站

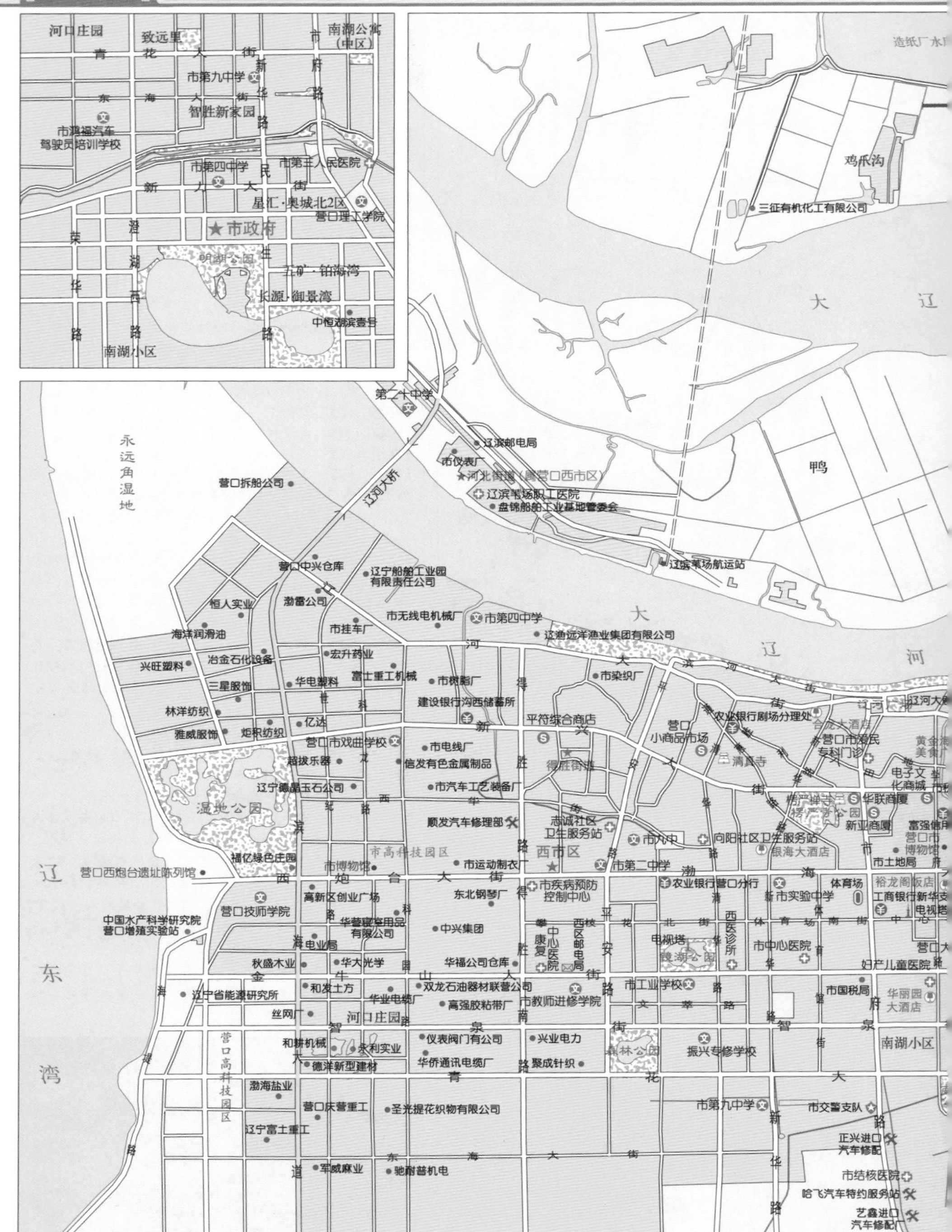
河口庄园
致远里
南湖公寓(中区)
市第九中学
智胜新家园
市鸿福汽车驾驶员培训学校
市第四中学
市第三人民医院
星汇·奥城北2区
营口理工学院
市政府
明湖公园
五矿·铂海湾
长源·御景湾
中恒湖滨壹号
南湖小区
造纸厂水库
鸡爪沟
三征有机化工有限公司
大辽河
鸭
第二十中学
辽滨邮电局
市仪表厂
河北街道(属营口西市区)
辽滨苇场职工医院
盘锦船舶工业基地管委会
辽滨苇场航运站
永远角湿地
营口拆船公司
辽河大桥
营口中兴仓库
辽宁船舶工业园有限责任公司
恒人实业
渤雷公司
市无线电机械厂
市第四中学
市挂车厂
这渔远洋渔业集团有限公司
海洋润滑油
宏升药业
兴旺塑料
冶金石化设备
富士重工机械
市树脂厂
市染织厂
三星服饰
华电塑料
建设银行沟西储蓄所
林洋纺织
亿达
平符综合商店
营口小商品市场
农业银行剧场分理处
合龙大酒店
营口市残民专科门诊
雅威服饰
炬积纺织
营口市戏曲学校
市电线厂
超拔乐器
信发有色金属制品
得胜街道
清真寺
电子文化商城
辽宁德晶玉石公司
市汽车工艺装备厂
湿地公园
楞严禅寺公园
华联商厦
顺发汽车修理部
志诚社区卫生服务站
市九中
向阳社区卫生服务站
新亚商厦
富强信用
福亿绿色庄园
市高科技园区
西市区
银海大酒店
营口市博物馆
营口西炮台遗址陈列馆
市博物馆
市运动制衣厂
市第二中学
市土地局
营口技师学院
高新区创业广场
市疾病预防控制中心
农业银行营口分行
体育场
新市实验中学
裕龙阁饭店
工商银行新华支
东北钢琴厂
中国水产科学研究院营口增殖实验站
华荟寝室用品有限公司
中兴集团
中心医院
康复医院
西校邮电局
电视塔
镜湖公园
西医诊所
市中心医院
电视塔
市电业局
秋盛木业
华大光学
华福公司仓库
妇产儿童医院
辽宁省能源研究所
和发工方
双龙石油器材联营公司
市工业学校
市国税局
华丽园大酒店
华业电缆厂
高强胶粘带厂
市教师进修学院
丝网厂
河口庄园
营口高科技园区
和耕机械
永利实业
仪表阀门有限公司
兴业电力
森林公园
振兴专修学校
南湖小区
德洋新型建材
华侨通讯电缆厂
聚成针织
渤海盐业
营口庆营重工
圣光提花织物有限公司
市第九中学
市交警支队
辽宁富士重工
正兴进口汽车修配
军威麻业
驰耐普机电
市结核医院
哈飞汽车特约服务站
艺鑫进口汽车修配
辽东湾
大辽河
辽河大街
新兴大街
平安大街
西炮台大街
渤海大街
体育场南街
北街
文萃路
智泉街
青花大街
东海大街
新华路
市府路
胜利路
西贸路
滨海路
金牛山大街
渤海大街
科研路
海电路
东海街
青花街
民主大街
新立大街
荣华路
澄湖西路
市府路

劳动河
虎庄河
305
辽河造纸厂
市殡仪馆
纸品实业公司
造纸医院
北展街
新兴街道
宾朋大酒店
出口包装制品厂
幼儿师范学校
营口制桶厂
工商银行黎明储蓄所
光明大酒楼
外贸运输公司
营口植物园
北方建材陶瓷商城
营口起重机总厂
东元大酒店
庆连盟路
钢铁小学
锦绣嘉园宾馆
营口洗衣机总厂
市铸管厂
101
假日洲际酒店
岛
市二轻局中专
老年关怀医院
线
金瑛大酒楼
311
燃料供应公司
育新邮政支局
营口立交桥
路南高科技园区
市第六中学
东风市场
日捷蓄电池厂
营口站
装饰城大酒店
中国银行站前分理处
人民公园
金河大酒店
友谊国际儿童用品商场
市中医院
市运输总公司
欢心信用分社
路南中学
深港购物中心
富达汽车维修有限公司
营口桑迪轿车修配厂
汽车超市
上海大众销售服务公司
营口商业大厦
市第七中学
京东来顺饭店
跃进街道
市气象局
腾飞信用储蓄所
站前区
营烟医院
鑫海宾馆
平安汽车修配厂
市少数民族文化艺术馆
富都大酒店
市商业银行东联储蓄所
建设街道
顺达汽车修理有限公司
营口市站前医院
凯莱大酒店
世纪鸿酒楼
富府大酒店
营口市传染病医院
市科委
中国人民银行营口分行
市第十六中学
市政一队
市交通运输物流中心
营口汽车检测中心
太平洋大酒店
营口眼病医院
泰来酒店
牛山大街
305
桃花杖
红旗涵桥
百庙子
盐田

【地理位置】 位于营口市的西北部，大辽河从城市中心穿过。

【城市特色】 营口是一个历史悠久、美丽富饶的海滨城市，风光秀丽，气候宜人，自然景观天成，有中国镁都之誉。

【主要河流】 大辽河。

【交　　通】 市内交通方便，有数十条公共汽车路线，还有长途客运汽车，营口火车站有开往全国各地的旅客列车，营口港有通往大连、锦州、天津等地的客轮。

【经　　济】 以轻纺及造船工业而闻名，形成包括机械、电子、建材、冶金等门类的工业体系，成为辽宁省的轻工业基地之一，绵纶长丝生产能力居全国首位，除此之外，营口市的其他工业发展也比较迅速，尤其是卷烟、造纸、乐器、制盐等四大传统骨干行业。

【风景名胜】 楞严禅寺、营口西炮台遗址陈列馆、清真寺、老爷阁、营口市博物馆等。

【土特产品】 海蜇、对虾、营口乐器、菜包包、刘均富烧鸡、张材烧麦、辛封大饼等。

【景点介绍】 **楞严禅寺** 简称楞严寺，位于营口市中心。始建于1921年，是当地最大的佛寺，为辽宁省保存比较完好的寺院建筑群。占地约8000平方米，共有佛殿99间，寺院分前、中、后三个院，布局整齐，造型严谨，结构精巧，雕绘细腻。山门之后两旁为钟鼓楼，天王殿居于正中。天王殿之后是大雄宝殿，殿后有藏经阁，寺右侧有高塔一座。每年的农历四月初十，是赶庙会的日子，远近百里的信众不辞辛苦齐集寺内，大殿内香烟缭绕，诵经之声不绝于耳。现已建成楞严寺公园。

清真寺 位于清华路，建于清同治四年(1865年)。主体清真建筑为“礼拜大殿”，可容纳300余人同时做礼拜。大殿兼具阿拉伯清真寺和中国古典建筑的风格。

老爷阁 位于营口市市中心，清咸丰十年(1860年)建，1923年重修。阁建于石台上，两层高21米。顶为歇山式，外有走廊，四面都是木棂门窗。阁内塑有关羽坐像，是别具一格的关帝庙。

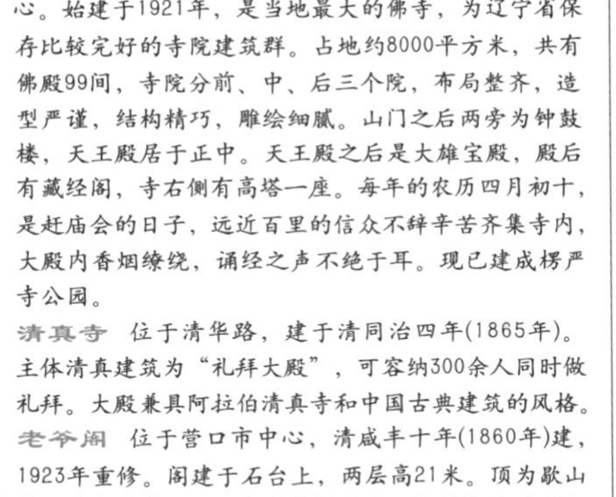

楞严禅寺

站前区
西市区
老边区
营口
大石桥市
盖州市
鲅鱼圈区
辽东湾
至盘锦
至大连
比例尺 1:380 000
3.8千米 0 3.8 7.6 11.4千米
高度表

站前区、西市区、老边区

【地理位置】 位于营口市西北部，东北与大石桥市交界，南接盖州市，西临辽东湾。

【人口面积】 人口56万，面积395平方千米。

【交　　通】 营口铁路贯穿全境，哈大客运专线、沈海高速、盘营高速、滨海大道、305国道以及101、311省道纵横境内，营口老港年吞吐量万吨以上。

【风景名胜】 西炮台遗址、楞严禅寺等。

鲅鱼圈区

【地理位置】 位于营口市南部，西临辽东湾，东、南、北三面被盖州市环绕。

【人口面积】 人口36万，面积268平方千米。

【交　　通】 沈大铁路、哈大客运专线、沈海高速、202国道，滨海大道纵贯全境。营口新港是辽宁省第二大港，全国十大港口之一。

【风景名胜】 鲅鱼圈海滨、望儿山、熊岳温泉等。

大石桥市

【地理位置】 大石桥市位于营口市东北部，南与盖州市相接，东北与鞍山市毗邻，西邻营口市辖区。

【人口面积】 人口72万，面积1379平方千米。

【历史沿革】 古为幽州属地，秦汉属辽东郡，唐高宗总章三年（668年）属安东都护府。东北光复曾以市建制，新中国成立后一直为营口县政府所在地。1992年11月经国务院批准撤县设市。

【地　　形】 地处千山余脉，地形狭长，地势东南高、西北低，依次是低山－丘陵－平原。

【最高山峰】 老轿顶，海拔1034米。

【主要河流】 大辽河、大清河。

【湖泊水库】 三道岭水库。

【交　　通】 有哈大客运专线、沈大铁路贯穿境内，沈海、丹锡、盘营高速相交，202国道、101、212、321、322省道纵横交错。

【资　　源】 农业主要农作物有水稻、高粱、玉米、大豆、谷子、棉花、花生等。已探明的矿藏有菱镁石、滑石、硼石、硅石、石墨、白云石、钾长石、铜、钴、铀、黄金、银等，其中菱镁石为世界四大产地之一。

【风景名胜】 金牛山遗址、石棚峪。

西炮台遗址

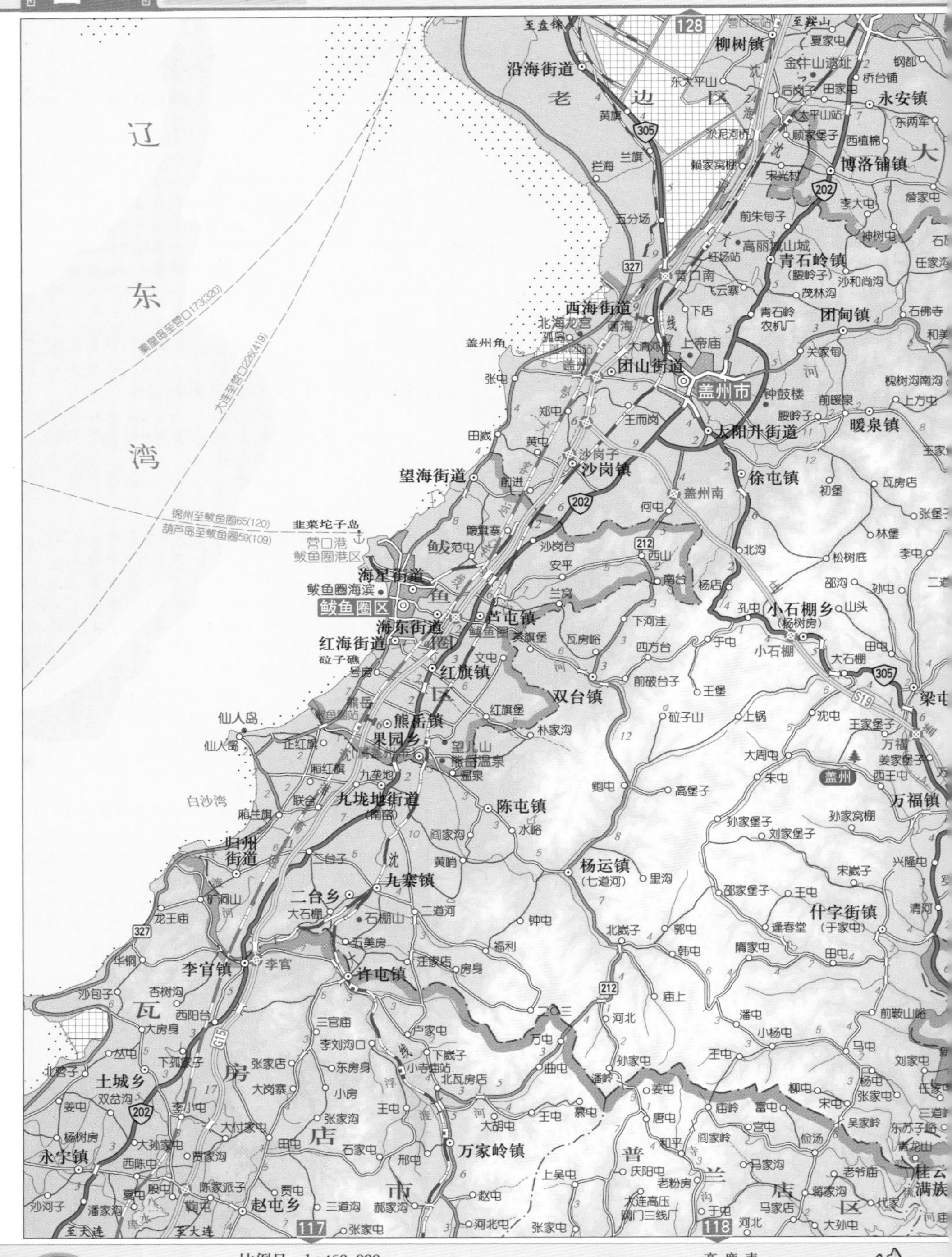

比例尺 1:450 000

4.5千米 0 4.5 9.0 13.5千米

高度表

150 100 50 20 10 0 50 100 200 300 400 500 600 800 1000 1200 1500米

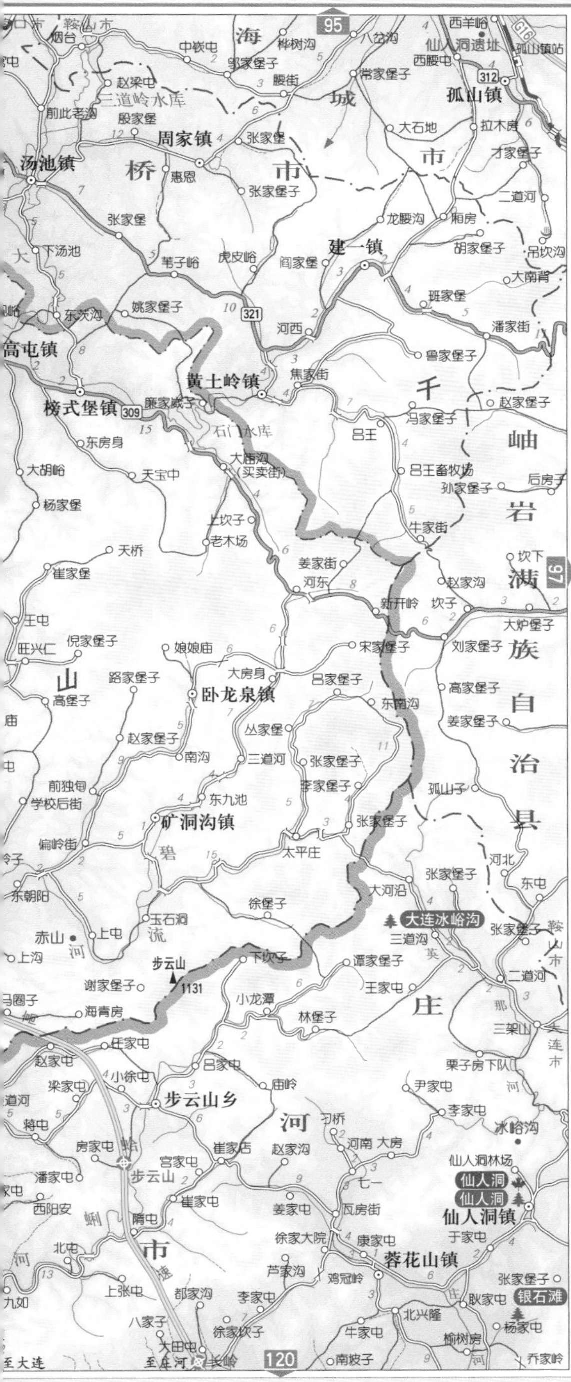

【地理位置】 位于营口市南部，辽东半岛西北部。东与鞍山市为邻，北接大石桥市、老边区，南与大连市接壤，西临辽东湾。

【人口面积】 人口72万，面积2928平方千米。

【地　　形】 属辽南低山丘陵区，地势东高西低，山脉呈东北西南走向，为千山余脉，西北部为渤海沉积平原。

【最高山峰】 步云山，海拔1131米。

【主要河流】 大清河、碧流河。

【湖泊水库】 石门水库。

【交　　通】 哈大客运专线、沈大铁路过境，沈海、庄盖高速公路相接，滨海大道、202国道、305国道及212省道、309省道构成了境内的主干交通网。

【资　　源】 农业主产高粱、玉米、水稻、大豆。水果以苹果为主，熊岳、九寨尤其著名。矿藏主要有金、菱镁石、大理石、花岗岩、萤石、白云石、硅石、石灰石、磷等。

【风景名胜】 盖州国家森林公园、钟鼓楼、赤山风景区、高丽城山城遗址、石棚山。

【土特产品】 苹果、杏、龙眼、葡萄、鹿茸、柞蚕丝、桃子。

【景点介绍】 **望儿山风景区** 位于营口南部，是辽宁省省级风景名胜区。望儿山平地拔起，孤峰陡立，山顶的望儿塔，远看如一位母亲伫立山头日夜守望大海，盼望远方的儿子归来。望儿山有慈母像、步母石、拜母亭、报母泉、念母祠、母子桥、母爱世界等十余处以母爱为主题的旅游景点，建有中国第一个慈母馆和第一个母爱雕像集锦园。

石棚山 石棚是新石器时代末期至青铜器时代的一种墓葬，属巨石文化。目前在营口有两处石棚，其中保存完好的是二台石棚，为国家级文物保护单位。它由五块花岗岩大石板搭制而成，偏向东南，长方形，南高北低，造型精美，令人叹为观止。

高丽城山城遗址 位于盖州城北石城山，建于公元6世纪以前，唐改为建安州，是建安州都督府所在地。山城因山设险，成不规则城形。城内有泉井两眼，隆冬不冻，大旱不涸。

望儿山

沈阳故宫 世界遗产　仙人洞 国家级自然保护区　服务区　里程起迄点
凤凰山 国家级风景名胜区　元帅林 国家级森林、地质公园　出入口　收费站

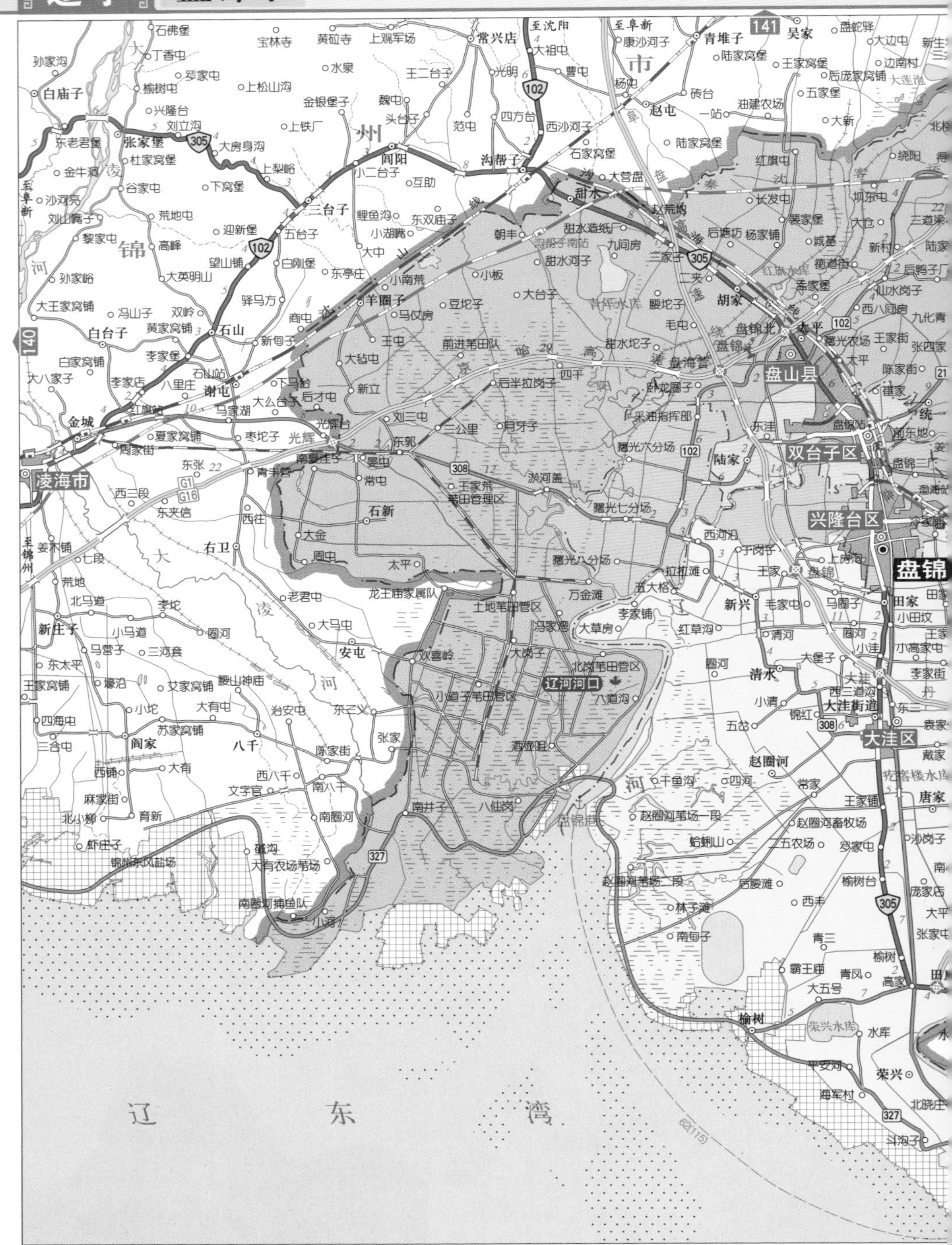

比例尺 1:480 000

4.8千米 0 4.8 9.6 14.4千米

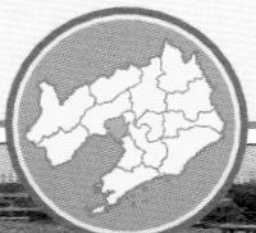

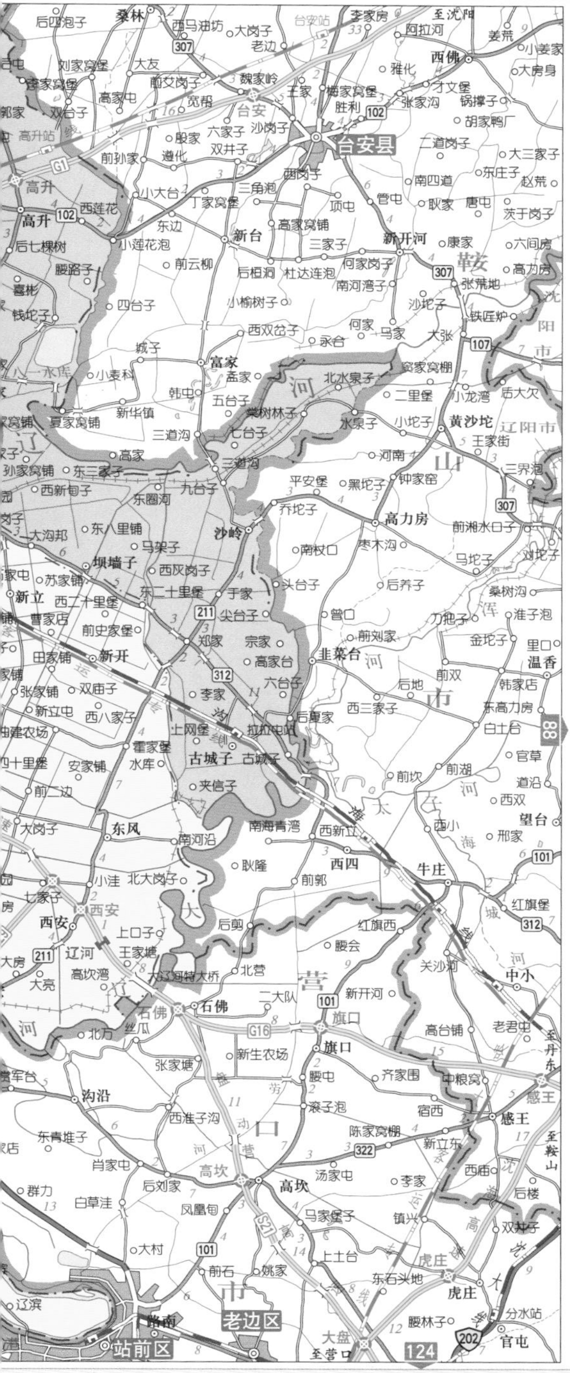

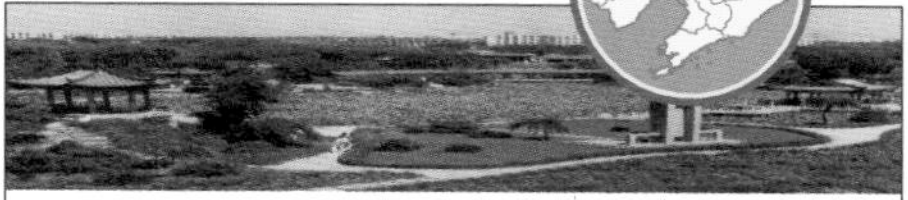

【地理位置】 位于辽河冲积平原最南端，西、北邻锦州市，东接鞍山市、营口市，南临渤海辽东湾。

【行政区划】 辖兴隆台、双台子、大洼3区和盘山县。

【人口面积】 人口131万，面积4084平方千米。

【历史沿革】 辽时本境属显州奉先军。金、元、明、清时，本境分别属广宁府、广宁路、广宁卫、广宁县。清顺治元年（1644年），设海城县，本境南部归其辖；清嘉庆十三年（1808年），置新民厅，本境东北部分地域为其辖。1945年，盘山县民主政府成立，属辽西地委；1984年，成立盘锦市。

【地　　形】 地势较低，平均海拔仅为4米。境内河流密布，沟渠纵横。

【主要河流】 辽河、大辽河、绕阳河。

【湖泊水库】 八一水库、青年水库、荣兴水库、疙瘩楼水库。

【气　　候】 属于温带半湿润气候。年平均气温8℃～9℃之间，1月平均气温-9℃～-12℃之间。7月平均气温在24℃～25℃之间，年平均降雨量600～750毫米，无霜期165～170天。

【交　　通】 铁路有秦沈、盘营客运专线、沈山、沟海铁路。京哈、丹锡、盘锦疏港高速公路相交，滨海大道、305国道和102、210、211、308、312省道相互交织形成公路主干网。盘锦港通航营口等港。

【资　　源】 农业盛产稻米，盘锦大米较有名。矿藏资源种类众多，储量丰富，主要矿产品有石油、天然气、井盐等。

【风景名胜】 双台河口国家级自然保护区。

【土特产品】 盘锦大米、文蛤、河蟹。

【风味小吃】 金华火腿菜、金华酥饼、磐安拉面、磐安饺、杨梅烧酒。

【景点介绍】 **辽河河口** 是国家级自然保护区，在这里栖息着236种鸟类，其中有丹顶鹤、白天鹅、黑嘴鸥等国家保护动物，每到春秋季节，数十万只千姿百态的鸟儿栖息在这里，场面十分壮观。保护区在赵圈河管理站建设了高大的观鹤亭和水禽园供游人观赏。

辽河河口

沈阳故宫	世界遗产	仙人洞	国家级自然保护区		服务区		里程起迄点
凤凰山	国家级风景名胜区	元帅林	国家级森林、地质公园		出入口		收费站

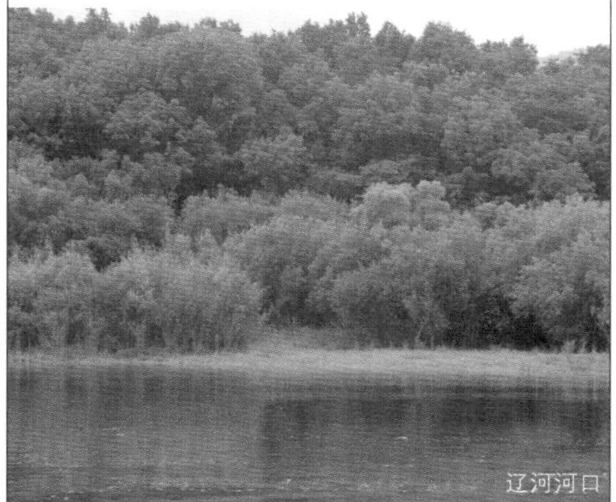

盘锦湖滨公园

盘锦城区

【地理位置】 位于盘锦市的中部，辽河从城市中心穿过。

【城市特色】 盘锦是一颗镶嵌在环渤海地区的璀璨明珠，是一座新兴的石油化工城市。

【主要河流】 辽河。

【交　　通】 市内交通方便，有公共汽车路线多条，还有长途客运汽车，盘锦火车站有开往全国各地的旅客列车，丹锡高速在城西经过。有305国道和210、312省道过境。

【经　　济】 盘锦市的工业已形成了以石油开采加工、化工、制药、食品和建材为主导的工业体系，其他还有电力、机械、造纸等工业部门。

【土特产品】 盘锦大米、文蛤、河蟹。

【景点介绍】 湖滨公园 座落在双台子区西端，面积约167公顷。该公园为人工建造，堆山砌石，建有各种亭阁，园内绿树成荫，鸟语花香。日俄战争时沉入辽河的沙俄古船，现陈列于湖滨公园内。

崔家
统一
210
中国建设银行盘锦分行盘山支行
市自来水公司
盘锦市工行天河支行
天河宾馆
辽河医院
辽河街道
红旗街道
盘锦站
建设街道
胜利街道
双台子区
铁东街道
王家岗子
211
盘锦市动物园
盘山县卫生局
盘锦市第二人民医院
盘山县人民银行
双台子河大桥
盘锦大桥
常家屯
中华路大桥
河南村
姜家铺
绕城路大桥
双台子区建筑材料公司废金属公司
辽河油田第五职工医院
中国建设银行盘锦市分行新工支行
吴家乡
辽河油田热电厂
312
市兴隆台区河务管理所
盘锦市地税局开发分局
盘锦化工厂
市兴隆台区农电局
市纺织厂
兴隆台渤海信用社
渤海站
辽河油田第四职工医院
渤海街道
兴隆台采油厂
儿童公园
辽河油田民政福利综合厂
钻井一公司运输公司
中国工商银行盘锦市渤海支行
市长途电信传输局
辽河油田第三职工医院
辽河油田中心医院
市劳动局
兴隆台区
工商银行盘锦市辽河油田支行
市地质矿产局
市审计局
市政府
金宝度假城
兴隆街道
辽河油田长腾实业公司
市第一人民医院
辽河宾馆
兴隆台区八里信用社
市地税局
市体育场
市文体委
G16
丹锡高速
前胡
赵家街
毛家屯
田家镇
田家镇中学
田家铺

沈阳故宫 世界遗产　仙人洞 国家级自然保护区　服务区　里程起迄点
凤凰山 国家级风景名胜区　元帅林 国家级森林、地质公园　出入口　收费站

盘锦市辖区

【地理位置】 位于盘锦市中部，北与盘山县为邻，南与大洼区接壤。包括双台子、兴隆台2区。

【人口面积】 人口65万，面积1033平方千米。

【地　　形】 地处辽河三角洲冲积平原，系退海平原，地势平坦低洼，境内河流纵横。

【主要河流】 辽河、绕阳河。

【交　　通】 有盘营客运专线、沟海铁路经过，京哈、丹锡高速公路、305国道、102、210、308、312省道组成主干交通网。海上、河上航道较为便利。

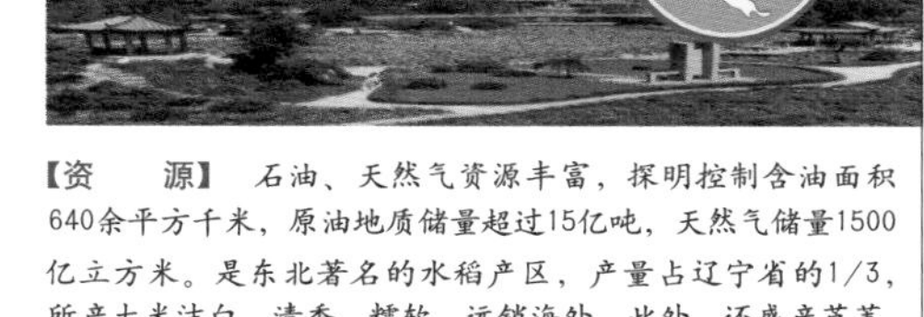

【资　　源】 石油、天然气资源丰富，探明控制含油面积640余平方千米，原油地质储量超过15亿吨，天然气储量1500亿立方米。是东北著名的水稻产区，产量占辽宁省的1/3，所产大米洁白、清香、糯软，远销海外。此外，还盛产芦苇，是我国最大的芦苇基地，苇塘面积仅次于欧洲多瑙河三角洲地区，居世界第二位。

【土特产品】 盘锦大米、文蛤、河蟹。

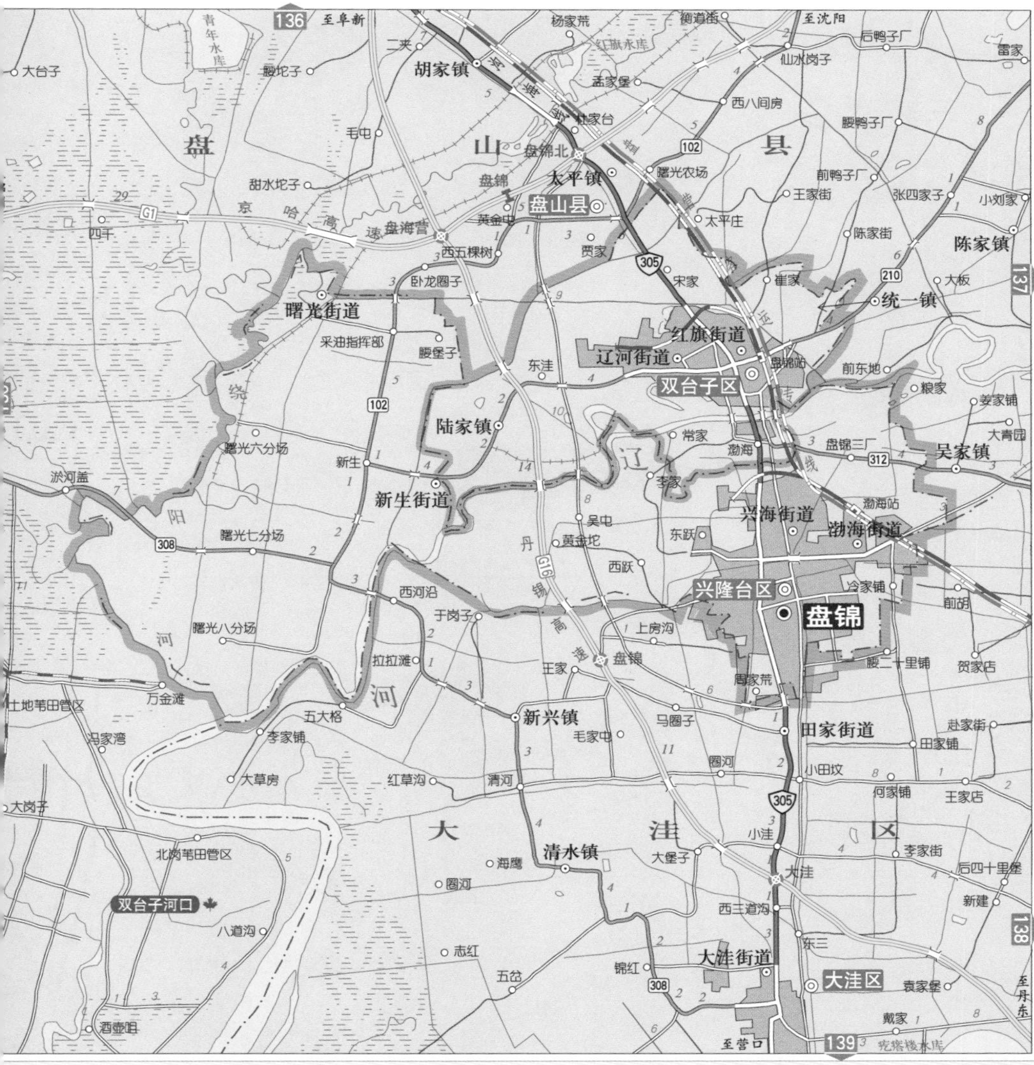

高度表

0 50 100 200 300 400 500 600 800 1000 1200 1500米

比例尺 1:250 000

2.5千米 0 2.5 5.0 7.5千米

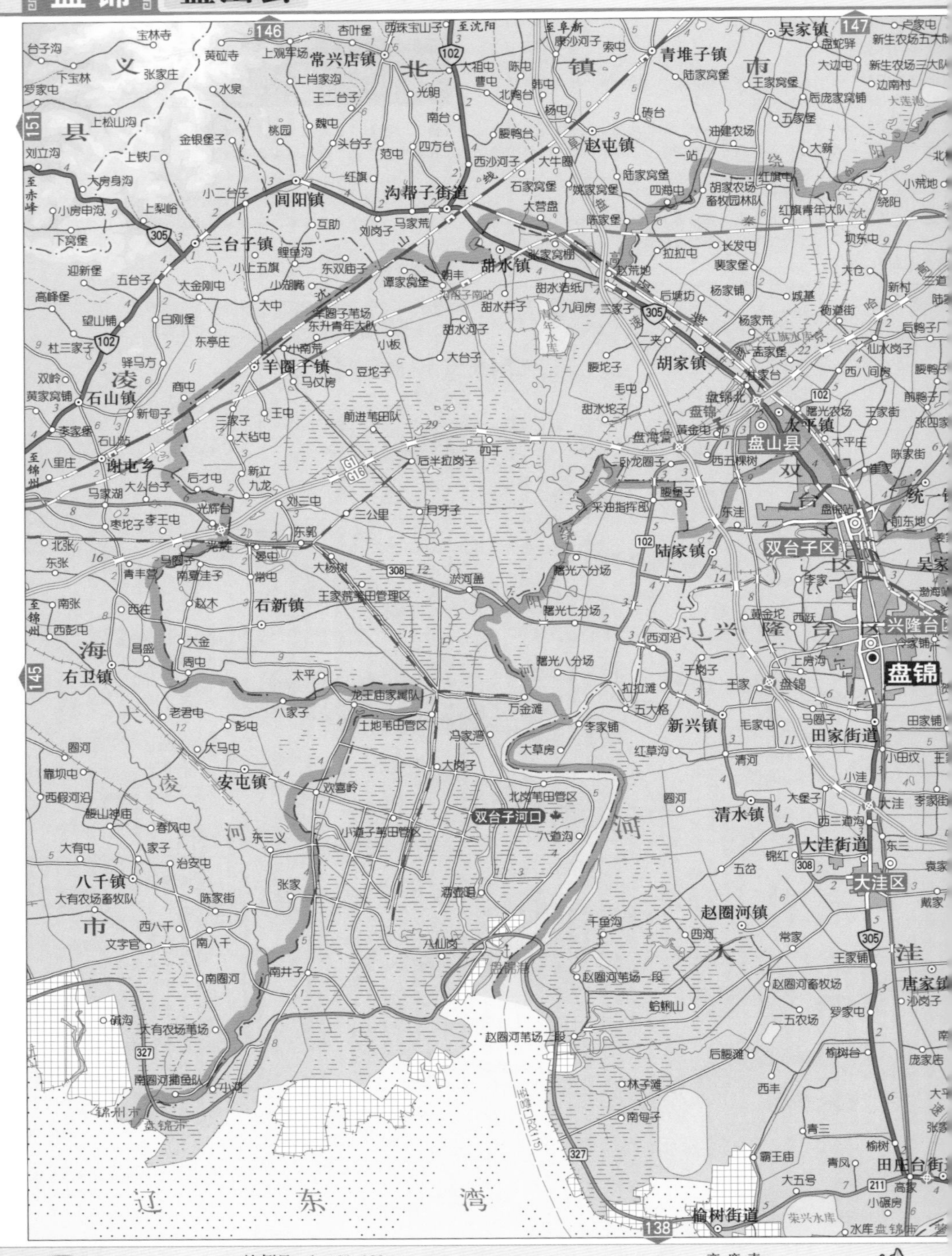

盘锦
盘山县
双台子区
兴隆台区
大洼区
吴家镇
青堆子镇
常兴店镇
赵屯镇
沟帮子街道
间阳镇
三台子镇
甜水镇
羊圈子镇
胡家镇
石山镇
谢屯乡
太平镇
陆家镇
石新镇
右卫镇
安屯镇
八千镇
新兴镇
田家街道
清水镇
大洼街道
赵圈河镇
唐家镇
榆树街道
田庄台镇
双台子河口
盘锦港
辽东湾
大凌河
绕阳河
辽河
至沈阳
至阜新
至赤峰
至锦州

【地理位置】 位于盘锦市西北部。东接鞍山市，南临渤海辽东湾和盘锦市辖区，西、北与锦州市的凌海、北镇毗邻。

【人口面积】 人口28万，面积1341平方千米。

【历史沿革】 光绪三十二年（1906年）设盘山厅，属锦州府。光绪三十四年（1908年）治所移至双台子。1913年盘山厅改为盘山县。1985年6月成立盘锦市，盘山县为盘锦市辖县至今。

【地　　形】 地处辽西平原，地势平坦，多水无山。

【主要河流】 辽河、绕阳河。

【湖泊水库】 八一水库、青年水库、红旗水库。

【交　　通】 秦沈、盘营客运专线、沈山、京哈、沟海铁路过境，京哈、丹锡高速相交，滨海大道、305国道及102、210、211、308省道纵横交错组成主干交通网。

【资　　源】 农业主要生产水稻、玉米、高粱和大豆等。淡水养殖发达，经济作物主要为苇芦，产量居亚洲前列，矿产资源主要有石油、天然气、井盐等。

【风景名胜】 双台河口国家级自然保护区。

【土特产品】 河蟹。

【景点介绍】 **红海滩** 位于辽河三角洲，是双台子河口自然保护区内最著名的自然景观。在河口外，生长着宽1500米，长达数百米的红色植物带。海的涤荡与滩的积沉，是红海滩得以存在的前提，碱的渗透与盐的浸润，是红海滩得以红似云霞的条件。每年7～8月份呈桃红色，9～10月份呈棕红色，称为“红滩涂”，在蓝天白云映衬下鲜艳夺目。

红海滩

沈阳故宫 世界遗产　仙人洞 国家级自然保护区　服务区　里程起迄点
凤凰山 国家级风景名胜区　元帅林 国家级森林、地质公园　出入口　收费站

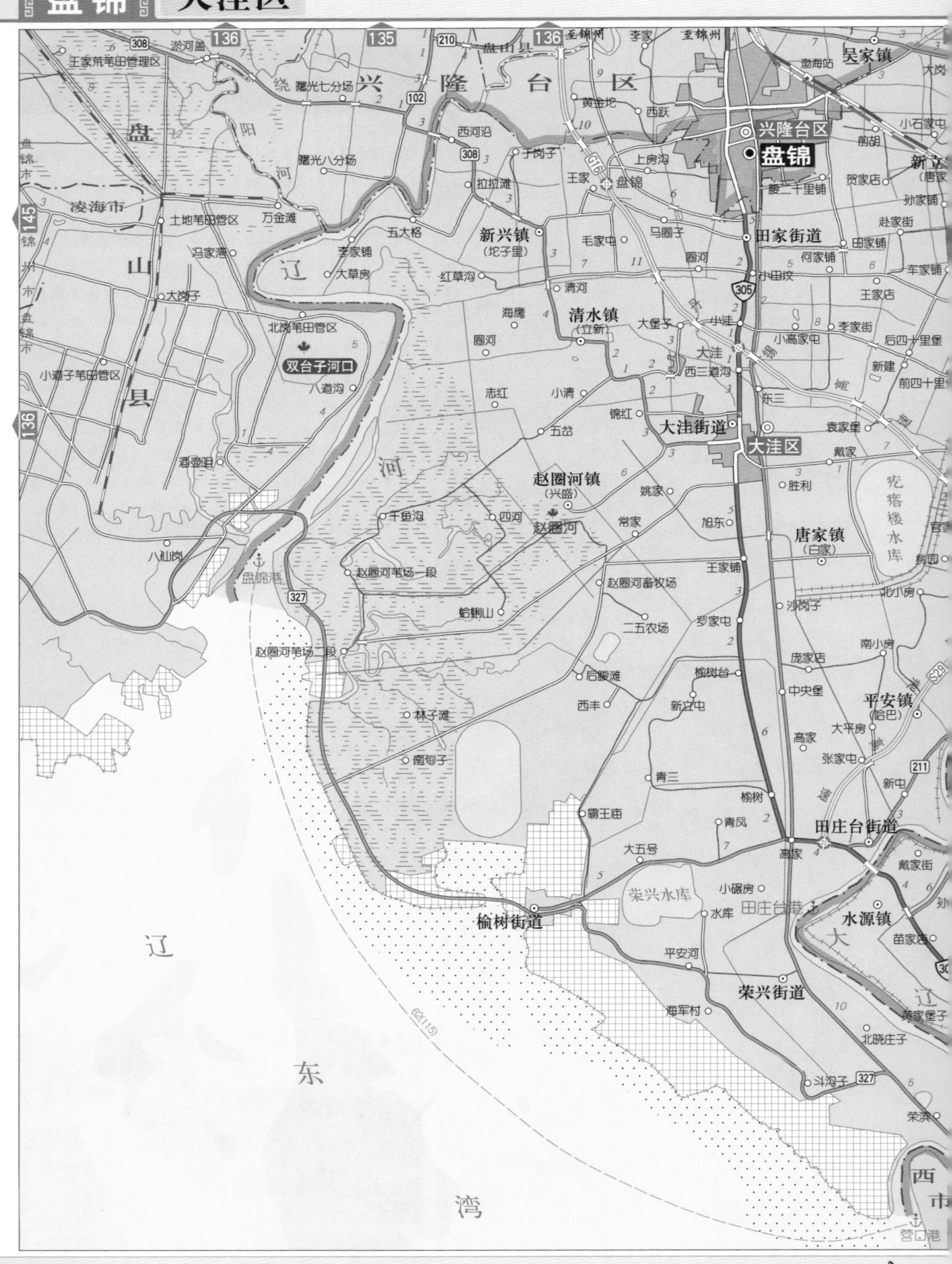

比例尺 1:300 000

3.0千米 0 3.0 6.0 9.0千米

高度表

150 100 50 20 10 0 50 100 200 300 400 500 600 800 1000 1200 1500米

【地理位置】 大洼区位于盘锦市南部，辽河下游。东与鞍山市、营口市相邻，南濒渤海辽东湾，北与兴隆台区、盘山县毗邻。1988年被国务院确定为沿海开放县。

【人口面积】 人口38万，面积1268平方千米。

【历史沿革】 光绪二十八年（1903年）新民厅改为府，县境为广宁府、新民府、海城县分治地区。在以后的1903至1937年间，本境又几易属治，终归盘山县所辖，直至1948年2月1日全境解放。1970年设大洼区。1975年11月9日，国务院批准设大洼县，属营口市。1984年成立盘锦市后，改属盘锦市。2016年撤大洼县，设盘锦市大洼区。

【地　　形】 地处辽河平原，是由辽河淤积和退海滩涂发育而成的滨海平原，地形平坦，以地势低凹得名。

【主要河流】 辽河、大辽河。

【湖泊水库】 疙瘩楼水库、荣兴水库。

【交　　通】 盘营客运专线、沟海铁路经此，丹锡高速、滨海大道、305国道和211、308省道等公路干线穿越境内。内河航运以浑河、大辽河为主要航道。

【资　　源】 农业主要生产水稻、玉米，是省内优质大米出口基地。沿海盛产绒螯蟹和文蛤，河蚌育珠居全国之冠。石油和天然气资源丰富。沿海岸线有数百亩苇田，是省内重要的造纸原料基地。

【土特产品】 文蛤、对虾、毛虾、扇贝、海带、芦苇。

【景点介绍】 **赵圈河自然保护区** 位于大洼镇西8公里处的赵圈河镇，辽河下游河口，是国家规定的鸟类自然保护区。每到春季，可见到数百只野生的丹顶鹤、白鹤、白枕鹤、灰鹤、黑嘴鸥、天鹅等到此繁育后代。1987年，自然保护区管理处摸索人工养鹤，经过近一年时间的驯化，这些鹤能按人的口令表演飞翔、鸣叫、舞蹈等动作。这里被人们称作“苇海”的“鹤乡”。

盘锦苇海

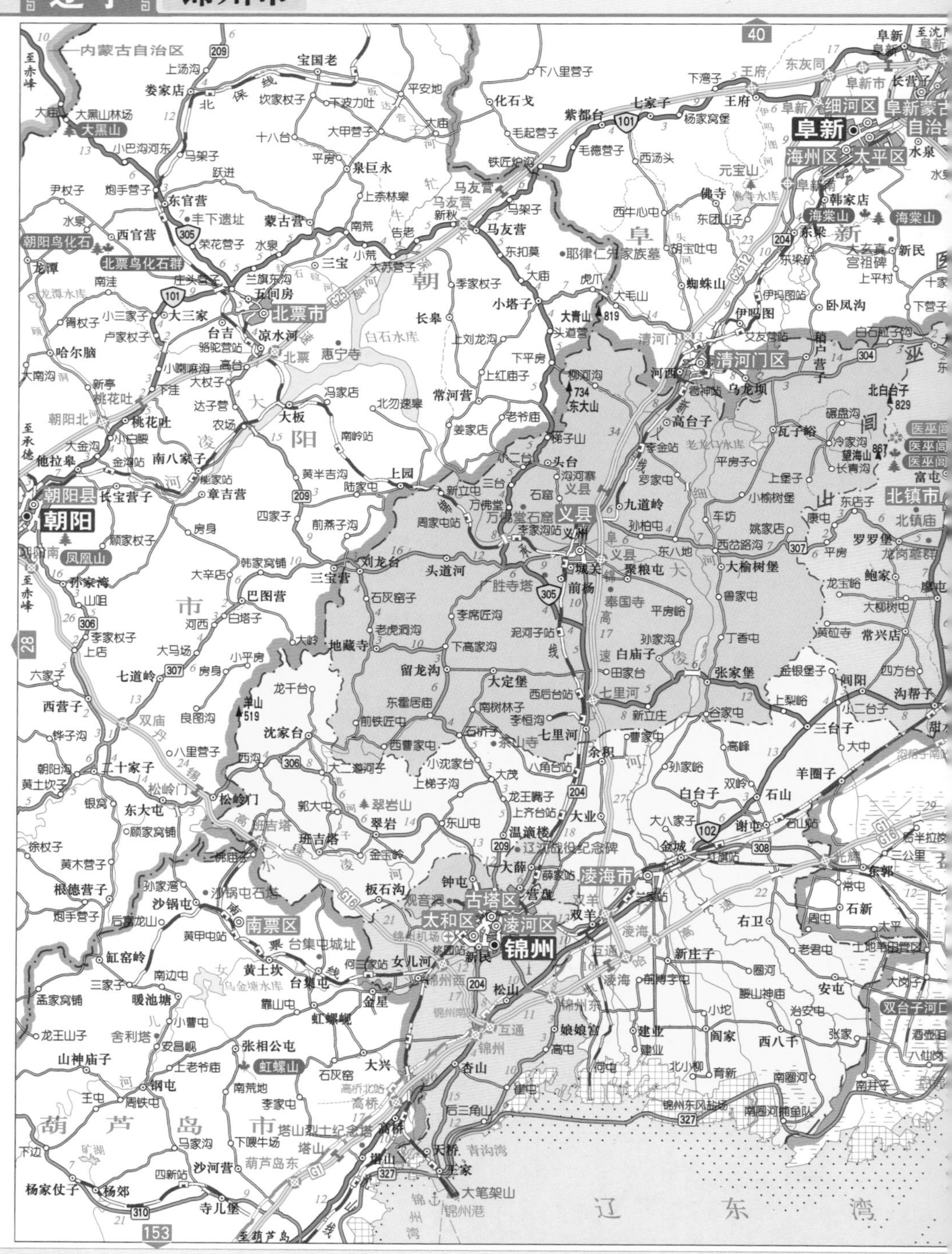

比例尺 1:830 000

8.3千米 0 8.3 16.6 24.9千米

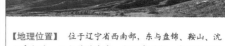

【地理位置】 位于辽宁省西南部，东与盘锦、鞍山、沈阳市相连，西与葫芦岛市、朝阳市毗邻，南濒渤海辽东湾，北与阜新市接壤。

【行政区划】 辖太和、古塔、凌河3区，凌海、北镇2市，黑山县和义县。

【人口面积】 人口308万，面积10046平方千米。

【历史沿革】 最早叫徒河，战国时，属燕地，秦统一六国后，现锦州大部分属辽东郡，两汉、三国时期属幽州昌黎郡，西晋属平州昌黎郡，唐为安东都护府所辖。辽时锦州属中京道，金代属东京路、北京路。1954年辽西、辽东两省合并，锦州属辽宁省。

【地　　形】 西北高、东南低，属丘陵地貌，山脉连绵起伏，海滨平原平坦开阔。

【最高山峰】 望海山，海拔867米。

【主要河流】 大凌河、小凌河、绕阳河、细河。

【湖泊水库】 龙湾水库、老龙口水库。

【气　　候】 属温带季风型内陆性气候。年平均气温在8℃～9℃之间，1月平均气温-8℃～-11℃，7月平均气温24℃～26℃年平均降雨量450～600毫米，无霜期150～180天。

【交　　通】 秦沈客运专线过境并与盘营客运专线相接。沈山铁路横贯全境，连接锦承、南票、新义、沟海、大郑、高新6条支线。阜营、阜锦、京哈、丹锡高速及102、305国道纵横境内。锦州港是中国最北的海港，锦州机场有民航班机通往北京、沈阳等地。

【风景名胜】 医巫闾山风景名胜区、崇兴寺双塔、奉国寺、辽代帝王陵墓群、辽沈战役纪念碑。

【土特产品】 沟帮子熏鸡、什锦小菜、北镇鸭梨。

【景点特色】 奉国寺 位于义县城内东街，寺内主要建筑为大雄宝殿。殿筑于高3米的台基之上，为五脊单檐庑殿式。大殿是国内仅存辽代单层高大建筑之一，也是寺内现存唯一的辽代遗物。殿内四壁均有壁画，为元、明时作品。

奉国寺

沈阳故宫 世界遗产　仙人洞 国家级自然保护区　服务区　里程起讫点
凤凰山 国家级风景名胜区　元帅林 国家级森林、地质公园　出入口　收费站

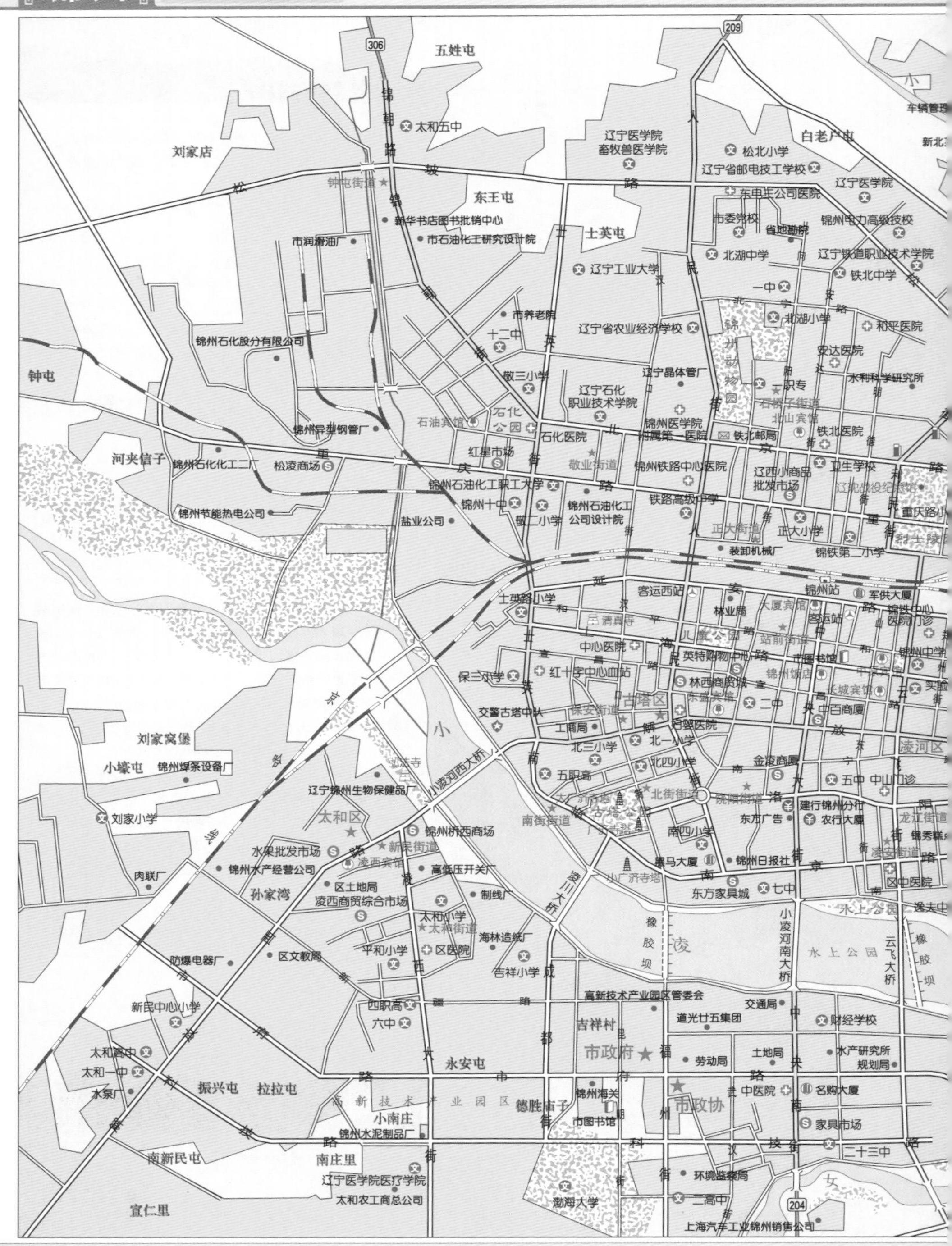
306
209
五姓屯
太和五中
刘家店
钟屯街道
东王屯
新华书店图书批销中心
市石油化工研究设计院
市润滑油厂
士英屯
辽宁医学院
畜牧兽医学院
松北小学
辽宁省邮电技工学校
辽宁医学院
白老户屯
车辆管理
新北
东电三公司医院
市委党校
省地勘院
锦州电力高级技校
北湖中学
辽宁铁道职业技术学院
铁北中学
辽宁工业大学
一中
北湖小学
和平医院
辽宁省农业经济学校
市养老院
十二中
锦州石化股份有限公司
锦州动物园
安达医院
钟屯
敬三小学
辽宁晶体管厂
一职专
水利科学研究所
辽宁石化职业技术学院
石桥子街道
北山宾馆
石油宾馆
石化公园
石化医院
锦州医学院附属第一医院
铁北邮局
铁北医院
锦州异型钢管厂
红星市场
敬业街道
锦州铁路中心医院
辽西小商品批发市场
卫生学校
河夹信子
锦州石化化工二厂
松凌商场
锦州石油化工职工大学
辽沈战役纪念馆
锦州十中
敬二小学
锦州石油化工公司设计院
铁路高级中学
重庆路小
锦州节能热电公司
盐业公司
正大街道
正大小学
烈士陵园
装卸机械厂
锦铁第二小学
客运西站
锦州站
军供大厦
士英路小学
林业局
大厦宾馆
客运站
锦铁中心医院门诊
清真寺
儿童公园
站前街道
中心医院
英特购物中心
市图书馆
锦州中学
红十字中心血站
锦州饭店
保三小学
林西商厦城
长城宾馆
东盛宾馆
二中
中百商厦
古塔区
交警古塔中队
保安街道
石塔医院
工商局
北三小学
北一小学
凌河区
刘家窝堡
小壕屯
锦州焊条设备厂
弘法寺
小凌河西大桥
金凌商厦
五职高
北四小学
五中
中山门诊
辽宁锦州生物保健品厂
大广济寺
古塔公园
北街街道
饶阳街道
刘家小学
太和区
南街街道
广济寺
南四小学
建行锦州分行
东方广告
农行大厦
龙江街道
锦州桥西商场
锦秀
水果批发市场
新民街道
凌西宾馆
凌安街道
黑马大厦
锦州日报社
肉联厂
锦州水产经营公司
高低压开关厂
小广济寺塔
区中医院
孙家湾
区土地局
凌西商贸综合市场
制线厂
东方家具城
七中
凌川大桥
水上公园
逸夫中
太和小学
太和街道
橡胶坝
小凌河南大桥
凌
水上公园
云飞大桥
海林造纸厂
平和小学
区医院
防爆电器厂
区文教局
吉祥小学
高新技术产业园区管委会
交通局
道光廿五集团
新民中心小学
四职高
六中
吉祥村
财经学校
太和高中
太和一中
市政府
劳动局
土地局
水产研究所
规划局
永安屯
水泵厂
振兴屯
拉拉屯
锦州海关
中医院
名购大厦
高新技术产业园区
德胜庙子
市政协
小南庄
市图书馆
锦州水泥制品厂
家具市场
二十三中
南新民屯
南庄里
环境监察局
辽宁医学院医疗学院
太和农工商总公司
渤海大学
二高中
204
宣仁里
上海汽车工业锦州销售公司

农业科学院
204
华兴小学
华兴精密机械厂
华兴医院
众远游乐设备厂
锦州铁路机械厂
营盘村
东油管道学校
牛屯
营盘村小学
北山文具厂
北山钢管厂
金家屯
金家小学
北山农工商总公司
锦州中科环保有限公司
北山奶品厂
单屯
育才学校
渤海大学培训学校
锦铁第六小学
辽宁省第一测绘院
锦铁第三小学
长城酒店
锦铁车辆段
铁新街道
粮食局
辽西钢材市场
锦铁第一小学
锦州纺织厂
八家子
沈铁公安局
锦州公安处
十八中
凌河交警大队
308
工行锦纺储蓄所
人才中心
五里市场
榴花街道
锦州电大
十七中
新玛特超市
育英小学
第二医院
菊园街道
公安局治安巡警支队
锦州中第啤酒有限公司
精工仪表设备厂
酿造食品公司
锦州中药厂
锦州碳素厂
锦州植物园
南楼
西山头
华顺企业集团公司
工程设计研究院

【地理位置】 位于小凌河沿岸，城区主要部分在北岸，南岸为锦州高新技术产业园区。

【城市特色】 锦州是中国最北端的港口城市和环渤海经济圈中的开放城市，西连京津唐工业区，东接辽宁中部城市群，北有辽宁西部和内蒙古东部及黑龙江、吉林地区的广阔腹地。锦州是东北和华北两大经济区的联结带，是国内国外两个市场的交会点，具有得天独厚的地缘优势和区位条件。

【主要河流】 小凌河、二道河、小蛤蜊河、女儿河。

【交　　通】 市内交通方便，有公共汽车路线66条，还有长途客运汽车、一日游专线等，锦州火车站有通往全国各地的旅客列车，锦州机场有通往北京、沈阳等地的航班。

【经　　济】 锦州的工业以石油化工为主体，包括冶金、机械、电子、食品、造纸、医药、建材等工业门类，在南部又建立了高新技术产业区。

【风景名胜】 辽沈战役纪念馆、辽沈战役纪念塔、大广济寺塔。

【景点介绍】 **辽沈战役纪念馆** 位于锦州市古塔区的辽沈战役烈士陵园内，建于1958年，总建筑面积1.3万平方米，主体建筑面积8600平方米。在展厅正面建有一座中国特色的牌坊式凯旋门，馆内现有展室4个，通过照片、文字图表、实物沙盘等展示了这场中国战争史上最大战役之一的全过程。馆内还建有全景画馆，用绘画和灯光再现锦州攻坚战的场面。

锦州辽塔 位于古塔区广济寺内，建于辽清宁三年（1057年），塔为8角13层密檐式砖塔，高56米多，基座每面宽8.5米。上顶部分有剥蚀。塔身第一级雕刻得最精美。第一层檐部的砖雕斗拱，具有辽代建筑特色。塔后为大广济寺，相传建于辽代，清道光九年重修。寺西有天后宫，内建正殿7间，前院有东、西廊各7间，山门左右有钟楼和鼓楼。

辽沈战役纪念馆

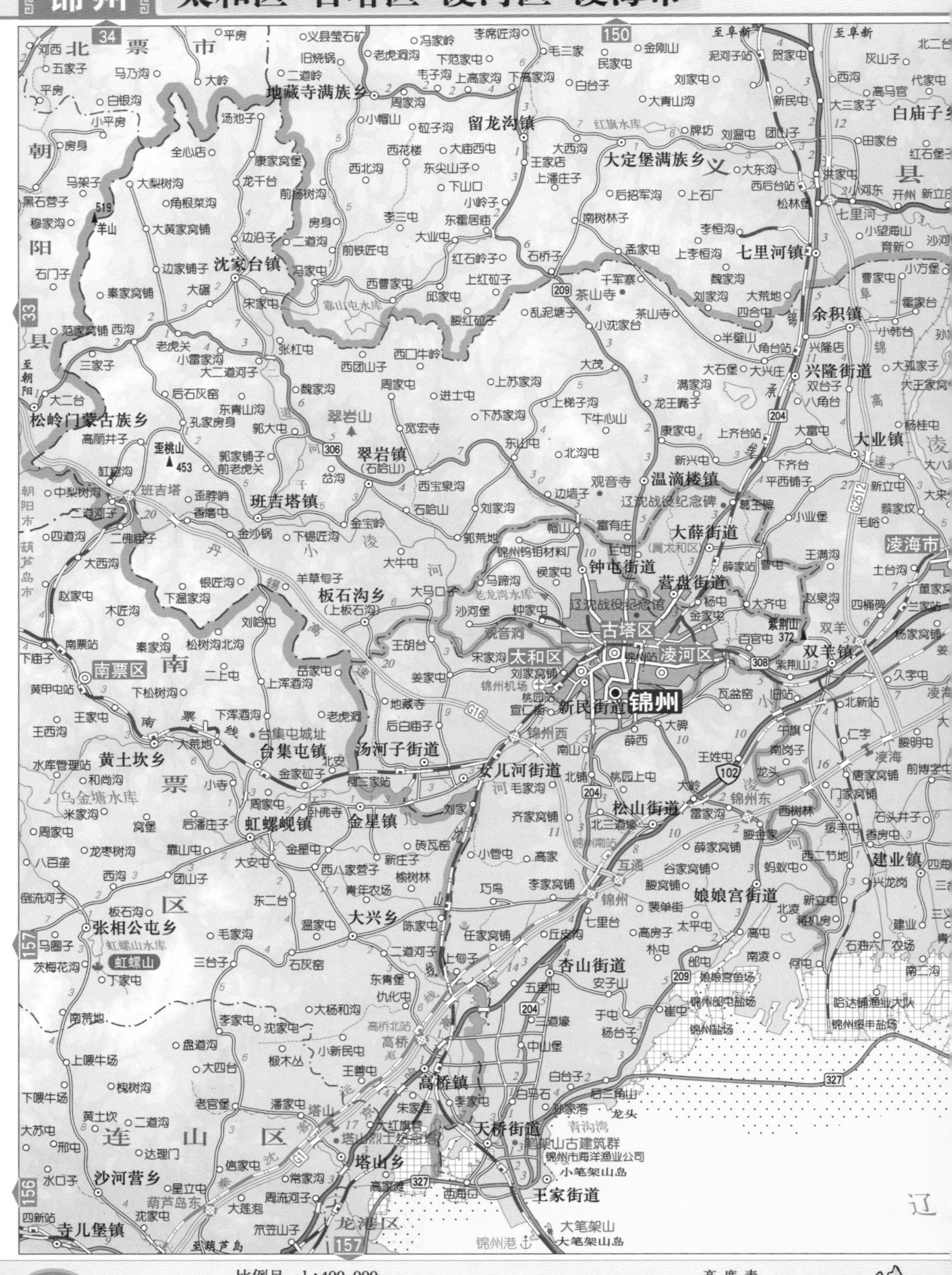

比例尺 1∶400 000

高度表

锦州市辖区

【地理位置】 位于锦州市南部，东面、北面与凌海市接壤，西邻葫芦岛市，南濒辽东湾。包括太和区、古塔区、凌河区3区。

【人口面积】 人口94万，面积693平方千米。

【地　　形】 四周低山环绕，中间为小盆地。女儿河、小凌河在此汇合。

【交　　通】 锦州市地处连接关内外的交通要冲地段，有高速公路、铁路、公路、航运、航空，已形成了海陆空立体交通网络。

【风景名胜】 观音洞、辽沈战役纪念碑、大笔架山、笔架山古建筑群。

【景点介绍】 **观音洞** 风景区位于城区以西7千米处，景区包括大小鸡冠山、敦台山、观音洞山、红石山等景观，奇峰屏列，景色奇异。观音洞山位于景区中心一挺拔的山峰中，观音洞位于此山的悬崖附近。

大笔架山 位于锦州南35千米海中，是近海中的一个连陆岛屿，三峰列峙，状如笔架。“笔峰插海”为锦州八景之一。山上有寺庙建筑群，全由石料构成，雕刻精细，布局巧妙。堪称天下一绝的“天桥”，是连接岸、山的天然砂石通道，随潮汐的涨落而隐现，全长1.8千米。天桥北端海岸有象鼻山，山下有象鼻洞，洞两侧海滩平稳，是一处天然浴场。每年春、夏、秋季吸引大批国内外游人观光览胜。

凌海市

【地理位置】 位于锦州市南部，东北与北镇市相接，东部与盘锦市为邻，西与朝阳市、葫芦岛市接壤，北与北镇市、义县相邻，南濒渤海辽东湾。

【人口面积】 人口57万，面积2639平方千米。

【地　　形】 全境西北依松岭和医巫闾山余脉，东部和中部是平原，南部近海地势低洼。

【最高山峰】 羊山，海拔为519米。

【主要河流】 大凌河、小凌河。

【交　　通】 秦沈客运专线、沈山、锦承铁路贯穿境内，京哈、丹锡、阜锦高速相连，滨海大道、102国道及204、209、306、308省道过境。

【资　　源】 农业盛产高粱、玉米、花生、棉花等作物和苹果、鸭梨、葡萄等水果。矿产资源主要有煤、石油、天然气、金、水晶石、石灰石、膨润土等。

【风景名胜】 翠岩山、茶山寺。

【景点介绍】 **翠岩山** 位于凌海市西北29千米处，因山岩挺秀，苔藓苍翠得名。俗以其数峰纵列，状如手指，称之为“丫巴石”。每当阳光映射，层峦迭翠如画。峰腰有阴刻“翠岩山庙”4个大字。东侧庙中原有辽天庆十年(1120年)石幢。现存玉皇阁是近代砖筑之无梁殿。据记载“山上有石柱九，为辽萧太后梳妆楼故址”。

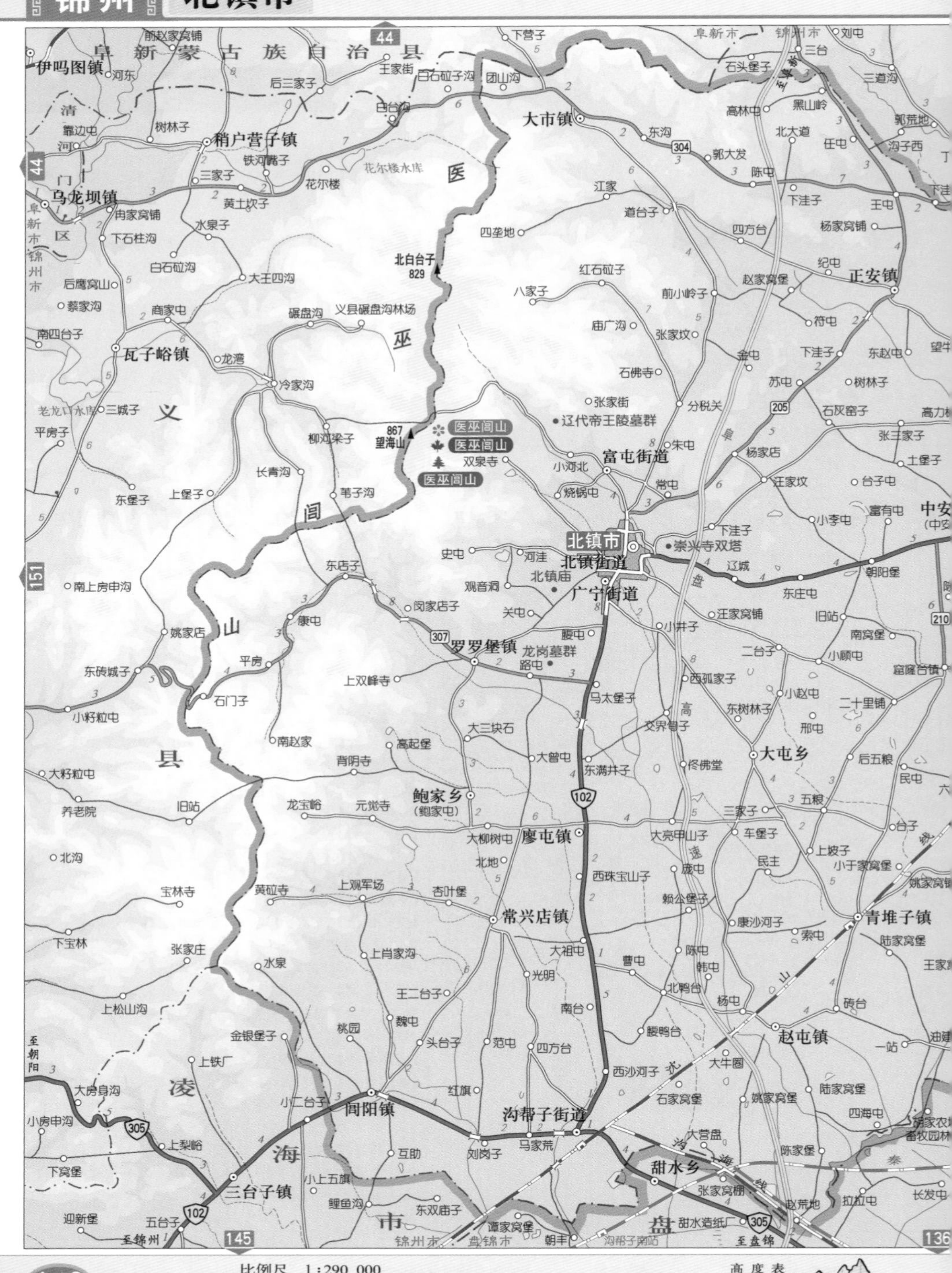

比例尺 1:290 000

高度表

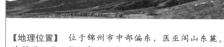

【地理位置】 位于锦州市中部偏东，医巫闾山东麓。东接黑山县、鞍山市，西连义县，南邻盘锦市、凌海市，北接阜新市。

【人口面积】 人口52万，面积1782平方千米。

【历史沿革】 舜封医巫闾山为北方幽州之镇，即北镇市名之由来。魏、晋、北朝时属昌黎郡。天宝十年（751年）封闾山为广宁公，是广宁名称之始。明设广宁卫，属辽东都司，另外巡抚都察院、镇守总兵府、镇守太监府皆设广宁，为全辽重镇。顺治元年（1644年）清朝在广宁设佐领，清置广宁府，治广宁县。1913年因与广东省广宁县重名，改为北镇县。1989年撤销北镇县，建立北镇满族自治县，1995年改为北宁市，2006年改北镇市。

【地　　形】 地势西高东低，西北为医巫闾山，东南低洼，中部为冲积平原。

【最高山峰】 望海山，海拔867米。

【主要河流】 绕阳河。

【交　　通】 秦沈客运专线、沈山铁路过境，盘营客运专线、沟海铁路与之相接，阜盘高速、102国道和205、210、307省道纵横境内。

【风景名胜】 医巫闾山风景名胜区、辽代帝王陵墓群、龙岗墓群、崇兴寺双塔。

【土特产品】 沟帮子熏鸡、北镇熏猪蹄。

【风味小吃】 水馅包子、卷切糕。

【景点介绍】 **医巫闾山** 是全国“五大镇山之一”、东北“三大名山之首”、“灵秀之最”，为历代帝王游览祭祀之地。以大型古建筑群北镇庙为枢纽，构成了天然的“旅游长廊”。医巫闾山沿线旅游区主要景点有玉泉寺、大朝阳、望海寺、龙潭宫、接待寺、青岩寺、天仙观、万紫山8处，新开发建设景点40多处，先后完成闾山索道、三星级仿古别墅式无虑山庄、菩萨殿、喷泉及山门绿化等10多项建设工程和维修工程。自然景观和人文景观浑然一体，相得益彰。医巫闾山国家级风景名胜区先后被评为辽宁省十大旅游景区、辽宁省风景区先进单位。

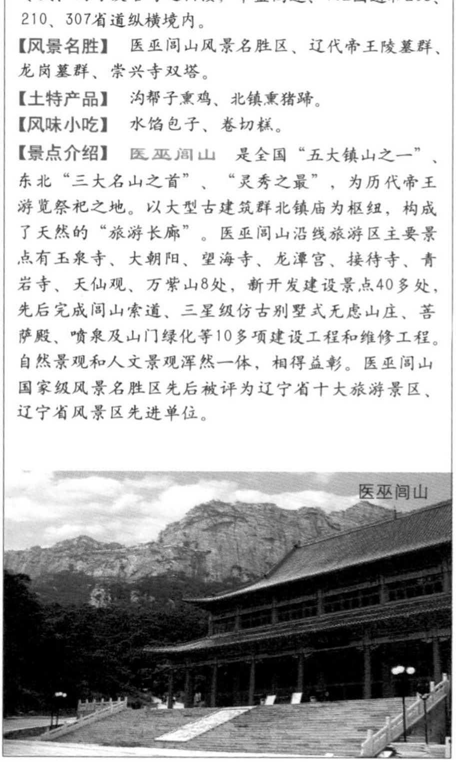

医巫闾山

沈阳故宫 世界遗产　仙人洞 国家级自然保护区　服务区　里程起迄点

凤凰山 国家级风景名胜区　元帅林 国家级森林、地质公园　出入口　收费站

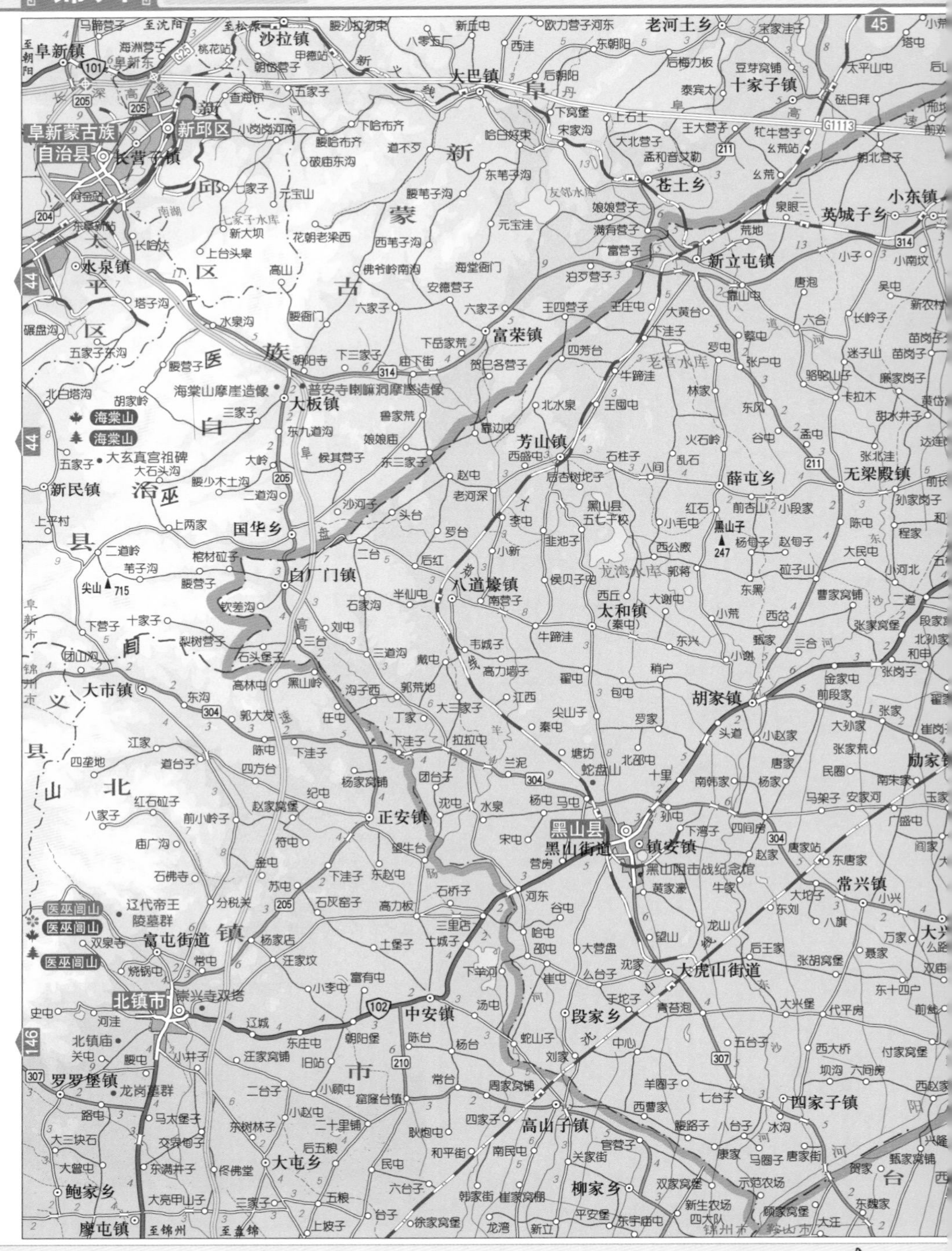

比例尺 1:400 000

4.0千米 0 4.0 8.0 12.0千米

高度表

0 50 100 200 300 400 500 600 800 1000 1200 1500米

【地理位置】 位于锦州市东北部。东与沈阳市为邻，南接鞍山市，西临北镇市，北接阜新市。

【人口面积】 人口62万，面积2436平方千米。

【历史沿革】 光绪二十八年（1902年）析新民厅和广辽东郡。秦、汉属辽东郡无虑县，魏晋十六国时属宁县地建镇安县，驻小黑山(今黑山镇)属新民府。1914年因与陕西镇安县重名遂依驻地之名改称黑山县，1934年属锦州省。1945年12月属辽宁省。1947年末全县解放，建立黑北联合县，属辽北省第五专区。1948年建黑山县，1954年属辽宁省，1959年属锦州市，1966年属锦州专区，1968年末复属锦州市。

【地　　形】 地势西北高、东南低，西部多低山土岗为丘陵地，属医巫闾山余脉，中部和南部为冲积平原。

【主要河流】 东沙河，绕阳河。

【湖泊水库】 龙湾水库、老官水库。

【交　　通】 沈山、大郑、高新铁路镜内相接，102国道和211、304、307、314省道纵横县境。

【资　　源】 农业主产高粱、玉米、稻谷、小麦，兼产大豆、花生等。矿产资源有煤、膨润土、氟石等矿藏，其中膨润土的储量和质量居全国之首。其他有耐火土、玛瑙石、珍珠岩等。

【风景名胜】 蛇盘山、黑山阻击战纪念馆。

【土特产品】 玛瑙雕刻、水貂皮。

【景点介绍】 **黑山阻击战纪念馆** 占地300平方米，主要展出了有关黑山阻击战的图片及实物。黑山阻击战是在解放战争时期中国人民解放军东北野战军一部在辽宁省西部黑山、大虎山地区抗击东北国民党“西进兵团”进攻的作战。这个战役全歼国民党军“西进兵团”10万余人，标志辽沈战役取得了决定性胜利。

黑山阻击战纪念馆

沈阳故宫 世界遗产　仙人洞 国家级自然保护区　服务区　里程起讫点

凤凰山 国家级风景名胜区　元帅林 国家级森林、地质公园　出入口　收费站

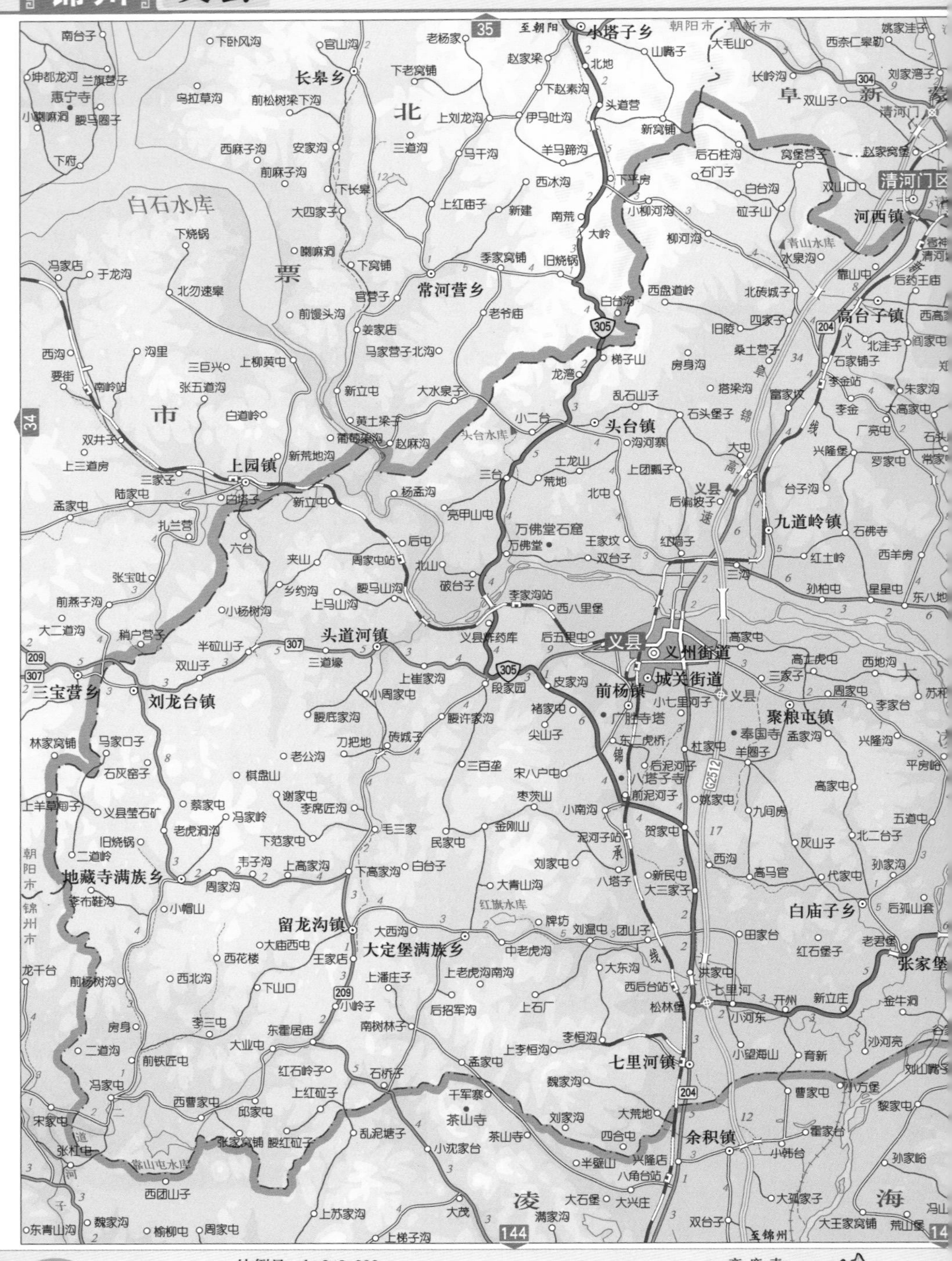

比例尺 1:340 000

高度表

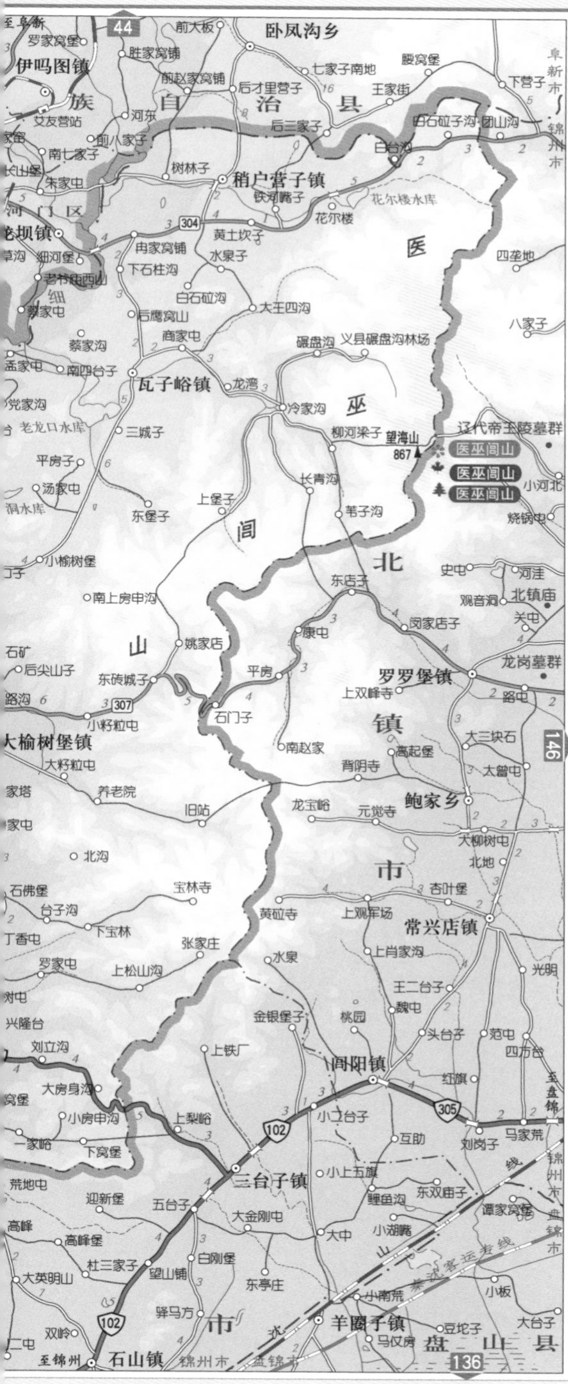

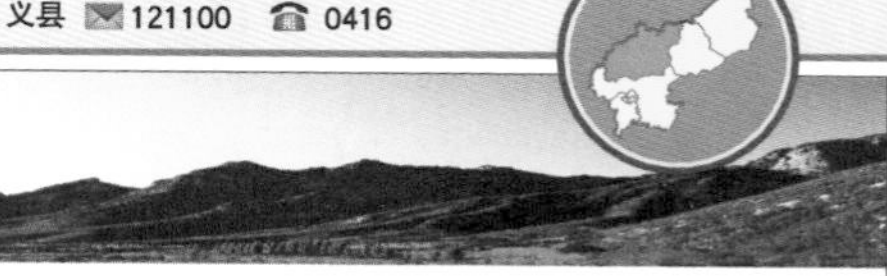

【地理位置】 位于锦州市西部，北邻阜新市，东与北镇市交界，南接凌海市，西与朝阳市相连。

【人口面积】 人口43万，面积2496平方千米。

【历史沿革】 明宣德元年建砖城。清初设义州巡检司，隶属广宁府管辖。清雍正十二年改属锦州府，1913年改州为县属奉天省，次年属辽沈道，1929年属辽宁省，1934年属锦州省，1949年属辽西省，1954年属辽宁省，1968年末属锦州市。

【地　　形】 地势东、西高，中间低，海拔在100～200米。东部是医巫闾山，西部是松岭丘陵，中部为大凌河、细河河谷平原。

【最高山峰】 望海山，867米。

【主要河流】 大凌河、细河。

【湖泊水库】 红旗水库、老龙口水库、下洞水库、花尔楼水库。

【交　　通】 锦承铁路、新义铁路境内接轨，阜锦高速纵贯南北，305国道和204、209、304、307省道纵横交错，形成主干交通网。

【资　　源】 农业主产高粱、玉米、大豆，山地盛产梨、苹果、桃、山楂等水果。矿藏资有煤、硅石、铁、水晶、金、银、铜、铅、锌、萤石等。

【风景名胜】 广胜寺塔、奉国寺、万佛堂石窟，八塔子寺。

【景点介绍】 **万佛堂石窟** 位于辽宁省义县古城西北9千米大凌河北岸的福山峭壁上，气势恢宏壮观。石窟分为东西两区，现存大小洞窟16个，石刻造像430余尊。西区是北魏太和二十三年（499年）平东将军营州（今朝阳）刺史元景为皇帝祈福开凿的。东区是北魏景明三年（502年）慰喻契丹使员外散骑常侍韩贞等74人开凿的私窟。石窟佛像大者丈余、小者不过盈寸，整个造像群布局严谨，内容丰富，镌刻精巧，形象生动，栩栩如生，窟顶莲花宝盖、飞天藻井更显北魏时期的石刻技艺。摩崖“元景造像碑”字迹遒劲挺秀，笔力极工，被清末梁启超评为“天骨开张，光芒闪溢”，康有为则称其为“元魏诸碑之极品”，韩贞造像题记则是研究我国北方民族史、边疆史极为珍贵的资料。

八塔子寺 在义县前杨乡八塔子村后山上有8座造型简素的青砖小塔。1980年初辽宁省博物馆古建筑工程师曹讯考察了8座青塔，在第二座塔身东侧发现“菩提树下成佛塔”7字塔铭，此塔铭与兴城白塔峪辽塔上所刻的塔铭相吻合。据此认定八塔为辽代建筑。辽代用八塔并立纪念佛祖释迦牟尼一生八个阶段，此为仅有的建筑实例，是省级文物保护单位。

沈阳故宫	世界遗产	仙人洞	国家级自然保护区		服务区		里程起迄点
凤凰山	国家级风景名胜区	元帅林	国家级森林、地质公园		出入口		收费站

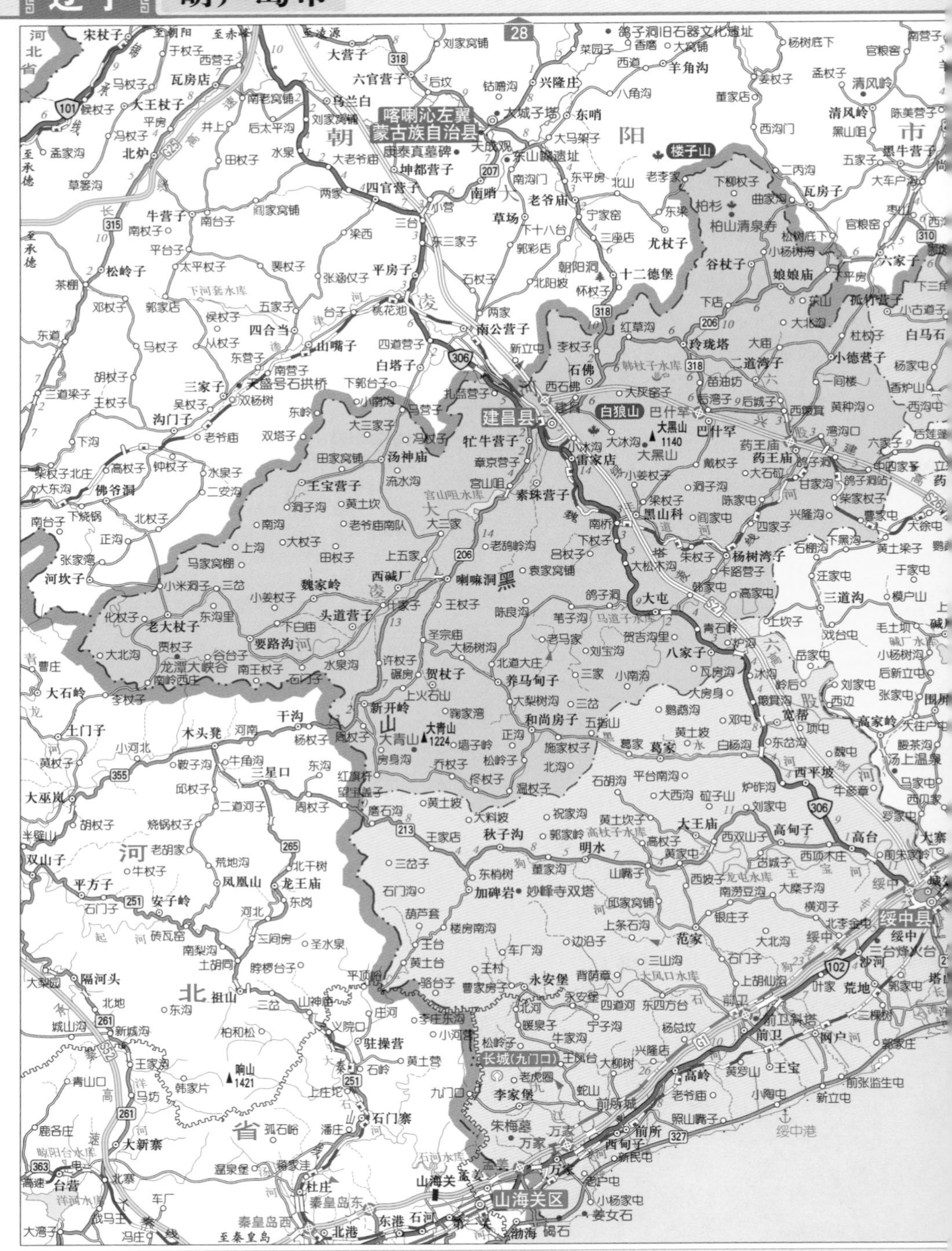

比例尺 1:760 000

7.6千米 0 7.6 15.2 22.8千米

【地理位置】 位于辽宁省西部，东南临渤海，东北与锦州市相连，西北与朝阳市接壤，西南与河北省毗邻。

【行政区划】 辖龙港、连山、南票3区，兴城市，绥中和建昌2县。

【人口面积】 人口281万，面积10375平方千米。

【地　　形】 地处松岭和燕山山脉地带，由西北向东南呈阶梯状降低至渤海湾，地貌复杂，土地类型多样。

【重要山脉】 黑山。

【最高山峰】 大青山，海拔1224米。

【主要河流】 大凌河、女儿河、六股河、兴城西河。

【湖泊水库】 乌金塘水库、宫山咀水库、大风口水库。

【气　　候】 属于温带季风型大陆性气候，年平均气温8℃～9℃，1月平均气温-8℃～-10℃，7月平均气温23℃～27℃，年平均降雨量550～650毫米，无霜期145～175天。

【交　　通】 秦沈客运专线、京哈高速公路、102国道并行穿越本境。魏塔、南票铁路与沈山铁路接轨。兴建高速、滨海大道、306国道、206、213、310、318省道过境。葫芦岛港为万吨级码头。

【资　　源】 农业盛产玉米、高粱、大豆、棉花、花生等，是全国重要的商品粮基地之一，矿产资源丰富，有金、银、铜、锌、钼、铁、锰等。海底石油和天然气储量丰富，钼、锌产量占全国1/3，地热和非金属矿储量丰富。

【风景名胜】 九门口长城、兴城海滨、菊花岛、柏山清泉寺、龙潭大峡谷、张作霖温泉别墅、塔山烈士纪念塔、首山国家森林公园、虹螺山国家级自然保护区、妙峰寺双塔。

【景点介绍】 兴城海滨 为国家级风景名胜区，位于兴城市区东南部，依山傍海，风光秀丽。集山海、古城、温泉于一地，有现存完好的明代古城——宁远卫城、海滨浴场、首山森林公园、张作霖温泉别墅、菊花岛、辽代大龙宫寺、大悲阁、八角琉璃井、唐卫洞古迹等，素有第二北戴河之称。

兴城海滨

葫芦岛城区

【地理位置】 位于葫芦岛市东北部，东临辽东湾，辽东湾两岸是东北地区进入关内的重要门户。

【城市特色】 葫芦岛市因其西南与山海关相接，素有“关外第一市”之称。城市依托森林具有“山在城中，城在海边”的特色。由于葫芦岛市在古筝新筝艺术领域成就显著，又有“中国筝岛”的别称。

【历史沿革】 兴城之名始于辽代统和八年（990年），正式复用兴城县名为民国三年（1914年），改县级市始于1987年。锦西、南票设区治始于1983年。连山设区治始于1989年。1994年10月，锦西市更名为葫芦岛市，原葫芦岛区更名为龙港区。

【主要河流】 五里河、连山河。

【交　　通】 街道沿铁路两侧呈方格状分布，市内交通方便，有共汽车、长途客运汽车、小公共汽车等。葫芦岛火车站有通往全各地的旅客列车，葫芦岛港有通往大连、天津、营口等地的航京哈高速公路在城西北经过。

【经　　济】 以石油、化工为主体，重工业门类齐全，包括冶机械、建材、造船、煤炭、化肥等工业。南部是以造船、炼锌、化等为主的工业区。

【风景名胜】 龙湾公园、张学良筑港纪念碑、双泉寺。

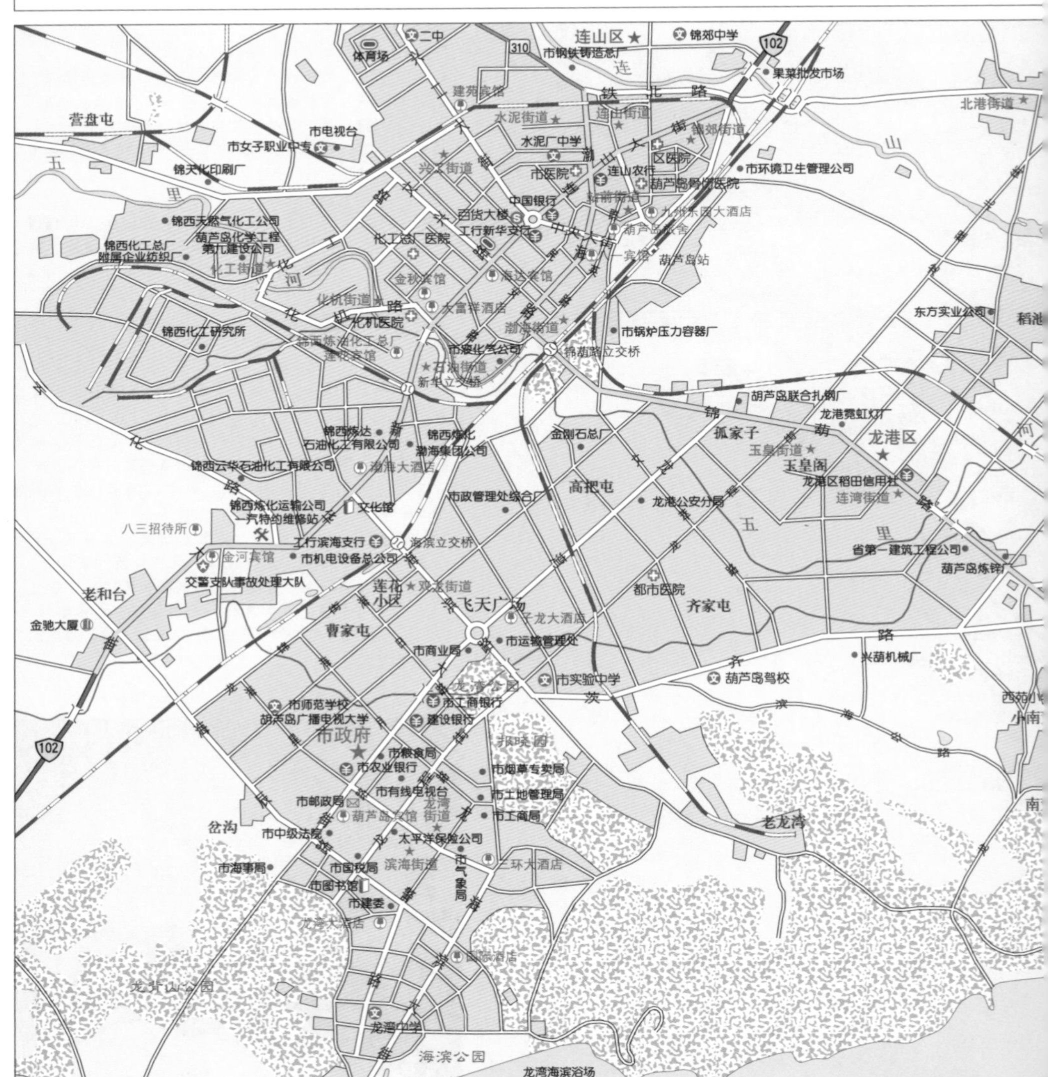

特产品】 龟田酒。

点介绍】 张学良筑港纪念碑 位于葫芦岛港码头西山，此是张学良将军撰文，并在开工典礼上亲自揭幕的遗物—葫芦筑港开工纪念碑。平台上砌0.7米高的方围墙，四面有通。四根26米高的水泥方柱支撑梁架，亭盖四面陡坡飞檐上，顶上有圆楔尖。碑亭通高5米，占地43平方米。碑身高5米，宽0.66米，厚0.25米，碑座高0.45米，长0.73米，宽36米。碑身正面阳刻隶书“葫芦岛筑港开工纪念”9个大，背面刻着张学良将军撰稿的八行正楷碑文，共219字。碑座正面刻着12个正楷字，右起竖排两字一行“中华民国十九年七月二日立”。碑座背面刻粗体“1930”的年代字码，两侧雕刻盾形云纹。

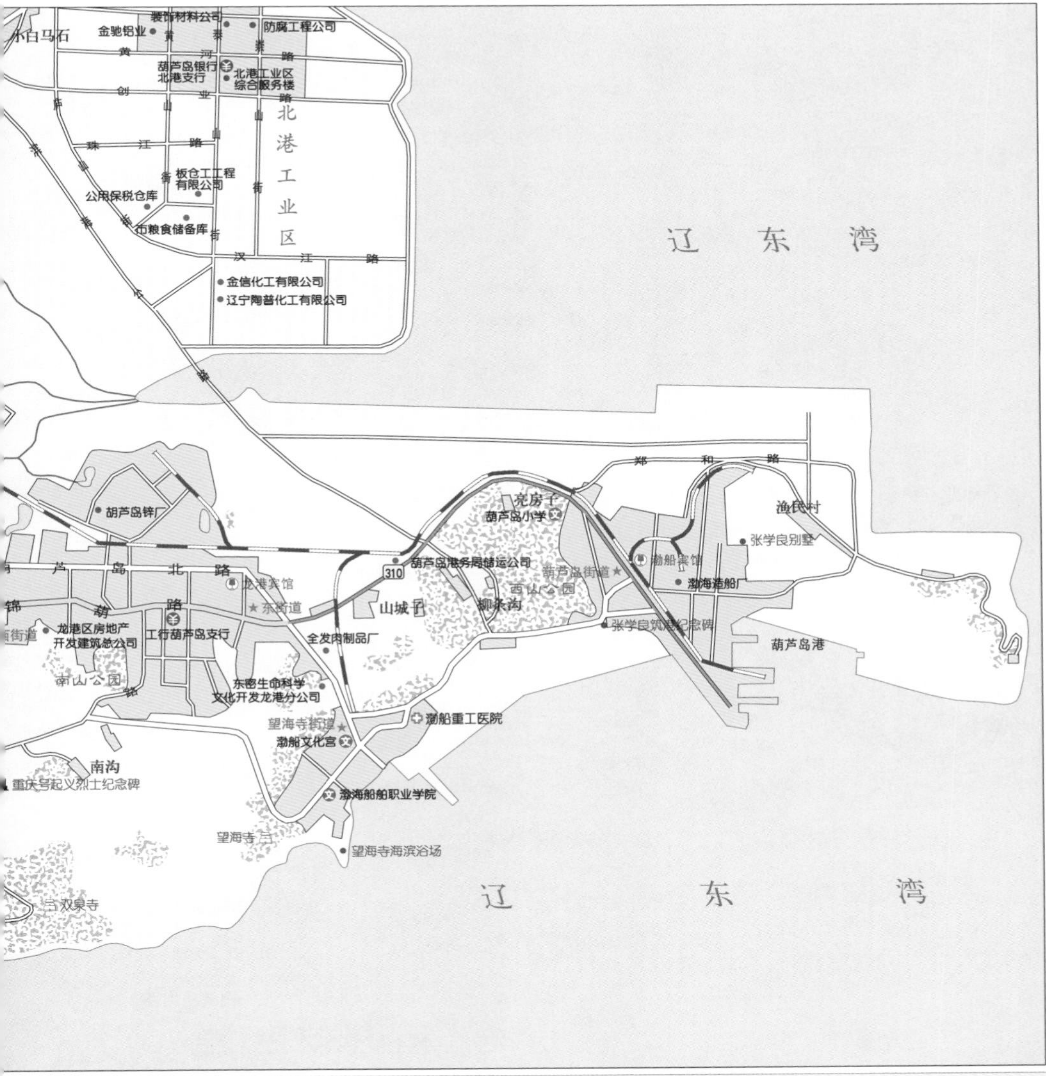

小白马石
装饰材料公司
金驰铝业
防腐工程公司
黄河路
葫芦岛银行北港支行
北港工业区综合服务楼
创业路
北港工业区
珠江路
板仓工工程有限公司
公用保税仓库
市粮食储备库
汉江路
金信化工有限公司
辽宁陶普化工有限公司
辽东湾
郑和路
亮房子
葫芦岛小学
渔民村
张学良别墅
胡芦岛锌厂
葫芦岛北路
葫芦岛港务局储运公司
渤船宾馆
渤海造船厂
龙港宾馆
葫芦岛街道
西山公园
东街道
山城子
柳条沟
张学良筑港纪念碑
葫芦岛港
龙港区房地产开发建筑总公司
工行葫芦岛支行
全发肉制品厂
南山公园
东密生命科学文化开发龙港分公司
望海寺街道
渤船重工医院
渤船文化宫
南沟
重庆号起义烈士纪念碑
渤海船舶职业学院
望海寺
望海寺海滨浴场
双泉寺
辽东湾

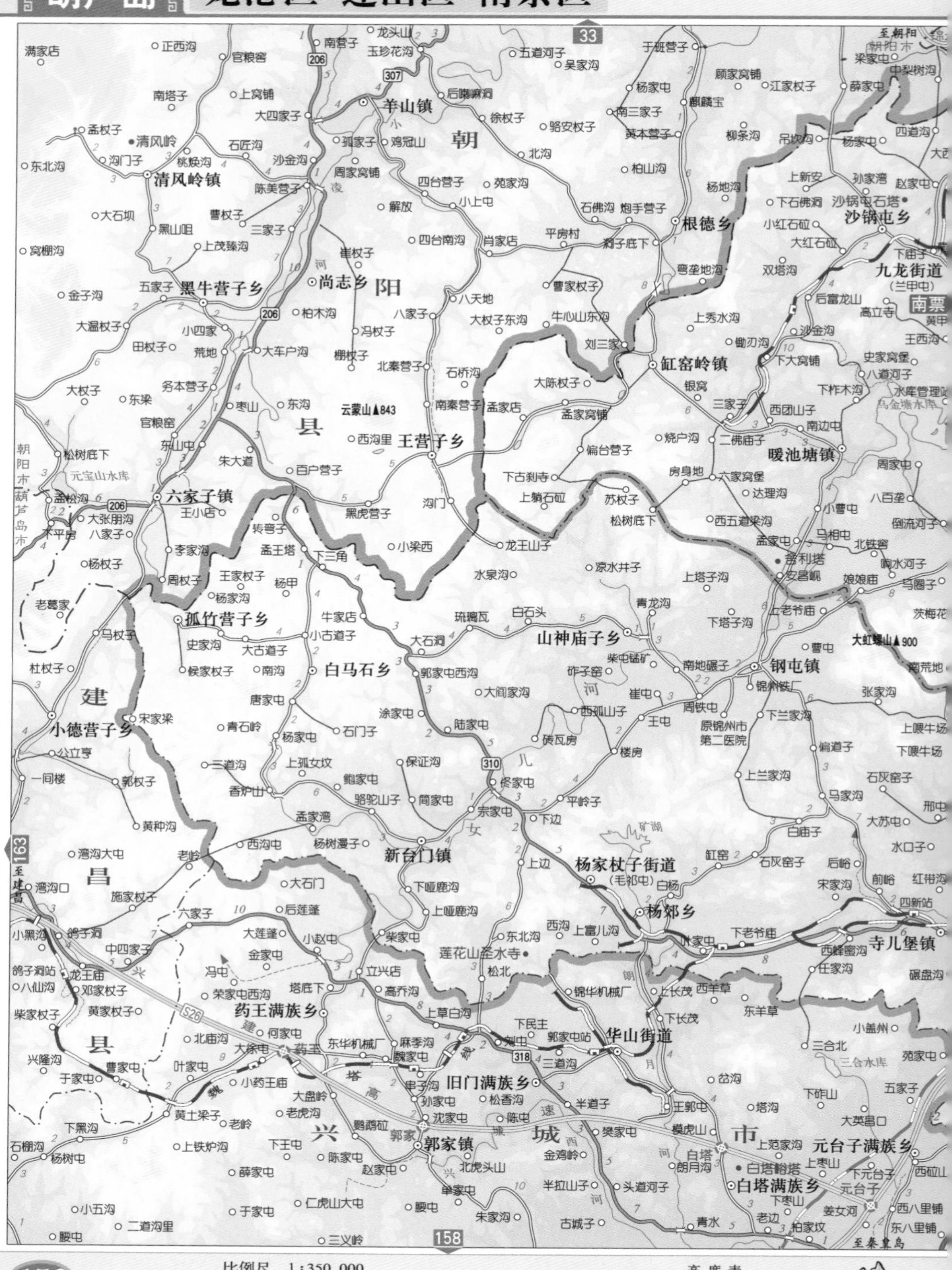

比例尺 1:350 000

3.5千米 0 3.5 7.0 10.5千米

高度表

150 100 50 20 10 0 50 100 200 300 400 500 600 800 1000 1200 1500米

葫芦岛市辖区

【地理位置】 位于葫芦岛东北部，东与锦州市交界，西与建昌县毗邻，南接兴城市，北与朝阳市接壤，东南临辽东湾。包括龙港区、连山区、南票区3区。

【人口面积】 人口99万，面积2303平方千米。

【历史沿革】 1906年清政府设锦西县治。1985年撤县设县级锦西市。1989年锦西市升格为地级市，1994年锦西市更名为葫芦岛市。

【地　　形】 地处松岭山脉和燕山山脉地带，地势由西北向东南呈阶梯状降低，直至渤海湾，由于地貌复杂，土地类型多样。

【最高山峰】 大虹螺山，海拔900米。

【主要河流】 女儿河。

【湖泊水库】 乌金塘水库、虹螺山水库、矿湖。

【交　　通】 秦沈客运专线、沈山铁路、京哈高速公路、102国道并行穿过本区东南部，310省道斜贯境内，滨海大道蜿蜒海岸。县乡公路连接成网。

【资　　源】 农业盛产高粱、玉米、谷子、水稻、花生、大豆、棉花、白薯、黄烟、水果；海产品有鱼、虾、螃蟹、贝类、对虾等。矿产资源主要有煤、钼、锰、硫化铁、铁、铜、铅锌、亚铅、铅、金、银、磷石、硫、磺、水晶石、石棉、滑石、萤石、石灰石、重晶石等；其中杨家杖子是世界三大著名钼矿生产基地之一。

【风景名胜】 虹螺山国家级自然保护区、莲花山圣水寺、塔山烈士纪念塔、舍利塔、沙锅屯石塔。

【土特产品】 秋白梨、南果梨、香蕉李、对虾、毛虾、扇贝、梭鱼、黄鱼、貂皮、烟叶。

【景点介绍】 **莲花山圣水寺** 位于葫芦岛西莲花山上，因寺内有一地下清泉而得名。建于康熙五十九年（1720年），占地3万平方米。全寺由主院和东西跨院组成。天元宫是寺院的大型门楼，方座圆顶。圣水泉在西跨院，泉水绕莲花池。莲花山圣水寺环境幽美，殿宇建筑精致，又有泉水相映，寓我国南、北方寺庙建筑艺术于一体。风格别致，被专家誉为“中国古建筑什锦小品”。

塔山烈士纪念塔 为纪念在辽沈战役塔山阻击战中牺牲的革命烈士而建。距市区东北12千米。于1963年10月建成，高12.5米。塔址原是明天启年间烽火台，战争时为解放军前沿指挥所。全塔由白色花岗岩方石筑成，平面呈凸形，塔身正面为陈云同志手书“塔山阻击战革命烈士永垂不朽”几个金色大字，北面铜片碑中刻有524个汉字，记载塔山阻击战的过程。

沈阳故宫 世界遗产　仙人洞 国家级自然保护区　服务区　里程起讫点
凤凰山 国家级风景名胜区　元帅林 国家级森林、地质公园　出入口　收费站

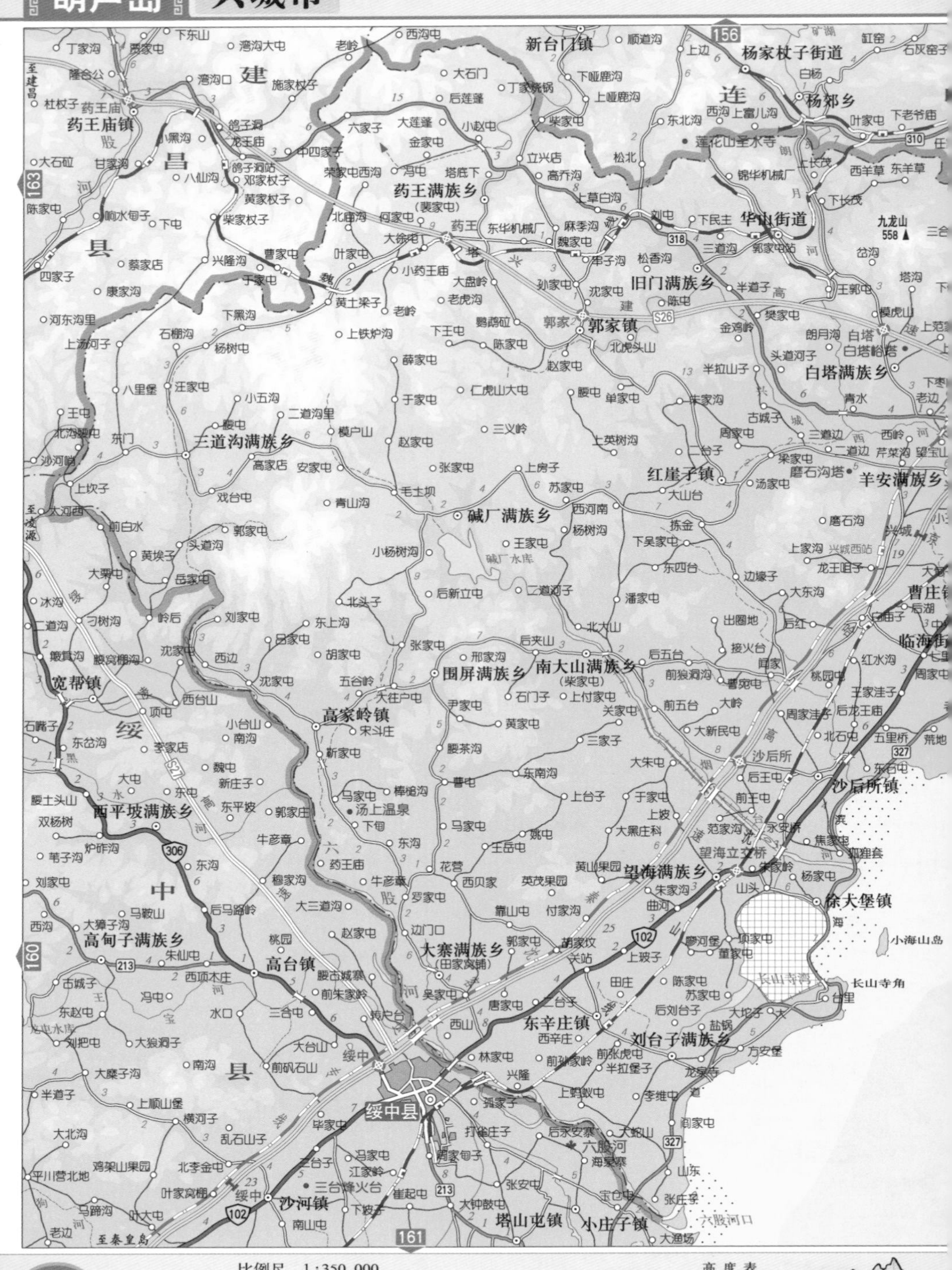

比例尺 1:350 000

3.5千米 0 3.5 7.0 10.5千米

高度表

150 100 50 20 10 0 50 100 200 300 400 500 600 800 1000 1200 1500米

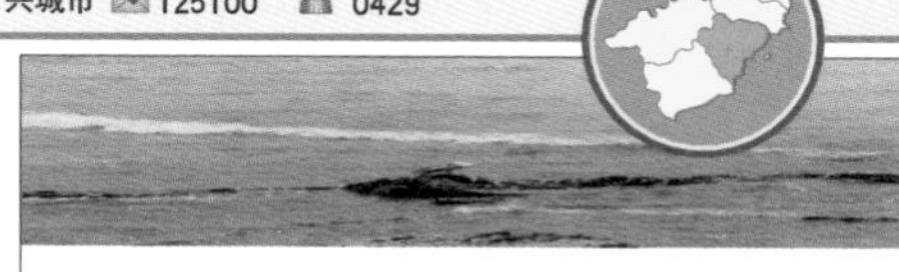

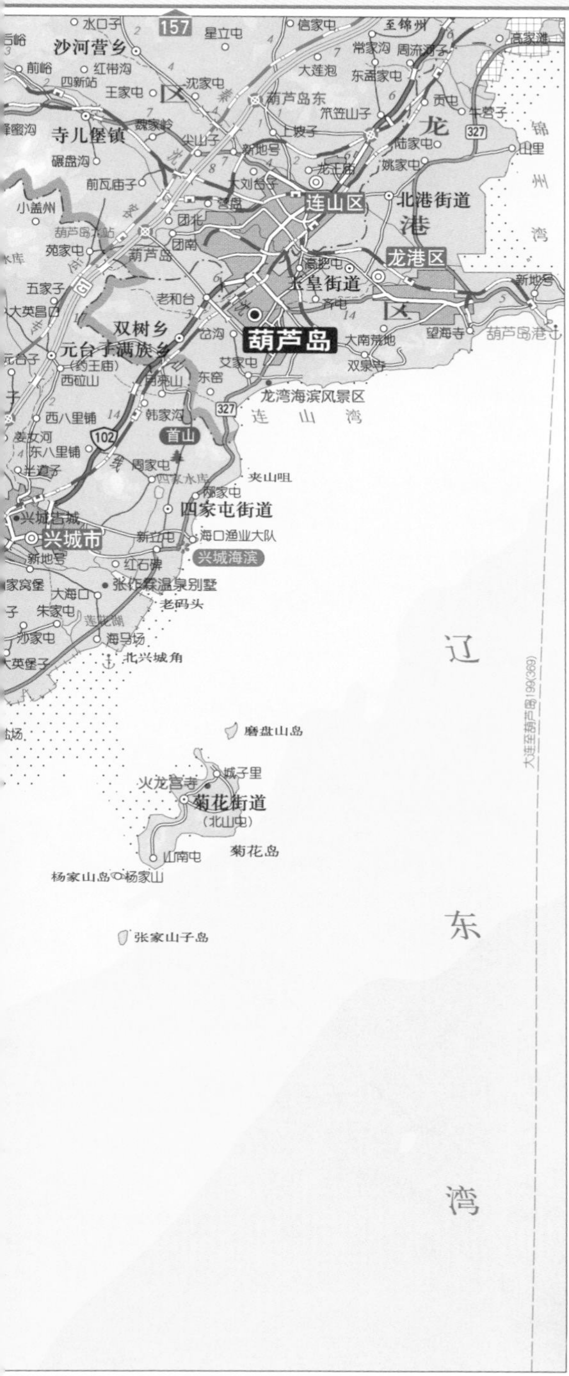

【地理位置】 位于葫芦岛市东部，辽东湾西北岸。

【人口面积】 人口55万，面积2147平方千米。

【历史沿革】 辽圣宗统和八年（990年），设兴城县（治所桃花岛即今钓鱼台街道海口），这是兴城这一名称的最早由来。金时，属北京路（今内蒙古宁城县大明城）。元时兴城废县，地属锦州和瑞州分辖。明属辽东都指挥使司宁远卫。清代撤卫建州。1913年，宁远州改为宁远县。1914年1月，因与山西、湖南、甘肃、新疆等省之宁远县重名，乃沿用辽时之名改称兴城县。初隶属奉天省，后隶属锦州省。中华人民共和国成立后，为兴城县，隶属辽西省，后改属辽宁省。1986年12月，经国务院批准撤销兴城县设兴城市（县级），由省直辖。后改由葫芦岛市代管。

【地　　形】 地势西北高、东南低，东部为滨海平原，西部为松岭南缘。

【主要河流】 六股河、兴城西河、烟台河。

【湖泊水库】 碱厂水库、三合水库。

【交　　通】 秦沈客运专线、沈山铁路、京哈高速公路、102国道平行在东部过境，兴建与京哈高速相接，滨海大道蜿蜒海岸。

【资　　源】 农业盛产高粱、玉米、水稻、谷子、大豆、花生、棉花、烟叶、地瓜、水果和海产品。矿产资源主要有煤、金、铜、铅、锌、钼、重晶石、石棉、石墨、硅石、大理石等。其中水果和海产品是当地特产，已被国家定为优质水果和海水养殖、副食品生产基地市。

【风景名胜】 兴城海滨风景名胜区、首山国家森林公园、兴城古城、磨石沟塔、张作霖温泉别墅。

【景点介绍】 兴城古城　是我国现存完好的明代古城，古称宁远卫城。城的正中心是钟鼓楼，在钟鼓楼与南城门之间，是著名的明代商业街，街上矗立着两座高大的祖氏石坊。古城内东南隅有一座已有560年历史的文庙，是为奉祀孔子所建。古城始建于明宣德五年，呈方形。城墙外用青砖，内用石块砌成。南北长826米，东西宽804米，顶宽5米，底宽6.5米，高10米，周长3260米。城的四面有城门，四角设角台，东南角台上建有魁星楼。古城是明朝末年山海关外的防御重镇。明将袁崇焕曾驻守于此，屡败清兵，重创清太祖努尔哈赤，后又于天启七年五月大胜清太宗皇太极，史称“宁锦大捷”。

兴城古城

沈阳故宫 世界遗产　仙人洞 国家级自然保护区　服务区　里程起迄点
凤凰山 国家级风景名胜区　元帅林 国家级森林、地质公园　出入口　收费站

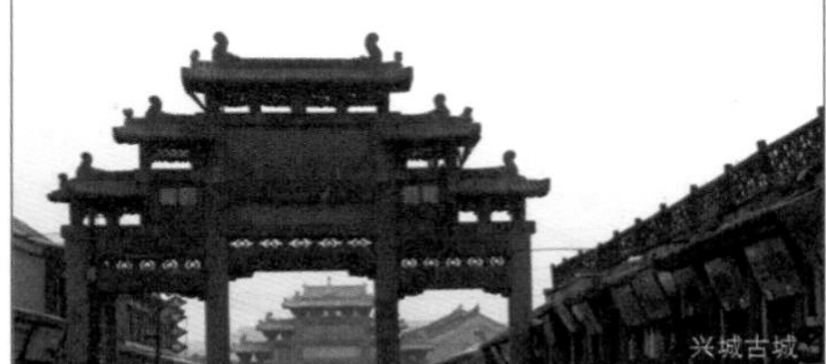

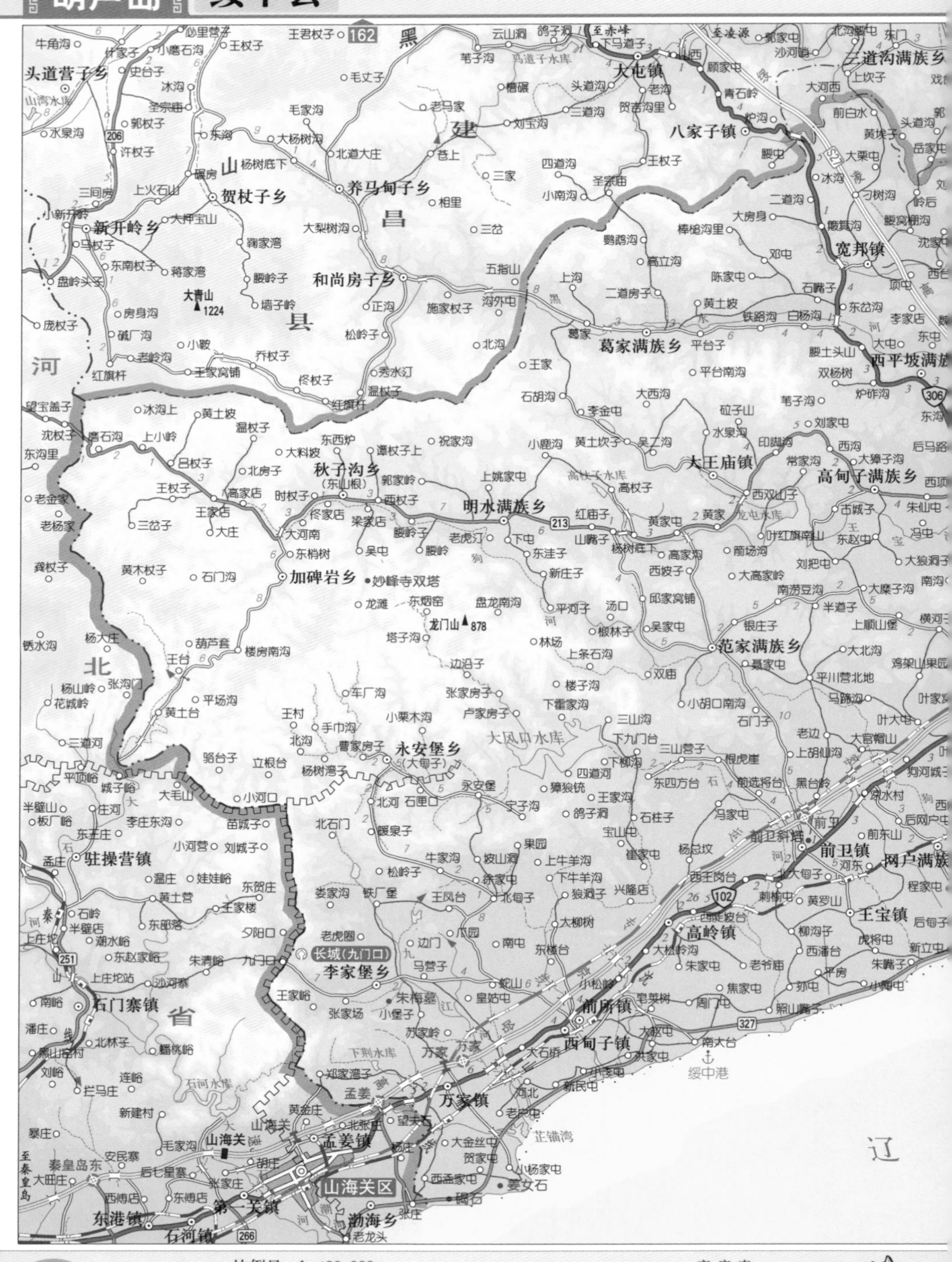

比例尺 1:400 000

4.0千米 0 4.0 8.0 12.0千米

高度表

150 100 50 20 10 0 50 100 200 300 400 500 600 800 1000 1200 1500米

【地理位置】 位于葫芦岛市南部，东北邻兴城市，西北接建昌县，南临渤海，西部与河北省秦皇岛市接壤。

【人口面积】 人口64万，面积2764平方千米。

【地　　形】 地势西北高、东南低，西北部为山地，中部多丘陵，东南为沿海平原和洼地。

【最高山峰】 龙门山，海拔878米。

【主要河流】 六股河、黑水河、王宝河。

【湖泊水库】 大风口水库、高杖子水库、龙屯水库。

【交　　通】 秦沈客运专线，沈山铁路、京哈高速公路及102国道平行斜贯，滨海大道沿海岸蜿蜒，306国道、213省道及县乡公路纵横境内。

【资　　源】 农业有高粱、玉米、大豆、花生、棉花等，山区盛产梨、苹果、白梨。矿产资源有铅、铜、铁、黄金、硅石、黄石、萤石等。

【风景名胜】 妙峰寺双塔、三台烽火台、前卫斜塔、朱梅墓、姜女石、碣石旅游度假区、九门口长城、六股河自然保护区。

【土特产品】 绥中白梨。

【景点介绍】 **妙峰寺双塔** 位于绥中县西妙峰岭上，因塔下有一妙峰寺而得名。双塔建于辽乾统年间，一大一小，东西对峙，相距50米。东塔八角九级密心密檐式，八面各有角柱，内置一佛坐于莲花座上。西塔为砖筑六角实心七级密檐式，与东塔基本相同，现仅存五层。

九门口长城 位于绥中县李家堡乡，为世界文化遗产长城的组成部分、国家3A级旅游景区。九门口长城始建于明洪武十四年（1381年），因跨九江河的城桥下有9个泄水门而得名。长城长为1215米，宽7～13米，城桥长97.4米，两侧各有围城一座，底座设有砖石券洞7个，两侧城墙有9座敌楼、哨楼，及由拦马沟、拦马墙组成的防御体系，城墙用条石为基，内外全用城砖包砌，在城下百米宽的河道上铺就了7000平方米的过水条石，条石间均用铁水浇铸的铁锭相扣连，故名“一片石”。

长城随山势蜿蜒起伏，横断于九江河上，远远望去，两侧山势巍峨，映衬的关口更加壮观，素有“一夫当关，万夫莫开”之势，历来是兵家必争之地。

九门口长城

【地理位置】 位于葫芦岛市的西北部，东与连山区、兴城市相接，西、北部与朝阳市毗邻，西南与河北省相邻。

【人口面积】 人口63万，面积3161平方千米。

【地　　形】 地势西高东低，呈“S”形梯状。地貌为中低山、低山、丘陵、河谷平原四大类型。

【最高山峰】 大青山，海拔1224米。

【河流湖泊】 大凌河、六股河，宫山咀水库。

【交　　通】 有魏塔铁路蜿蜒境内，兴建高速公路和306国道过境。206、318省道境内纵横交错，与县乡公路形成了交通网。

【资　　源】 农业盛产高粱、玉米、谷子、大豆、白薯等。水果和尚房子白梨、黑山科大枣、山楂是本地特产。矿产有煤、铝、锌、锰、硫铁、金等。

【风景名胜】 白狼山国家级自然保护区、柏杉自然保护区、龙潭大峡谷、大黑山、大青山等景点。

比例尺 1:560 000

5.6千米 0 5.6 11.2 16.8千米

高度表

0 50 100 200 300 400 500 600 800 1000 1200 1500米

辽宁省国道里程表

单位：千米

101国道

	沈阳	尹家	登仕堡子	彰武	哈尔套	务欢池	阜新	七家子	马友营	慈宁寺	朝阳	波罗赤	建平	凌源	许杖子	平泉	六沟
承德	670	651	614	556	515	488	439	416	383	343	300	251	216	182	131	100	60
六沟	610	591	554	496	455	428	379	356	323	283	240	191	156	122	71	40	
平泉	570	551	514	456	415	388	339	316	283	243	200	151	116	82	31		
许杖子	539	520	483	425	384	357	308	285	252	212	169	120	85	51			
凌源	488	469	432	374	333	306	257	234	201	161	118	69	34				
建平	454	435	398	340	299	272	223	200	167	127	84	35					
波罗赤	419	400	363	305	264	237	188	165	132	92	49						
朝阳	370	351	314	256	215	188	139	116	83	43							
慈宁寺	327	308	271	213	172	145	96	73	40								
马友营	287	268	231	173	132	105	56	33									
七家子	254	235	198	140	99	72	23										
阜新	231	212	175	117	76	49											
务欢池	182	163	126	68	27												
哈尔套	155	136	99	41													
彰武	114	95	58														
登仕堡子	56	37															
尹家	19																

102国道

	丰润	卢龙	抚宁	秦皇岛	山海关	绥中	葫芦岛	锦州	凌海	北镇	黑山	新民	沈阳	铁岭	开原	昌图	四平	公主岭	长春
公主岭																			45
四平																		47	92
昌图																	55	102	147
开原																32	87	134	179
铁岭															34	66	121	168	213
沈阳														74	108	140	195	242	287
新民													52	126	160	192	247	294	280
黑山												73	125	199	233	265	320	367	273
北镇											33	106	158	232	266	298	353	400	445
凌海										72	105	178	230	304	338	370	425	472	517
锦州									24	96	129	202	254	328	362	394	449	496	541
葫芦岛								55	79	151	184	257	309	383	417	449	504	551	596
绥中							74	129	153	225	258	331	383	457	491	523	578	625	670
山海关						68	142	197	221	293	326	399	451	525	559	591	646	693	738
秦皇岛					13	81	155	210	234	306	339	412	464	538	572	604	659	706	751
抚宁				36	49	117	191	246	270	342	375	448	500	574	608	640	695	742	787
卢龙			33	69	82	150	224	279	303	375	408	481	533	607	641	673	728	775	820
丰润		59	92	128	141	209	283	338	362	434	467	540	592	666	700	732	787	834	879
玉田	33	92	125	161	174	242	316	371	395	467	500	573	625	699	733	765	820	867	912

305国道

	庄河	长岭	梁屯	盖州	营口	大洼	盘锦	盘山	沟帮子	松林堡	义县	马友营	慈宁寺	贝子府	敖汉旗	哈拉道口	阿什罕	海拉苏	宝日勿苏
巴林左旗	730	697	635	602	567	522	507	498	467	418	395	342	302	250	191	143	85	45	35
宝日勿苏	695	662	600	567	532	487	472	463	432	383	360	307	267	215	156	108	50	10	
海拉苏	685	652	590	557	522	477	462	453	422	373	350	297	257	205	146	98	40		
阿什罕	645	612	550	517	482	437	422	413	382	333	310	257	217	165	106	58			
哈拉道口	587	554	492	459	424	379	364	355	324	275	252	199	159	107	48				
敖汉旗	539	506	444	411	376	331	316	307	276	227	204	151	111	59					
贝子府	480	447	385	352	317	272	257	248	217	168	145	92	52						
慈宁寺	428	395	333	300	265	220	205	196	165	116	93	40							
马友营	388	355	293	260	225	180	165	156	125	76	53								
义县	335	302	240	207	172	127	112	103	72	23									
松林堡	312	279	217	184	149	104	89	80	49										
沟帮子	263	230	168	135	100	55	40	31											
盘山	232	199	137	104	69	24	9												
盘锦	223	190	128	95	60	15													
大洼	208	175	113	80	45														
营口	163	130	68	35															
盖州	128	95	33																
梁屯	95	62																	
长岭	33																		

201国道

	白山	通化	通化县	双岭子	桓仁	大青沟	宽甸	杨木川	丹东	东港	孤山	栗子房	青堆	庄河	城子坦	杨树房	金州	大连	旅顺口
大连																			46
金州																		29	75
杨树房																	67	96	142
城子坦																23	90	119	165
庄河															55	78	145	174	220
青堆														31	86	109	176	205	251
栗子房													16	47	102	125	192	221	267
孤山												14	30	61	116	139	206	235	281
东港											51	65	81	112	167	190	257	286	332
丹东										35	86	100	116	147	202	225	292	321	367
杨木川									55	90	141	155	171	202	257	280	347	376	422
宽甸								51	106	141	192	206	222	253	308	331	398	427	473
大青沟							97	148	203	238	289	303	319	350	405	428	495	524	570
桓仁						33	130	181	236	271	322	336	352	383	438	461	528	557	603
双岭子					28	61	158	209	264	299	350	364	380	411	466	489	556	585	631
通化县				55	83	116	213	264	319	354	405	419	435	466	521	544	611	640	686
通化			22	77	105	138	235	386	341	376	427	441	457	488	543	566	633	662	708
白山		62	84	139	167	200	297	348	403	438	489	503	519	550	605	628	695	724	770
江源	44	106	128	183	211	244	341	392	447	482	533	547	563	594	649	672	739	768	814

辽宁省主要城镇间公路里程表

单位：千米

	沈阳	新民	辽阳	鞍山	海城	营口	盖州	瓦房店	普兰店	大连	庄河	丹东	凤城	本溪	抚顺	铁岭	阜新	朝阳	凌源	葫芦岛	锦州
沈阳																					
新民	62																				
辽阳	69	113																			
鞍山	95	137	26																		
海城	128	156	60	33																	
营口	179	194	110	84	46																
盖州	196	223	128	101	67	35															
瓦房店	299	324	230	204	164	138	106														
普兰店	326	352	258	232	192	166	133	27													
大连	419	414	319	292	260	220	195	100	72												
庄河	307	336	240	214	180	160	125	97	107	170											
丹东	282	342	237	232	247	280	263	258	270	330	163										
凤城	225	285	180	172	185	221	203	257	269	331	161	60									
本溪	78	138	108	95	129	177	197	299	326	388	297	205	146								
抚顺	46	108	108	134	168	214	235	332	360	431	348	289	230	84							
铁岭	73	124	139	165	201	249	267	369	397	458	381	348	290	143	59						
阜新	205	143	194	186	201	205	240	346	373	435	365	419	358	262	251	244					
朝阳	308	246	297	291	268	250	285	391	418	480	410	517	455	365	354	373	141				
凌源	424	362	412	405	384	366	401	505	532	594	524	631	569	481	470	488	257	116			
葫芦岛	283	244	262	229	207	187	223	329	356	418	348	454	392	324	329	356	164	127	201		
锦州	234	200	216	184	162	144	179	285	312	374	304	482	347	279	284	312	112	106	222	52	
盘锦	155	150	122	97	77	61	96	202	229	291	221	324	265	192	201	228	143	200	314	137	93

中国分省系列地图册

编辑部

主　　编　薛贵江　姚　杰

副 主 编　周瑞祥　柳红军

执行编辑　宋二祥　高小玲　李东海　田　蔚　孟　晶　李淑芳
刘更田　程福润　赵福祥　陈振国　王　岩　温军武
杨　毅　寿幸禄　张晖芳　申　怡　朱　杰　南哲民

《辽宁省地图册》编辑出版人员

责任编辑　朱　杰

编辑设计　韩　刚　杜明奎　项慧丽　刘红军　王　宇　赵　剑

制　　图　王　东　王红伟　叶　博　田　璐　毕再宽　刘建平
张　冲　张国文　吴永奇　宋金亮　侯树博　徐　云
顾　亮　崔　阳　常　笛　黄晓杰　董艳艳

审　　校　付亚风　张　洁　段玉婧　王海林　倪金秀　李爱辉

印刷工艺　高建萍　滕俊国

出版审定　姚　杰　周瑞祥　刘爱珍

出 版 人　马晓春

《辽宁省地图册》第二版编辑出版人员

责任编辑　张佩英

制　　图　张　贺　张　爽　祁　欣

审　　校　王晋秀　贾卫华

印刷工艺　谢　清　滕俊国

出版审定　周瑞祥　高小玲　牛顺明

出 版 人　姚　杰